TONY HAWKS

Mit dem Kühlschrank
durch Irland

D0968174

Buch

»Hiermit wette ich um 100 Pfund, dass Tony Hawks es nicht schafft, innerhalb eines Kalendermonats mit einem Kühlschrank die Küste von ganz Irland entlangzutrampen.« Die Wette hat Kevin fast schon verloren, denn Tony ist wild entschlossen, die Herausforderung anzunehmen – auch wenn der Schreck nach durchzechter Nacht erst mal groß ist, als ihm dämmert, auf welch absurde Angelegenheit er sich da eingelassen hat. Als er an einem verregneten irischen Morgen tatsächlich startet, ist ihm schon etwas mulmig zumute, doch da hat er die Rechnung ohne seinen Kühlschrank gemacht. Der entpuppt sich nämlich als äußerst sympathischer Reisegefährte, der Tony die Tür in die Herzen aller öffnet. Ehe sich die beiden versehen, sind sie *die* Attraktion im Land, stürmisch begrüßt, wohin sie auch kommen, und immer wieder geraten sie in die kuriosesten Situationen: Als die Fähre nach Tory Island ihren Dienst versagt, mobilisieren dreißig Leute das Verteidigungsministerium in Dublin, um einen Helikopter zu organisieren. Bingo, der Besitzer eines Strandpubs, besteht darauf, mit dem Kühlschrank zum Surfen zu gehen, und die Mutter Oberin der berühmten Kylemore Abbey lässt es sich nicht nehmen, ihn zu segnen. In Cork wird in einer Bar zu seinen Ehren die weltweit erste »Fridge Party« geschmissen, und in einem Hotel bekommt er sein eigenes Bett. Tony dafür hat seine erste erotische Begegnung in einer Hundehütte, und als die beiden nach vier Wochen an ihrem Ziel ankommen, ist der Beweis erbracht – es gibt nichts auf der Welt, was zu unsinnig wäre, als dass es sich nicht lohnen würde, es eben doch zu tun ...

Autor

Tony Hawks begann seine Karriere mit einem Überraschungserfolg für seine völlig unbekannte Band, die über Nacht mit dem Song »Stutter Rap« die britischen Charts eroberte. Seitdem bemüht er sich um etwas mehr Ernsthaftigkeit in seiner Arbeit und ist durch seine Radio- und Fernsehsendungen ein bekannter Komiker und Entertainer in England geworden. Tony Hawks ist unverheiratet und mag Frauen. Weitere Informationen unter www.tony-hawks.com

Tony Hawks

Mit dem Kühlschrank durch Irland

Aus dem Englischen
von Xaver Engelhard

GOLDMANN

Die englische Originalausgabe erschien
unter dem Titel »Round Ireland with a Fridge«
bei Ebury Press, London

Verlagsgruppe Random House FSC-DEU-0100
Das FSC-zertifizierte Papier *München Super* für dieses Buch
liefert Arctic Paper Mochenwangen GmbH.

26. Auflage
Deutsche Erstveröffentlichung 8/2000
Copyright © der Originalausgabe 1998
by Tony Hawks
All rights reserved
Copyright © der deutschsprachigen Ausgabe 2000
by Wilhelm Goldmann Verlag, München,
in der Verlagsgruppe Random House GmbH
Umschlaggestaltung: Design Team München
Umschlagfoto: Shame McCarthy
Satz: deutsch-türkischer fotosatz, Berlin
Druck und Bindung: GGP Media GmbH, Pößneck
Redaktion: Henriette Zeltner
CN · Herstellung: Str.
Printed in Germany
ISBN: 978-3-442-44641-4

www.goldmann-verlag.de

Für Sylvia

Vorwort

Es ist normalerweise nicht meine Gewohnheit zu wetten. Die folgenden Seiten sind dafür jedoch kein Beweis. Sie sind nämlich voll und ganz das Resultat einer Wette.

Es ist normalerweise nicht meine Gewohnheit zu trinken. Die Wette, die zu diesem Buch geführt hat, ist dafür jedoch kein Beweis. Ich bin sie nämlich eingegangen, als ich sternhagelblau war.

Alles, was Sie von hier an lesen werden, ist eine Huldigung dessen, was man als Folge eines miesen, versoffenen Abends erreichen kann.

1

Wenn ich nur ...

1989 reiste ich zum ersten Mal nach Irland. Ich weiß auch nicht, wieso es so lange gedauert hat. In manche Gegenden der Welt versucht man mit Absicht zu gelangen, bei anderen muss man warten, bis einen das Schicksal dorthin verschlägt.

Als es für mich Zeit wurde, den Fuß auf die smaragdgrüne Insel zu setzen, geschah dies wegen eines schlecht geschriebenen Songs. Seamus, ein irischer Freund in London, hatte mich gedrängt, ein Lied für ihn und seinen Kumpel Tim zu komponieren, mit dem sie bei der *International Song Competition* teilnehmen könnten, die jedes Jahr in seiner Heimatstadt abgehalten wird. Die Qualifikation für das Finale, so erklärte er mir, sei eine reine Formalität, sofern ich mich bereit erklärte, das Publikum während der zwanzig Minuten, die die Jury zur Beratung brauchte, als Stand-Up-Comedian zu unterhalten. Seamus wollte ein witziges Lied, und er bat mich, mir etwas einfallen zu lassen, das sich von den anderen, normalen Beiträgen »abheben« würde. Mein Lied hob sich dadurch ab, dass es das Niveau der anderen deutlich unterbot.

Das Lied, das ich schrieb, hieß »I Wanna Have Tea With Batman«. Ich halte mich eigentlich für einen guten Songschreiber (obwohl mein bisher einziger Erfolg die Single »Stutter Rap« von ›Morris Minor And The Majors‹ ist), aber dieses Lied war – wie soll ich sagen? – ja, das ist es: Es war schlecht. Aber eins muss man Seamus und Tim lassen: Sie haben den dazu passenden Auftritt hingelegt.

Im Zuge einer ungewöhnlichen Idee, die man im besten Fall als surreal, im schlimmsten als peinlich bezeichnen könnte, verkleideten sich die beiden als Batman und Robin. Zumindest war das ihre Absicht, aber ein bescheidenes Kostümbudget führte dazu, dass sie geliehene Strumpfhosen, diverse Lycrateile und Universitätsroben, die als Umhänge dienten, trugen. Sie erinnerten an zwei Kinder, die von ihren desinteressierten Eltern zu einem Kostümwettbewerb angemeldet worden waren. Seamus machte sich deshalb aber keine Sorgen, denn seine Vorstellung von Humor war, dass es vollauf genüge, ein »schockierendes« Outfit zu tragen. Und dann tat er seinen Geniestreich kund: Einer von ihnen würde eine Teekanne in der Hand halten und der andere einen Wasserkessel.

Man musste seinen Mut bewundern, denn der Auftritt fand in seiner Heimatstadt statt, und alle, die er aus seiner Kindheit kannte, würden da sein. Freunde, Verwandte, Lehrer, Ladenbesitzer, Barkeeper, Penner und Priester standen geschlossen hinter ihm. Wenn man sich bloßstellen wollte – und Seamus würde ohne Zweifel genau dies tun –, war kaum ein Publikum vorstellbar, bei dem diese Aktion mehr Resonanz finden würde.

Seamus und Tim bauten sich in der Mitte der Bühne auf. Das Publikum hielt deutlich hörbar die Luft an. Für die Zuschauer wies nur wenig darauf hin, dass es sich bei den beiden Figuren vor ihnen um Batman und Robin handeln sollte, und das großartige Durcheinander aus Farben, Strumpfhosen und Küchenutensilien verblüffte sie eindeutig.

Ich sah ihnen von hinten aus zu und verspürte zum ersten Mal eine seltsame Mischung aus Verwunderung und Unbehagen. Ich konnte an den Gesichtern der beiden Männer ablesen, dass ihr Glaube an die Richtigkeit ihrer Kostümwahl mit jeder endlosen Sekunde schwand. Glücklicherweise ging das Staunen der versammelten Gäste in Applaus über. Der Dirigent suchte den Blick unserer beiden Comic-Helden, und diese nickten zum Zeichen, dass sie bereit wären. Die Band legte los. Sie beendete das Intro, aber weder Tim noch Seamus begann zu singen. Sie sahen einander vorwurfsvoll an. Gelähmt vor lauter Nervosität hatte einer von ihnen den Einsatz verpasst. Um mich herum ließen einige die Köpfe in die Hände sinken. Seamus, ein Mann voller Geistesgegenwart, trat nach vorne und gab dem Dirigenten ein Zeichen, damit er die Band unterbräche. Überraschenderweise ignorierte der Maestro ihn. Er tat so, als sähe er Seamus' verzweifelte Signale nicht. Um Himmels willen, war es möglich, dass er so schlechte Augen hatte? War es möglich, die winkenden Arme eines vielfarbigen, mit einem Umhang ausgestatteten Kreuzritters zu übersehen, der wütend eine Teekanne schwenkte?

Der Dirigent arbeitete konzentrierter, als es die meisten von uns in ihren kühnsten Träumen schaffen. Er musste einen langen Abend hinter sich bringen, und er würde ihn so schnell es ging hinter sich bringen. Die Möglichkeit, abzubrechen und ein Stück noch mal von vorne zu beginnen, weil jemand Mist gebaut hatte, gab es in seinem Konzept nicht. Nicht einmal, wenn es sich um den »guten alten Seamus« vom anderen Ende der Straße handelte. Und so hielt er den Kopf mit der Verstocktheit eines Generals aus dem Ersten Weltkrieg gesenkt, und die Band spielte weiter.

Die Zeit gefror. Ich kann nicht sagen, wie lange es dauerte, bis Seamus sein verzweifeltes Gestikulieren aufgab und Tim einen Schlag versetzte, worauf die beiden zu singen begannen. Tatsächlich kann ich mich nicht einmal daran erinnern, wie schlecht der Rest ihres Auftritts war. Aber wen kümmert das schon? Das Publikum applaudierte, die beiden gewannen den Preis für den »unterhaltsamsten Auftritt«, und meine Faszination von Irland nahm ihren Anfang.

Neben dem Debakel auf dem Gesangswettbewerb hatte es noch einen Vorfall gegeben, der dafür sorgte, dass dieser erste Ausflug nach Irland mir auf ewig unvergessen bleiben wird. Nach meiner Ankunft in Dublin wurde ich von Seamus' altem Freund Kieran empfangen und nach Cavan gebracht. Während wir nach Norden fuhren, diskutierten wir die Chancen von Batman und Robin (Kieran hielt sich bei diesem Thema eigenartig bedeckt, aber später habe ich verstanden wieso, denn ich erfuhr, dass er ihren Proben beigewohnt hatte). Ich bemerkte einen Tramper am Straßenrand und fasste ihn ins Auge, wie man es bei Trampern macht, um innerhalb von Sekundenbruchteilen ihr Aussehen und ihre Eignung als Reisebegleiter abzuschätzen. Dieser hier war seltsam. Sehr seltsam. Er hatte etwas bei sich, und er stützte sich darauf. Es war ein Kühlschrank. Dieser Mann trampte mit einem Kühlschrank.

»Kieran, versucht dieser Mann mit einem Kühlschrank zu trampen?«

»O ja.«

Nichts in Kierans Stimme verriet auch nur das geringste Anzeichen von Überraschung. Ich war eindeutig in einem Land angekommen, in dem der Begriff »exzentrisch« eine ganz andere Bedeutung hatte, als ich gewohnt war.

Die Jahre vergingen. (Diesen Satz wollte ich schon immer mal schreiben.) Der Gesangswettbewerb war zu einer Anekdote geworden, die ungefähr alle zwei Jahre anlässlich von Dinnerparties hervorgekramt wurde, und ein Hinweis auf den Tramper mit dem Kühlschrank begleitete sie immer als eine Art Nachwort. Aus irgendeinem Grund hatte sich der Anblick dieses Mannes mit seinem großen weißen Anhängsel unauslöschlich in mein Gedächtnis eingebrannt. Ich sah ihn immer noch dort am Straßenrand, und etwas in seinem Gesichtsausdruck verriet die felsenfeste Überzeugung, dass die Anwesenheit des Kühlschranks in keiner Weise seine Chancen, von jemand mitgenommen zu werden, verringerte. Manchmal dachte ich, dass ich ihn mir nur eingebildet hätte, aber nein, Kieran konnte dieses Wunder ja bezeugen.

Wäre Kieran nicht gewesen, hätte ich meiner Einbildungskraft erlauben können, die Begegnung mit dem »Fridge Man«, dem »Kühlschrankmann«, zu einer Art spirituellem Erweckungserlebnis fortzuspinnen, zu einer Offenbarung, zur Erscheinung eines Engels, eines Symbols der Zuversicht inmitten dieser trostlosen, zynischen Welt. Ich würde sein Apostel werden und seine Botschaft verbreiten: Wir alle können unsere Last mit der Leichtigkeit des »Fridge Man« tragen, wenn wir uns nur darauf verlassen, dass unsere Mitmenschen anhalten und uns auf unserem Weg weiterhelfen werden. Ich würde Flugblätter auf den Bahnhöfen verteilen, Versammlungen organisieren und allmählich Anhänger einer visionären Utopie gewinnen, der gemäß man nur die Tür zur Welt zu öffnen braucht, damit ein kleines Licht angeht und die Lebensmittel beleuchtet werden.

Oder ich riss mich einfach zusammen.

Und genau das habe ich dann getan. Der Vorfall mit dem Kühlschrank war vergessen und in jenen Winkel meines Hirns verbannt, in den die Dinge von verschwindend geringer Bedeutung gehören. Es bedurfte Unmengen Alkohols, um ihn von dort wieder in mein Bewusstsein zu schwemmen.

Der Anlass war eine Dinnerparty mit einigen Freunden in Brighton. Wir hatten Wein im Übermaß konsumiert, und die Atmosphäre war, sagen wir mal: lebhaft. Ungefähr um Mitternacht begannen die Anwesenden eine Diskussion über die Vorzüge des neuen Kühlschranks, den Kevin gekauft hatte, und dann, nach einigen Umwegen, wandte sich unsere Aufmerksamkeit seiner geplanten Reise nach Irland zu. Das Zusammentreffen dieser beiden Themen löste eine triumphale Wiederauferstehung meiner »Tramper mit Kühlschrank«-Geschichte aus, die ich den Gästen in Form einer Kette gelallter Worte mitteilte. Kevins Antwort war unzweideutig.

»Blödsinn.«

»Kein Blödsinn«, erwiderte ich. Ich hatte gehofft, dass ihm das genügen würde, aber er ließ nicht locker.

»Doch. Niemand würde einen Typen mit einem Kühlschrank mitnehmen.«

»In Irland schon. Es ist ein magisches Land.«

»Magisch! Wie mein Arsch.«

Ich beließ es dabei. Ich wusste aus Erfahrung, dass jemandem, der seinen Arsch als magisch bezeichnet, nicht an einer anregenden und geistreichen Debatte gelegen ist.

Als ich am nächsten Morgen in einem körperlichen Zustand aufwachte, der mich daran erinnerte, was am Abend zuvor passiert war, entdeckte ich neben meinem Bett einen Zettel:

> »Hiermit wette ich um 100 Pfund, dass Tony Hawks es nicht schafft, innerhalb eines Kalendermonats mit einem Kühlschrank die Küste von ganz Irland entlangzutrampen.«

Darunter stand Kevins Unterschrift, und unter dieser ein unleserliches Gekritzel, von dem ich vermutete, dass es von mir stammte.

So war es zu der Wette gekommen.

Also, es nützt nichts, wenn ich behaupte, dass mir der Fehdehandschuh vor die Füße geworfen worden war und dass meine Ehre auf dem Spiel stand, falls ich ihn nicht aufgehoben und mich der Herausforderung gestellt hätte. Ich war betrunken gewesen, und Kevin auch, und wenn die Leute sich an das halten müssten, was sie gesagt haben, als sie besoffen waren, dann wären wir alle tragische Helden, in armseligen Schicksalen gefangen, in die wir durch unsere eigenen, unbedachten Worte geraten sind. Ich wäre immer noch mit Alison Wilcox zusammen, der ich als Teenager während eines bierseligen One-Night-Stands erzählt hatte, dass ich sie »für immer« lieben würde. Mir fällt es schwer, mir unser gemeinsames Leben vorzustellen – Bausparvertrag, Kinder und Ford Mondeo –, denn das Einzige, was wir wirklich gemeinsam hatten, war die Unfähigkeit, uns am nächsten Morgen an den Namen des anderen zu erinnern.

Als ich endlich dazu kam, Kevin anzurufen, hatte er nur noch eine sehr vage Erinnerung an die ganze bedauerliche Angelegenheit. Nie und nimmer hätte er von mir verlangt, dass ich mich an eine Abmachung halte, an die er sich kaum selbst mehr erinnerte. Warum also habe ich dann einen Monat später allen Ernstes darüber nachgedacht, die Wette anzunehmen? Es war nicht nötig, absolut nicht nötig, und trotzdem saß ich da, studierte eine Karte von Irland und versuchte herauszufinden, wie viele Kilometer es wären, wenn man die ganze Küste entlangfahren würde. Ich litt an etwas, das die Psychoanalytiker das W.E.L.B.T.-Syndrom nennen.[1]

Natürlich ist die Logik derjenigen, die am W.E.L.B.T.-Syndrom leiden, gestört und kann daher leicht widerlegt werden. Ich zitiere ein kurzes Gespräch, das ich mit einem Bergsteiger geführt habe (Bergsteiger sind vermutlich die bekanntesten Opfer dieses Syndroms), um zu zeigen, wie leicht dies zu bewerkstelligen ist:

»Warum versuchen Sie, während der unwirtlichen äußeren Bedingungen des alpinen Winters die gefährliche und schwierige Nordostwand des schrecklichen Matterhorns zu bezwingen?«

»Weil sie da ist.«

»Aber das sind Ihre Pantoffeln und die Fernbedienung für den Fernseher auch.« Q.E.D., meine ich.

---

1 W.E.L.B.T.-Syndrom: Wird-etwas-leicht-Blödsinniges-tun-Syndrom. (Quelle: Freud, *Träume und das Unbewußte*, 1896)

Warum unterwirft man sich unbeschreiblichen Schmerzen und Entbehrungen, wenn es auch die Möglichkeit gibt, mal kurz ein bisschen bummeln zu gehen und danach ein wenig zu ruhen? Warum *einhändig segeln,* wenn man *einhändig lesen* kann, warum *wandern,* wenn man *Taxi fahren* kann, warum sich *abseilen,* wenn man *die Treppe benutzen* kann, warum *stehen,* wenn man *sitzen* kann, warum *sich die Greatest Hits von Oasis anhören,* wenn man *sich das Leben nehmen* kann?

Und es nützt nichts, so zu tun, als wäre das W.E.L.B.T.-Syndrom selten, denn wir alle kennen jemanden, der an ihm leidet. Irgendjemand in der Arbeit oder dessen Bruder oder jemand in der Aerobic-Stunde ist schon mal einen Marathon gelaufen. 42,195 Kilometer. 42,195 sinnlose Kilometer. Und kennen wir jemanden, dem es Spaß gemacht hat? Natürlich nicht. Sie tun vielleicht so, als würde es ihnen Spaß machen, aber sie lügen. Das Leben ist voller Geheimnisse, Zweifel und unergründlicher Rätsel, aber wenn wir uns einer Sache sicher sein können, dann dieser:

42,195 Kilometer zu rennen ist *kein Spaß.*

Vermutlich war es ein Amerikaner, der den Spruch »Schmerzt es nicht, wirkt es nicht« erfunden hat. Es wäre schön zu wissen, dass ihm kurz, nachdem er diese Worte geäußert hat, jemand eine aufs Maul gegeben hat, um zu demonstrieren, wie gut es bei ihm wirkt.

Und trotzdem war ich genauso verblendet wie ein Marathonläufer. Vielleicht sogar noch verblendeter. Was ich ins Auge fasste, widersprach aller Logik. Ich saß bis spät in der Nacht da und wog die Pros und Kontras ab. Nun gut, die Kontras überwogen bei weitem, aber manchmal schaffte ich es, das ganze Unterfangen heroisch wirken zu lassen. Ein Abenteuer, das Unbekannte, die Chance, etwas zu tun, was noch niemand zuvor getan hatte. Mein Gott! Etwas, das noch niemand getan hat! Das ist etwas, von dem die meisten nur träumen können.

Wenn Sie sich nicht sicher sind, wie weit die Menschen zu gehen bereit sind, um sich von ihren Mitmenschen abzuheben, dann blättern Sie doch mal im *Guinness Buch der Rekorde*, wenn Sie das nächste Mal in der Bibliothek ein paar Minuten Zeit haben. Das ist genau das, was ich eines Morgens tat: Ich überprüfte die Eintragungen unter »Kühlschrank« und »Trampen«, um mich zu vergewissern, dass das ganze Irland/Kühlschrank-Vorhaben nicht längst von einem Biologie-Studenten aus Sheffield mit Erfolg realisiert worden war. Meine Recherche verschaffte mir Erleichterung, denn ich entdeckte, dass genau dieses Abenteuer noch niemand gewagt hatte, aber viele der Sachen, die stattdessen unternommen worden sind, kann man ehrlich gesagt schwer glauben:

Akira Matsushita aus Japan ist zwischen dem 10. Juli und dem 22. August 1992 auf einem Einrad von Newport, Oregon, nach Washington D. C. gefahren und hat dabei eine Strecke von 8390 Kilometer zurückgelegt.

Ziemlich eindrucksvoll, vor allem wenn man bedenkt, dass die meisten Leute froh wären, wenn sie es auf einem Einrad auch nur bis zur anderen Seite des Zimmers schaffen würden. Aber diese Leistung Akiras muss einen anderen ambitionierten Einradfahrer, Ashrita Furman aus den Vereinigten Staaten, geärgert haben, der einen eigenen Rekord aufstellen wollte, sich aber außerstande sah, die Tat des einrädrigen Japsen zu überbieten. Was sollte er also tun? Natürlich – ganz klar, nicht wahr? Man versucht, mit dem Einrad *rückwärts* zu fahren.

Ashrita Furman aus den Vereinigten Staaten ist am 16. September 1994 in Forrest Park, Queens, auf einem Einrad 85,5 Kilometer rückwärts gefahren.

Nun, ich hoffe, seine Eltern sind stolz auf ihn. Was für eine wertvolle Fertigkeit ihr Sohn doch erlernt hat! Das weitere Studium dieses bizarrsten aller Lehrbücher offenbarte, dass Ashrita nur einer von vielen ist, die meinen, wenn man einen Rekord nicht vorwärts brechen kann, versucht man es am besten rückwärts:

Timothy »Bud« Badyna ist am 24. April 1994 in Toledo, Ohio, den schnellsten Rückwärtsmarathon gelaufen: 3 Stunden 53 Minuten und 17 Sekunden.

Ich überprüfte, ob Timothy »Bud« Badyna auch einen Eintrag unter »Größter Wichser« geschafft hatte, wurde aber enttäuscht. Meine Glückwünsche gehen an den konservativen Abgeordneten Edward Leigh.

Bevor ich das Buch in das Regal zurückstellte, durchforstete ich die Seiten nach einem Eintrag unter »Die meisten vergeblichen Versuche, in das *Guinness Buch der Rekorde* zu kommen«, und hoffte dabei auf eine Liste zu stoßen wie:

Größte Menge an Käse, die bei Windstärke 8 gegessen wurde.

Größte Anzahl an Jahren, die darauf verwandt wurden, den Briefträger jeden Morgen zu erschrecken.

Glänzendste Ohren.

Größtes Stück Holz, das mit Buntstiften angemalt wurde.

Bissigster Hund.

Größter Fisch.

Kleinste Badehose.

Aber ich fand nichts. Ich hoffe, eines Tages werden die Herausgeber einsehen, wie wichtig es wäre, diese Kategorie einzuführen.

Angesichts der Bemühungen von Ashrita Furman, Timothy »Bud« Badnya und Kollegen kam ich also zu dem Schluss, dass mein Plan ziemlich vernünftig war, denn die meiste Zeit würde ich mich in die Richtung bewegen, die als »vorwärts« bekannt ist. Die Erkenntnis, nicht den Verstand verloren zu haben, machte mich glücklich (ich war tatsächlich so glücklich, dass ich einen kleinen Tanz hinlegte und in der High Street lauthals zu singen anfing). Danach konnte ich einem weiteren Faktor im Prozess meiner Entscheidungsfindung Beachtung schenken: dem Bedauern.

Ich erinnerte mich an etwas, das Nigel Walker einmal gesagt hat: »Es gibt vier Worte, die ich als alter Mann nicht sagen müssen möchte: ›Hätte ich doch nur ...‹« Wir alle haben unsere eigenen »Hätte ich doch nur«s. Hätte ich doch nur mehr gelernt, hätte ich doch nur mit den Klavierstunden weitergemacht, hätte ich doch nur dieses Mädchen an der Bushaltestelle angesprochen, hätte ich doch nur dieses Mädchen an der Bushaltestelle nicht angesprochen, hätte ich mich doch nur am Morgen an Alison Wilcox' Namen erinnert.

Nigel Walker ist ein ehemaliger Hürdenläufer, der an einer Olympiade teilgenommen und die Leichtathletik aufgegeben hat, um Rugbyspieler in Wales zu werden. Mir wurde das Privileg zuteil, ihn auf einem Empfang kennen zu lernen, den ich für ein großes Industrieunternehmen organisierte. Er hielt eine Rede über sein Leben unter besonderer Berücksichtigung der »Notwendigkeit, sich zu verändern«. Es gibt nur wenige Menschen, die besser geeignet wären, über dieses Thema zu sprechen. Sein Vortrag wurde von Videoclips seiner sportlichen Erfolge und seines einen sportlichen Misserfolgs begleitet. Das war das Halbfinale des 110-Meter-Hürdenlaufs bei den Olympischen Spielen 1984, auf das er sich vier Jahre lang mit intensivem, anstrengendem und manchmal beinahe mörderischem Training vorbereitet hatte. Als Nigel die Videoaufzeichnung des Rennens zeigte, beobachteten wir alle voll Entsetzen, wie er mit dem vorderen Fuß gegen die siebte Hürde stieß und zu Boden stürzte. In diesem Augenblick spürten alle Nigels Enttäuschung, als wäre es die ihre, diese plötzliche Zerstörung eines so lang gehegten Traums, das brutale Ende seines Strebens nach Ruhm, den psychischen und physischen Schmerz.

Nigel hielt das Video an und lächelte. (Es muss einige Jahre gedauert haben, bis er diese Nummer drauf hatte.) »Und was dann?«, fragte er mit charakteristischem Understatement. Anschließend erklärte er uns, dass er an diesem Tiefpunkt zwar mit dem Gedanken gespielt habe, seine Karriere zu beenden, aber erst vier Jahre später, als er es nicht schaffte, sich für die Olympiade von 1992 zu qualifizieren, endgültig zu der Überzeugung gelangt sei, beim Rugby besser aufgehoben zu sein. Freunde und Kollegen rieten ihm davon ab, aber er hatte sich bereits dazu entschlossen, und das nicht zuletzt deshalb, weil er sich nicht später einmal sagen hören wollte »Hätte ich doch nur ernsthaft versucht, Rugby zu spielen«.

Die Videoaufzeichnungen, die folgten, waren daher besonders wichtig. Es handelte sich um eine Zusammenstellung seiner großartigen Auftritte bei Länderspielen für Wales, und sie hoben die Stimmung des Publikums aus der Industrie, wie ich es nie zuvor erlebt hatte. Aber keine Sorge, die Rede des Generaldirektors zum Thema »Unternehmensrestrukturierung auf dem Inlandsmarkt« setzte dem bald ein Ende.

Bevor sich jedoch der Generaldirektor stolz hinter dem Rednerpult aufbauen und beginnen konnte, die Sinne des gerade frohgemuten Publikums gleich wieder zu betäuben, sollte ich zu Nigel auf die Bühne kommen und ein kurzes Interview mit ihm führen. Ich hatte eine Frage, die ich mir einfach nicht verkneifen konnte:

»Nigel, hast du dir, als du mit zwei übel zugerichteten Knien auf der Olympiarennstrecke neben einer umgekippten Hürde lagst, nicht gedacht ›Hätte ich doch nur das Bein ein bisschen höher gestreckt ...‹?«

2

Ein Prinz und eine Kokosnuss

Die Frage, die ich Nigel gestellt hatte, war natürlich ein bisschen gemein gewesen, aber das Gelächter, das sie hervorrief, rechtfertigte sie. (Meiner Meinung nach jedenfalls.) Nigel konnte mit uns mitlachen, weil seit dem schrecklichen Vorfall 1984 genug Zeit verstrichen war. Und obwohl ich darüber einen Witz gemacht hatte, glaubte ich, dass Nigel uns eine erstklassige Lebensphilosophie verraten hatte. Mir gefiel die Vorstellung, alles zu versuchen, was einem möglich war, um so die Wahrscheinlichkeit zu verringern, dass man sich später als Greis sagen musste »Hätte ich doch nur«.

Der tiefere Sinn meiner Frage, falls es einen gab, lag darin, aufzuzeigen, dass die »Hätte ich doch nur«s unvermeidlich und ein notwendiger Bestandteil des Lebens sind. Hätte ich doch nur das Flugzeug nicht genommen, das gerade abstürzt, hätte ich doch nur den Vulkan nicht bestiegen, der jetzt ausbricht, hätte ich doch nur den Fuß nicht in die Hundescheiße gesetzt. Der Trick besteht darin, Herr seines Lebens zu bleiben, so weit man es kontrollieren kann, und dem Rest mit einem Lächeln die Stirn zu bieten. Aber wir müssen uns ins Leben stürzen. Nur ein Narr würde die fantastischen Möglichkeiten auslassen, die es ihm bietet. Und so kam es, dass ich mich bald in einem riesigen Elektrogeschäft wiederfand und mir Kühlschränke ansah.

Herrje, es sind einige großartige Modelle auf dem Markt!

Darren war äußerst aufmerksam. Ich wusste, dass er Darren hieß, weil er einen Anstecker trug, auf dem »Darren« stand und darunter: »Ich bin hier, um Ihnen zu helfen.« Er muss so um die zwanzig gewesen sein und schwitzte nervös. Er trug seine Krawatte ungeschickt und mit offensichtlichem Widerwillen. Der Ladenuniform, einem blauen Pullover mit dazu passender Hose, gelang es mit Darren als Dressman nicht, die Botschaft vom unternehmerischen Erfolg zu vermitteln. Für ihn war »Stil« kaum mehr als ein Wort, das im Wörterbuch zwischen »staksig« und »stottern« stand. Alles an ihm legte die Vermutung nahe, dass er den Job nicht machte, weil er dem Rest der Meute voraus war, was das Verkaufen von Elektrogeräten anging, sondern weil er einen sensationell miesen Stundenlohn dafür kassierte.

Wir verschafften uns einen Überblick über das Angebot. Eine weiße Masse füllte eine ganze Ecke des riesigen Ladens. Wer hat behauptet, dass Auswahl etwas Gutes ist? Diese Vielzahl an Wahlmöglichkeiten erleichterte mein Leben kein bisschen, und Sie können sicher sein, dass sie Darrens in einen absoluten Alptraum verwandelte.

»Was genau suchen Sie?«, fragte er mit zu leiser Stimme.

Schwierige Frage. Was ist einem bei einem Kühlschrank denn wichtig? Die nächstliegende Antwort kann man nicht geben: »Nun, ich brauch etwas, das meine Lebensmittel kühl hält.« Was gibt es sonst noch zu beachten? Es ist schließlich nicht wie bei einem Auto, oder? Ich kann nicht sagen, ich hätte lieber eine Automatik oder eine Servolenkung, und ich brauche auch keine Zeit auf die Wahl der Farbe zu verwenden. Alle Kühlschränke sind weiß. Weiß. Jungfräulich weiß. Nachdem es mir nicht möglich war, zwanglos zu antworten »Nun, Darren, ich suche nach etwas in Hellblau«, entschied ich mich für »Was ist denn das leichteste Modell, das Sie haben?«

Darren wurde blass. Nichts in seiner oberflächlichen Ausbildung hatte ihn auch nur annähernd auf so etwas vorbereitet.

»Das leichteste?«

»Ja, das leichteste.«

»Wieso? Werden Sie ihn viel bewegen?«

»Das könnte man so sagen, ja.«

Ich kaufte an diesem Tag nichts. Das war nicht Darrens Fehler. Es war sogar so, dass seine spektakuläre Ignoranz auf dem Gebiet der Kühlschränke ihn mir sympathisch erscheinen ließ. Ich will nicht mit technischem Kauderwelsch zugelabert werden. Was ich brauche, ist genau die Art von Gespräch, wie ich es mit Darren führen konnte.

Tony: »Ah, dieser hier ist noch mal 50 Pfund teurer. Er ist sicher besser.«

Darren: »Vermutlich.«

Darren wusste, dass der Kunde immer Recht hat. Für ihn beruhte dieses Wissen auf der Erfahrung, dass er selbst fast immer Unrecht hatte. Aber ich kaufte keinen Kühlschrank, weil ich nicht in die Zusatzgeschäfte verwickelt werden wollte, die diese armen Verkäufer anzubieten gezwungen sind. Nachdem sie einen bereits dazu gebracht haben, sich ein bestimmtes Gerät zuzulegen, müssen sie als Nächstes versuchen, einem eine Versicherungspolice oder einen Wartungsvertrag anzudrehen, indem sie darauf hinweisen, wie unzuverlässig und ineffizient das Gerät ist. Das ist für keinen Verkäufer eine einfache Aufgabe, und ich wollte nicht miterleben, wie sich Darren an ihr versuchte. Dafür hatte ich zu viel Achtung vor ihm.

Außerdem wollte ich noch mit Kevin verhandeln, bevor ich zuschlug. Ich wollte einen kleinen Kühlschrank nehmen, einen Würfel mit ungefähr sechzig Zentimeter Kantenlänge, der auf den Rücksitz einer Limousine passen und dadurch meine Chancen, mitgenommen zu werden, deutlich erhöhen würde. Nun gut, der Tramper, den ich vor all den Jahren gesehen hatte, war heroisch genug gewesen, das Vorhaben mit einer überdimensionierten Kühl-/Gefriereinheit zu wagen, aber vielleicht wollte er nur ein Stück weit die Straße hinauf und nicht solch eine gewaltige Reise unternehmen, wie ich sie plante.

Die Verhandlungen waren einfacher, als ich erwartet hatte. Wie sich herausstellte, glaubte Kevin keinen Augenblick lang, dass ich so dumm sein würde, dieses Unternehmen wirklich durchzuführen, und daher bereitete es ihm auch keine Schwierigkeiten, meine Bitte zu akzeptieren. Er war, wie eigentlich leicht vorhersehbar gewesen war, ziemlich überheblich, was die ganze Angelegenheit anging.

»Größe spielt keine Rolle«, spottete er.

Ich habe diese Ansicht nie geteilt. Meiner Meinung nach sind Leute, die behaupten, dass Größe keine Rolle spielt, einfach nicht groß genug, um zuzugeben, dass sie zu klein sind.

Kevin erhob aber eine Forderung. Nach einem Blick auf die Landkarte bestand er darauf, dass meine Reise nach Tory Island an der äußersten Nordwestspitze von Irland, nach Cape Clear Island im äußersten Südwesten und nach Wexford im Südosten führen sollte. Davon abgesehen durfte ich jede Route nehmen, die mir passte, vorausgesetzt, ich fuhr per Anhalter. Mit einem Kühlschrank. Mir wurde der Luxus zugestanden, auf den ersten Meilen aus Dublin hinaus einen Bus zu benutzen, und Kevin akzeptierte auch meinen Vorschlag, Nordirland auszusparen, weil zweifelsohne die Möglichkeit bestand, dass man meinen Kühlschrank für eine Bombe halten würde. Es ist schwierig zu entscheiden, wie hoch eine Wettsumme sein muss, damit man für sie sein Leben riskiert, aber hundert Pfund sind etwas zu wenig.

Es wäre töricht, eine derartige Reise ohne minutiöse Planung anzutreten, da aber dieses Abenteuer derart lächerlich war, hätte es nicht dem Geist der Veranstaltung entsprochen, irgendwie ausreichende Vorbereitungen zu treffen. Ich war der

Meinung, dass es stattdessen das Beste wäre, wenn ich in den Wochen vor meiner Abreise den Gedanken an das, was vor mir lag, so weit wie möglich aus meinem Bewusstsein verbannen würde. Obwohl ich viel über mein Vorhaben redete und in der Achtung meiner Freunde und Kollegen stieg, die eine tief sitzende Bewunderung für solche ihrer Meinung nach romantischen Launen hegten, gelang es mir doch, alle grundsätzlichen Probleme logistischer Art zu ignorieren. Wie jeder Schüler, der auf sich hält, würde ich den Aufsatz erst in der Nacht vor dem Abgabetag schreiben, und es würde schlampiger Pfusch sein, aber gerade gut genug, um mir weitere Probleme vom Hals zu halten. Zumindest hoffte ich das.

Ich hatte beschlossen, dass ich meine Reise im Mai unternehmen würde, einem Monat, in dem Irland, so hoffte ich, ein bisschen trocken und warm, aber noch nicht von Touristen überlaufen war. Mein Agent und ich hatten ein passendes Abreisedatum beschlossen. Man hatte mich um einen sechsminütigen Auftritt bei der Prince's Trust Royal Gala in der Oper von Manchester gebeten. Der Plan war, dass ich vor Seiner Majestät, dem Prinzen von Wales, und einem Publikum von zweitausend Leuten bei einem der wichtigsten Bühnenereignisse des Jahres auftreten und mich am nächsten Morgen nach Irland verpissen würde, um mit einem Kühlschrank am Straßenrand zu stehen. Für einen Plan war das Ganze ziemlich durchdacht. Worte wie Hölle und grandios, Himmel und lächerlich fielen einem sofort ein, wenn auch nicht unbedingt in dieser Reihenfolge.

Als es nur noch zwei Tage bis zu der Royal Gala waren, wurde ich, anstatt meine Energien auf die Vorbereitung eines Auftritts zu konzentrieren, der meiner Karriere von großem Nutzen sein konnte, völlig von Sorgen über das, was am Tag darauf folgen würde, in Anspruch genommen. Meine Einbildungskraft machte Überstunden und erfand Bilder trostloser, windgepeitschter Straßenränder und mitleidloser Autofahrer.

Ich begann etwas zu verspüren, das einem Gefühl von Panik sehr nahe kam.

Was im Pub noch ziemlich amüsant geklungen hatte, wurde jetzt Wirklichkeit. Plötzlich telefonierte ich, um den Freund eines Freunds dazu zu bewegen, für mich in Dublin einen Kühlschrank zu kaufen, schaute mir verschiedene Sorten von Wägelchen an, die für den täglichen Transport des Geräts geeignet sein könnten, und starrte auf eine Landkarte von Irland, um zu entscheiden, ob ich im oder gegen den Uhrzeigersinn reisen sollte. Und ich hatte Angst. Ich hatte Angst davor, dass die Sache äußerst peinlich werden würde. Ich habe schon früher peinliche Situationen erlebt – wer nicht? –, aber ich hatte das Gefühl, dass das hier derart superpeinlich werden könnte, dass meine Psyche Narben davontragen und meine Nachtruhe nachhaltig beeinträchtigt werden würde.

Als ich ungefähr zehn Jahre alt war, habe ich mir mit meinem Vater immer die Fußballspiele von *Brighton and Hove Albion* angesehen, und wir stellten uns bei jedem Heimspiel auf die East Terrace. Ich stand auf einer Kiste und war von dem ganzen Spektakel gefesselt. Ich war wie verzaubert, nicht nur vom Fußball (schließlich spielte *Brighton and Hove Albion*), sondern von den Anfeuerungsrufen, den Schlachtgesängen, den traditionell zur Schau gestellten Mannschaftsfarben und dem Rattern der Ratschen. Vor allem von den Ratschen. Ich glaube nicht, dass man sie noch sieht oder hört. Sie scheinen nicht mehr in Mode zu sein, aber damals war es bei Fußballfans sehr populär, hölzerne Ratschen wirbeln zu lassen, wann immer einem danach war.

Dann bekam ich zu Weihnachten ein Maschinengewehr. Wenn man den Abzug betätigte, gab es genau das Geräusch einer Ratsche von sich. Ich beschloss, es zum nächsten Heimspiel mitzunehmen und es so zu benutzen wie die anderen ihre Ratschen. Ich weiß nicht warum, aber ich war fest dazu entschlossen, und mein Vater und ich machten uns auf den zwanzigminütigen Fußmarsch zum Stadion, und ich trug das Spielzeuggewehr in der Hand. Kurz bevor wir das Drehkreuz erreichten, entdeckten zwei viel größere Jungen mein Gewehr, hoben die Hände und riefen: »Nicht schießen! Nicht schießen!« Plötzlich schienen sich alle Blicke auf mich zu richten. Es wurde viel gelacht. Ich fürchtete mich und fühlte mich gedemütigt und bloßgestellt. Dieser Augenblick verging schnell, aber die Leute hinter uns in der Schlange machten noch ein paar kleine Scherze. Ich war beunruhigt und beinahe verrückt vor Sorge, dass sich die ganze Menge mir zuwenden und rufen würde: ›Nicht schießen! Nicht schießen!‹

Ich schaute zu meinem Vater hoch, und er lächelte einigen der Witzbolde zu. Er hatte damit kein Problem. Es war nicht seine Idee gewesen, das Gewehr mitzunehmen. Was für eine Idee! Was hatte ich mir dabei gedacht?

Ich bat ihn, das Maschinengewehr zu nehmen und unter dem Mantel zu verstecken. Er sagte mir, dass ich nicht albern sein solle, aber als ich ihn noch mal darum bat und er sah, wie mir Tränen in die Augen stiegen, tat er, was ein Vater in so einer Situation tun muss: Er hielt während des ganzen Fußballspiels ein Spielzeugmaschinengewehr in der Hand.

Ich hatte mittlerweile das Gefühl, dass ich auf eine Blamage zusteuerte, die mindestens genauso groß sein würde. Genau in dem Moment, in dem ich den Kühlschrank zum Straßenrand schob, um mit dem Trampen zu beginnen, würde irgendjemand einen blöden Witz reißen, und schon wäre es um mich geschehen. Das ganze Unternehmen wäre gescheitert, kaum dass es begonnen hatte. Und ich würde nicht meinen Vater bei mir haben, der die Blamage auf sich nehmen könnte. Ich schätze, genau das bedeutet es, erwachsen zu werden: Man muss seine Spielzeuggewehre selbst halten. Oder sich wie die meisten anderen Leute benehmen und mit dem Spielzeuggewehr zu Hause spielen und Kühlschränke nur dazu benutzen, Lebensmittel kühl zu halten.

In der Nacht vor meiner geplanten Abreise schlief ich kaum. Es gibt Anlässe, da greift die Nacht Probleme und Sorgen auf und vergrößert sie derart, dass man um ungefähr halb vier den Eindruck hat, sie seien unüberwindlich. Ich begann wirklich, um mein Leben zu fürchten. Was, wenn ich auf irgendeiner abgelegenen Landstraße hängen blieb, meilenweit im Nirgendwo, und niemand nahm mich mit und die Nacht brach an? Wenn die Temperatur fiel (es hatte vor kurzem geschneit) und ich keinen geeigneten Unterschlupf fand, würde ich vielleicht an Unterkühlung sterben.

Am nächsten Morgen ging ich sofort in Londons bestes Campinggeschäft, um mir das Angebot an Zelten und Schlafsäcken anzusehen. Als ich dort ankam, verwarf ich die Idee eines Zelts sofort wieder. Sogar das Kleinste war zu groß, und ich wusste, ich würde bei dem Versuch, das Ding aufzustellen, an Frustration sterben, bevor der Erfrierungstod überhaupt eine Gefahr geworden war. Stattdessen kaufte ich den besten Schlafsack, den es gab. Er war klein und leicht und kostete über hundert Pfund, aber als ich das Geschäft verließ, hatte ich das Gefühl, dem Tod nicht mehr ganz so nahe zu sein wie in der Nacht zuvor.

Ich packte in betrübter Stimmung. Ich bin sowieso nur sehr selten fröhlich, wenn ich packe, denn es gibt nur wenige Beschäftigungen, die ich weniger mag. Auspacken ist eine davon. Ich hatte es eilig, denn Packen ist etwas, das man immer in letzter Sekunde tut. Alle, die zwei Tage vor der Abreise packen, brauchen dringend seelischen Beistand. Ausgeglichene Menschen stopfen immer noch Zeug in ihre Tasche, wenn sie das Haus verlassen. Das ist normal.

Diesmal war es besonders schlimm, weil ich für diese Reise einen alten Rucksack hervorgekramt hatte. Ich hatte vergessen, was für widerliche Gepäckstücke diese Dinger sind. Ihr einziger Vorteil ist, dass man keine Hände braucht, um sie zu tragen. Ich schien das schlimmste Modell zu haben, das es auf dem Markt gab. Von außen wirkte er groß, aber es passte nichts hinein. Nachdem ich zwei Hemden, einen Pulli, eine Hose, Schuhe und eine angemessene Anzahl von Unterhosen und Socken hineingestopft hatte, war er bis obenhin voll, und es bedurfte einiges unwürdigen Quetschens, um das verdammte Ding zu schließen. Oder zuzuzurren. Oder was immer man mit einem Rucksack macht, wenn er nicht mehr offen sein soll. Dann fiel mir ein, dass ich das Regenzeug noch nicht eingepackt hatte. Um das verdammte Ding aufzukriegen, musste ich also wieder an den im Überfluss vorhandenen Riemen und Schnüren ziehen, mit denen er völlig bedeckt zu sein schien. Ich holte alles heraus und wiederholte die ganze Prozedur. Ich hoffte, dass meine Beziehung zu dem Kühlschrank konfliktärmer sein würde. Wie auch immer, ich hatte es geschafft. Ich hatte alles eingepackt, was ich brauchte. Ich begann gerade, mich darüber zu freuen, als mir das Herz in die Hose rutschte: In einer Zimmerecke lag der Schlafsack.

Nun, ich würde nicht ohne ihn fahren. Schließlich würde er mir unter Umständen das Leben retten. Ich sank neben dem Rucksack zu Boden und überlegte mir, was ich opfern könnte, um Platz zu schaffen. Unterhosen? Einen Monat lang ohne Unterhosen mit einem Kühlschrank durch Irland trampen? Nein, ich würde es mit Unterhosen machen oder überhaupt nicht. Ich starrte den Rucksack an und widerstand der Versuchung, aufzustehen und ihm einen kräftigen Tritt zu versetzen. Dann erkannte ich, dass die ganzen Bänder, Schnüre, Riemen und Schnallen nicht nur dazu da waren, dem Träger des Rucksacks das Gefühl zu vermitteln, ein erfahrener Reisender zu sein, sondern tatsächlich auch eine praktische Funktion hatten. Die Leute, die den Rucksack entworfen hatten, wussten offenbar, dass man beinahe nichts in ihm unterbrachte, und hatten daher dafür gesorgt, dass man unzählige Gegenstände an der Außenseite festbinden konnte. Anderthalb Stunden und viele Flüche später hatte ich den Schlafsack erfolgreich am Rucksack befestigt. Ich zwängte mich zwischen die Schulterriemen, wuchtete mir den Rucksack auf den Rücken und stellte mich stolz vor den Spiegel. Mir gefiel, was ich dort entdeckte. Ich sah wirklich wie ein zäher und abgebrühter Reisender aus. Nur die Pantoffeln störten.

Ich war bereit. Ich wartete auf das Taxi und erinnerte mich daran, dass es der Tag der Royal Gala war. Ich fragte mich, ob die anderen Künstler sich auf ihren Auftritt in der gleichen Weise vorbereitet hatten wie ich.

Ich würde am nächsten Tag direkt nach Dublin fliegen und hatte deshalb die Sachen an, die ich während des nächsten Monats tragen würde. Meine Anzüge für den Auftritt und den Empfang danach hatte ich in einen Kleidersack gepackt, den meine Agentin nach der Show wieder nach London mit zurücknehmen würde. Carlton Television sorgte für das Taxi, das mich zum Flughafen bringen würde, von wo aus ich nach Manchester flog. Es lohnt sich kaum, für so eine kurze Reise ein Flugzeug zu besteigen, aber sie hatten es mir angeboten, und irgendwie schien es mehr Glamour zu haben als der Zug. Mein Aufzug war nicht glamourös: eine Windjacke, eine abgewetzte Hose, Wanderstiefel und ein Rucksack. Das Taxi kam, nur war es kein Taxi, sondern eine Stretch-Limo. Die Fernsehgesellschaft musste mich mit Phil Collins verwechselt haben. Ich schätze, er war über den sieben Jahre alten Datsun Cherry, der ihn vor seiner Tür erwartete, ziemlich empört.

Und so bot sich meinen Nachbarn der ungewöhnliche Anblick eines schmuddeligen Wanderers, dem ein bemützter Chauffeur den Schlag aufhält, während er in eine glänzend schwarze, überlange Luxuslimousine klettert. Möglicherweise wirkte es, als hätte ich den Geist des Rucksackreisens noch nicht ganz verinnerlicht.

In Manchester wurde ich am Flughafen von einem weiteren beeindruckenden Auto erwartet. Wie ich mich erinnere, ermahnte ich mich, diesen Höhepunkt der Reisekultur möglichst zu genießen, denn der Tiefpunkt würde bald folgen. Ich kam vor der Oper an und entdeckte Horden von Fotografen und Autogrammjägern. Waren sie wegen mir gekommen oder bestand die unwahrscheinliche Möglichkeit, dass sie eher an den Spice Girls, Phil Collins oder Jennifer Anniston interessiert waren? Ich kletterte aus der Limousine, und eine Welle der Verwirrung erfasste die Zuschauer. Auf einen Schlag verwandelte sich die Aufregung in Belustigung. Stand eine Band namens *The Backpackers* auf dem Programm? Gab es ein neues Mitglied der Spice Girls, das Camping Spice hieß? Ich bahnte mir mit dem Rucksack über der Schulter einen Weg zum Bühneneingang, und eine eigenartige Stille machte sich in der Menge breit. Sie wirkte fast wie Hass. Wie konnte ich es wagen, aus so einem Auto auszusteigen, ohne jemand zu sein, für den die Leute schwärmten? Wenn missbilligendes Stirnrunzeln ein Geräusch machen würde, wäre der Lärm ohrenbetäubend gewesen. So aber hätte man eine Nadel zu Boden fallen gehört.

Mein Auftritt war gut. Nicht überragend – nur gut. Ich war mir nicht sicher, wie gut ich gewesen war, aber als wir uns für die abschließende Verbeugung aufreihten, zeigte mir eine der Tänzerinnen von *Kid Creole And The Coconuts* einen nach oben gereckten Daumen. Das genügte mir, ich war froh, die Zustimmung einer Kokosnuss zu bekommen. Dafür nehmen wir das alles schließlich auf uns. Der Produzent der Show belohnte mich beim Hervortreten zwar mit einem Platz in der ersten Reihe, hatte mich aber am äußersten rechten Rand der Bühne platziert, was bedeutete, dass ich, als ich mich von mir aus gesehen nach rechts drehte, um mich vor dem Prinzen zu verbeugen, in die Kulissen blickte. Und dort stand statt Seiner Majestät Prinz Charles, dem Prinzen von Wales, ein fetter Bühnenarbeiter, der meine Verbeugung mit einer anstößigen Geste erwiderte und beinahe vor Lachen starb. Ich lächelte, und das vor allem, weil ich nicht wusste, was ich sonst hätte tun sollen.

Kurz darauf senkte sich der Vorhang, und ich stand in einer Schlange, die darauf wartete, von Prince Charles begrüßt zu werden. Während er sich zu mir vorarbeitete, konnte ich das umwerfend oberflächliche Geplauder hören, zu dem er gezwungen war. Diese Art von gesellschaftlicher Verpflichtung fiel ihm eindeutig nicht leicht, aber jahrelange Übung hatte ihn im Aufsagen kurzer Belanglosigkeiten ziemlich gut werden lassen. Er tat mir Leid – etwas Pech bei der Geburt, und seine Aufgabe hätte die meine sein können.

Schließlich erreichte er mich, nachdem er auf das Gespräch mit den Artisten des *Cirque du Soleil* relativ wenig Mühe hatte verwenden müssen, weil sie aus allen Teilen der Welt stammten und eine spektakuläre und ungewöhnliche Nummer voll Akrobatik und Verrenkungen vorgeführt hatten, was für reichlich Gesprächsstoff sorgte. Es verlief alles ziemlich gut. Er rief sogar ein wenig Heiterkeit hervor, indem er das russische Mädchen fragte, wie sie ihren Körper derart verrenken könne. Dann kam ich dran. Der Typ, der auf die Bühne gekommen war, sechs Minuten lang zum Publikum gesprochen und ein paar Lacher geerntet hatte und dann wieder verschwunden war. Er schüttelte meine Hand. Ich konnte an seinen Augen ablesen, dass dem armen Kerl absolut nichts einfiel. Einen Moment lang herrschte völlige Stille. Was hatte er nur? Ich trug nicht einmal den Rucksack. Ich blickte ihm in die Augen – und er sah direkt durch meine hindurch. Er versuchte nicht, sich ein Bild von mir zu machen, sondern durchforstete sein Hirn nach einer passenden Frage.

»Mussten Sie von weit her anreisen?«, brachte er schließlich hervor.

»Nicht wirklich. Aus London.«

Ich hatte ihm nicht viel gegeben, mit dem er was hätte anfangen können. Er konnte ja schlecht sagen »Oh, London!

Meine Mutter wohnt dort. Sie hat ein kleines Haus in der Innenstadt.« Wieder blinzelte Panik in seinem Auge auf. Komm schon, Charles, zwei Fragen noch und du bist bei Frank Bruno, der ist viel einfacher.

»War das Publikum schwierig?« Das war schon besser, aber obwohl er es gut meinte, war es eine Frage, die ein Komiker nicht gerne hört. In einer idealen Welt wäre man so amüsant gewesen und das Publikum hätte sich beim Lachen derart verausgabt, dass diese Frage sich von selbst beantwortet hätte.

»Ach, es war okay.«

Ich war ihm nicht sonderlich behilflich, aber ich schätze, ein Teil von mir wollte ihm einfach nicht helfen. Was sollte das Ganze? Ich verspürte das instinktive Verlangen, ihm zu sagen »Schauen Sie, entweder reden wir richtig oder überhaupt nicht«, aber es schien nicht viel Sinn zu machen, diese ganze Angelegenheit für ihn noch quälender zu gestalten, als sie es ohnehin schon war. Prince Charles schien sich ein wenig zu entspannen. Vielleicht, weil er wusste, dass sein nächster Versuch, ein Gespräch in Gang zu bringen, unabhängig von seinem Erfolg der letzte sein würde, zu dem er mir gegenüber verpflichtet war.

»Und was sind Ihre weiteren Pläne?«

Ich wartete einen Moment lang, dann antwortete ich, ohne eine Miene zu verziehen: »Ich werde mit einem Kühlschrank rund um Irland trampen, Eure Hoheit.«

Seine Reaktion war ein königlicher Geniestreich. Er lächelte einfach und tat so, als hätte er nichts gehört. Oder verstanden. Oder beides. Und wer kann ihm da schon einen Vorwurf machen? Meine Antwort lud zu Fragen ein, für die einfach keine Zeit war. Er wurde mir richtig sympathisch, als er erneut lächelte und weiterging. Warum hätte er auch fragen sollen, wenn es ihm eigentlich ganz egal war? Seltsamerweise hatte unsere kleine Unterhaltung ihm die Gelegenheit verschafft, ein wenig Ehrlichkeit zu beweisen. Und dafür, da bin ich mir sicher, wird er mir ewig dankbar sein.

Der Flug von Manchester nach Dublin dauert nur vierzig Minuten oder so. Man hat das Gefühl, dass er wenig länger dauert, wenn drei Reihen hinter einem ein paar Kerle eine Party feiern. Ich saß neben einer Matrone mittleren Alters, deren Seufzer und Missfallensbekundungen störender waren als die unangenehmen Geräusche, die die Jungs von sich gaben. Es war erst elf Uhr dreißig, und sie waren schon ziemlich betrunken. Dabei ist es doch das Wichtigste, die Sache mit kontrollierter Geschwindigkeit anzugehen. Die Frau las ein beeindruckend dickes Buch. Ich konnte den Titel nicht sehen, aber das Kapitel, bei dem sie gerade war, hieß »Herrschaft und Hegemonie«. Ich schloss daraus, dass sie entweder Akademikerin oder Sado-Masochistin war. Ich machte die Augen zu und ließ mich vom sanften Säuseln der Sicherheitsunterweisung einlullen. Aber schon bald wurde ich von der Herrenrunde geweckt, die ein Lied angestimmt hatte. Ich wollte aufstehen, mich umdrehen und »Bitte hören Sie doch damit auf!«, sagen, aber das musste ich nicht, denn die Dame an meiner Seite hatte bereits ungefähr diese Worte geäußert, nur in einem weniger höflichen Ton. Selbstverständlich erzielte sie damit genau den gegenteiligen Effekt und sorgte dafür, dass die Lieder noch lauter wurden und ihr zu Ehren auf ihre Person umgemünzt wurden. Plötzlich fand ich das Ganze ziemlich unterhaltsam. Die Texte wurden jetzt witziger, da sie sich auf eine konkrete Person bezogen, und das wachsende Unbehagen der Frau hatte eine tröstliche Wirkung.

Ich ignorierte das Durcheinander um mich herum und begann, meine Karte von Irland zu studieren. Ich wusste sehr wenig über die Insel und hatte keine richtige Vorstellung von den Entfernungen, aber mein Hirn war der anstrengenden Aufgabe nicht gewachsen, diese jetzt zu addieren. Ich überlegte ein wenig, welche Strecke ich an meinem ersten Tag bewältigen könnte. Ich hatte vor, Dublin mit einem Bus in Richtung Cavan zu verlassen und mit dem Trampen ungefähr in der Gegend zu beginnen, in der ich, wenn mich nicht alles trog, vor vielen Jahren den ursprünglichen »Fridge Man« gesehen hatte. Das war irgendwo in der Nähe von Navan gewesen, entschied ich. Ich schaute aus dem Fenster. Es regnete. Darin ist Irland gut. Um mich aufzuheitern, suchte ich die Karte nach Orten mit dämlichen Namen ab. Ich entdeckte Nobber und einen Ort namens Muff.

Das Flugzeug setzte auf. Die Odyssee hatte begonnen.

3

Dieser Bus fährt nach Cavan

Shane muss ein sehr guter Freund von Seamus sein. Ich kann mir gut vorstellen, was für ein Gesicht er machte, als er den Anruf erhielt.

»Oh, hallo Shane, hier ist Seamus. Könntest du mir einen Gefallen tun?«

»Klar.«

Und schon hatte er seinen ersten Fehler begangen, denn er hatte nicht erst mal herauszufinden versucht, worin der Gefallen bestehen würde.

»Ein alter Freund von mir, Tony, will mit einem Kühlschrank rund um Irland trampen.«

»Hmmmmmmm.«

»Könntest du einen kleinen Kühlschrank mit einem passenden Wägelchen kaufen und ihn am Dubliner Flughafen abholen? Er gibt dir das Geld, wenn er ankommt.«

»Äh ...«

»Gut, großartig ... Ich ruf dich Freitag noch wegen der Flugdaten an.«

Und da stand er dann am Flughafen, der Mann, der mit der Aufgabe betraut worden war, einen Reisebegleiter zu kaufen – eine Tätigkeit, die man normalerweise eher mit Bangkok als mit Dublin assoziiert. Obwohl wir einander noch nie begegnet waren, erkannten wir uns sofort. Er muss an meinen Augen die schrecklichen Vorahnungen abgelesen haben, und ich sah das Entsetzen in den seinen. Er begrüßte mich ziemlich herzlich, und wir machten uns auf den Weg zu seinem Auto. Dort habe er den Kühlschrank, erklärte er mir, denn er vermutete richtig, dass dieser meine Hauptsorge war.

Ich war ziemlich nervös vor dieser ersten Begegnung mit ihm. Shane hatte detaillierte Anweisungen erhalten, und er wirkte ausreichend intelligent, aber was, wenn er trotzdem die falsche Sorte Kühlschrank gekauft hatte? Ich hatte plötzlich das Gefühl, dass es ein Fehler gewesen war, die Verantwortung für den Erwerb meines wichtigsten Gepäckstücks zu delegieren. Schließlich wusste ich, nachdem mich ein Experte wie Darren auf diesem Gebiet unterwiesen hatte, sehr viel über Kühlschränke. Aber es hatte keine andere Möglichkeit gegeben, denn es war Sonntag und damit kein guter Tag, um Kühlschränke zu kaufen, und ich wollte am nächsten Morgen aufbrechen. Es war fast wie bei einem neuen Job: am Montag in aller Frühe anfangen, geschniegelt und voll Eifer.

Wir erklommen die Treppe in dem überraschend geruchsfreien Parkhaus. Ich merkte, dass Shane ein zurückhaltender Mensch war, aber ich vermute, dass er heute besonders schweigsam war, weil er in Gedanken damit beschäftigt war, die Größe des Gefallens auszurechnen, den Seamus ihm jetzt schuldete. Es würde bestimmt keine Kleinigkeit sein, eher etwas im Stil von »Es gibt da diesen Kerl, der zum Schweigen gebracht werden muss ...«. Dann sah ich den Kühlschrank zum ersten Mal. Shane hatte seine Sache gut gemacht. Das war genau das, wonach ich gesucht hatte: ein weißer Würfel mit ungefähr sechzig Zentimeter Kantenlänge. Ich streichelte ihn liebevoll, und Shane wandte sich ab, damit wir einen Augenblick für uns allein hatten. Dann holte er das Wägelchen hervor, und in andächtiger Stille schnallten wir den Kühlschrank darauf fest, respektvolle Zeugen des Beginns einer wahrhaft symbiotischen Beziehung.

Ich fuhr wie ein Sportler, der sich aufwärmt, ein bisschen

mit dem Kühlschrank im Parkhaus herum und hatte ein gutes Gefühl. Ich, der Kühlschrank und das Wägelchen würden gut miteinander auskommen. Das reinste Dream Team – wäre da nicht noch der Rucksack gewesen. Nachdem wir die Initiationszeremonie hinter uns gebracht hatten, machten wir uns auf den Weg. Shane hatte noch mehr getan, als ihm aufgetragen worden war, und für mich in Donnybrook, einer Gegend südlich des Liffey, ein Bed & Breakfast organisiert. Er entspannte sich allmählich und plauderte ein wenig. Dabei kam heraus, dass ihn meine geplante Expedition ziemlich amüsierte, und er schlug vor, dass ich mit einer Radiosendung namens *The Gerry Ryan Show* auf RTE FM 2 Kontakt aufnehmen sollte. Er sagte, dass die Leute dort gerne verrückte Aktionen unterstützten und dass meine die Voraussetzungen dafür perfekt erfülle. Ich hatte nicht vorgehabt, so was zu tun, aber während wir uns durch den Stau im Zentrum von Dublin kämpften, fand ich allmählich Gefallen an der Idee.

Wir erreichten Donnybrook, und ich zahlte Shane die 130 Pfund, die ich ihm für den Kühlschrank schuldete.

»Um wie viel Geld geht es bei der Wette eigentlich?«, fragte er.

»Hundert Pfund.«

Einen Moment lang war er verwirrt, dann wünschte er mir ziemlich überstürzt Glück und fuhr mit einem Gesichtsausdruck davon, der seine Erleichterung darüber verriet, mich los geworden zu sein.

In der Pension wurde ich von Rory begrüßt, einem jungen Mann, der so aussah, als hätte er gerade seinen Universitätsabschluss hinter sich gebracht, und sich ziemlich von der mütterlichen Dame mittleren Alters namens Rosie unterschied, die in meiner Vorstellung zwangsläufig diese Art von Unterkunft führt. Rory hatte sehr dicke Gläser in seiner Brille, und ich empfand die daraus resultierende Vergrößerung seiner Augen als ein bisschen verwirrend. Er erklärte, dass er kein Problem habe, mich unterzubringen, da ich der einzige Gast sei. Als ich den Kühlschrank in seinen Flur rollte, sagte er zuerst nichts, maß ihn aber mit einem Blick, als frage er sich, ob seine dicken Brillengläser dick genug seien. Ein paar Sekunden vergingen, bis er kapitulierte.

»Ist das ein Kühlschrank?«, fragte er.

Dies war eine Frage, die ich in den kommenden Wochen noch oft zu hören bekommen sollte.

»Ja«, antwortete ich wahrheitsgemäß.

Er stellte keine weiteren Fragen in diese Richtung, und ich erzählte ihm nichts weiter, obwohl ich sehen konnte, dass er neugierig war. Ich hatte vor meiner Abreise entschieden, dass ich versuchen würde, ohne die entsprechende Frage keine Informationen über den Kühlschrank preiszugeben. Und ich würde immer die Wahrheit sagen. Ich wollte sehen, wie viele Leute entweder aus Höflichkeit oder generellem Mangel an Interesse nicht fragten. Rory gehörte zur ersten Kategorie.

Kurz, nachdem ich mein Zimmer bezogen und mich daran gemacht hatte, vorsichtig ein paar Sachen auszupacken, klopfte es an der Tür. Es war Rory, der mich fragte, ob ich ihm einen Gefallen tun könne. Ich antwortete so sorglos mit »Kein Problem«, dass Shane stolz auf mich gewesen wäre. Rory sagte, dass er kurz weg müsse, und bat mich, ans Telefon zu gehen, falls es klingeln sollte. Wieder tat ich ihm den Gefallen, mit einem »Kein Problem« zu antworten. Vierzig Minuten und drei Reservierungen später beschloss ich, dass es am besten wäre, wenn ich auch wegginge.

Da die schlaflosen Nächte der letzten Zeit und der traumatische Flug ihren Tribut forderten, fühlte ich mich ziemlich mitgenommen, aber es gab zwei Sachen, die ich noch erledigen wollte, bevor ich mich hinlegte: Da Shane mich darauf hingewiesen hatte, dass die Studios des Radiosenders RTE, wie es der Zufall wollte, nur fünf Minuten zu Fuß entfernt waren, konnte es ja nicht schaden, wenn ich dort einen kurzen Brief für die *Gerry Ryan Show* abgeben würde, in dem ich meine geplante Reise schilderte und die Telefonnummer von Rorys Bed & Breakfast angab für den Fall, dass sie mich am Morgen sprechen wollten. Außerdem wollte ich noch ein Foto machen.

Bei einem früheren Besuch in Dublin hatte ich eine Kellerbar in der Leeson Street besucht, die Buck Whaley's hieß. Abgesehen von der Tatsache, dass mein Blick in seinem Verlauf auf das Schild eines Immobilienmaklers fiel, war es ein bedeutungsloser Abend. Zwei Türen weiter hatte ein Nachtklub zugemacht, aber die erloschenen Neonlettern, mit denen das Etablissement als ›Discotheque‹ bezeichnet wurde, waren noch da. Und ein Immobilienmakler hatte ein Schild angebracht:

Zu vermieten:
Gewerberäume
Geeignet für Disco

Ich war beeindruckt. Schließlich zahlte man ja für genau so was. Wären nicht die besondere Expertise dieses Maklers und seine wohlgesetzten Worte »Geeignet für Disco« gewesen, hätte irgendein Unternehmer weiß Gott welches zum Scheitern verurteilte Gewerbe in diesen Räumen unterzubringen versucht und vielleicht ohne Rücksicht auf Verluste die Tresen herausgerissen und den Tanzboden aufgebrochen, um dort ein Schuhgeschäft einzurichten.

Als ich dort hinkam, musste ich feststellen, dass mir mein Foto verwehrt bleiben würde, da es das Schild nicht mehr gab. Irgendjemand hatte klugerweise die Empfehlung befolgt und eine Disco aufgemacht. Die Herren Daly, Quilligan & O'Reilly hatten sich ihre Provision wirklich verdient.

Ich warf meinen Brief bei RTE ein, aß ein enttäuschendes

Abendessen, ging zu Rorys Pension zurück, duschte und legte mich ins Bett. Glücklicherweise war ich so müde, dass ich nicht lange brauchte, um einzuschlafen. Wäre es anders gewesen, hätte ich vielleicht begonnen, mir Sorgen darüber zu machen, was mich am folgenden Tag erwartete.

Am nächsten Tag wurde ich von Rory geweckt, der an meine Tür klopfte. In Gedanken sagte ich ›Oje, ich schätze, du willst wieder weg und möchtest, dass ich die Anrufe entgegennehme und mir mein Frühstück selbst mache, oder?‹, in Wirklichkeit rief ich aber nur: »Ja?«

Das war nicht ganz so witzig, aber auch nicht schlecht.

»Telefon!«, sagte ein aufgeregter Rory. »Es ist die *Gerry Ryan Show*.«

»Oh. Ach so.«

Da ich gerade erst ein paar Sekunden wach war, dämmerte mir noch nicht ganz, was das bedeutete. Ich öffnete die Tür, und Rory gab mir eines dieser schnurlosen Telefone, mit denen man, ganz egal, was einem der Hersteller verspricht, fast immer einen schlechten Empfang hat. Ich hielt es an mein Ohr.

»Hallo?«

»Hallo, Tony, ich bin Siobhan von der *Gerry Ryan Show*. Einen Moment noch, dann stelle ich dich zu Gerry durch.«

Gerry? Ich kenne keinen Gerry. Und warum kann er nicht jetzt mit mir sprechen? Bevor ich noch etwas sagen konnte, hörte ich auch schon Chris Rhea, und da begann es mir zu dämmern. O nein, wenn dieses Lied zu Ende war, würde ich auf Sendung sein! Aber was war mit meinem Haar? Ich räusperte mich ein paar Mal, damit es nicht so klang, als wäre ich gerade erst aufgewacht. Ich versuchte, den Text von Chris Rheas Lied zu ignorieren. Schließlich war der Gedanke, dass man sich auf der »road to hell« befand, so früh am Morgen schon für sich genommen befremdlich, wenn man aber kurz davor stand, zu einem Abenteuer wie dem meinen aufzubrechen, klang es so, als wolle der Mistkerl einen verarschen.

Gerrys Stimme ertönte über die leiser werdende Platte hinweg.

»Ich habe jetzt Tony Hawks am Apparat. Guten Morgen, Tony. Also, du wirst jetzt gleich eine interessante Reise antreten. Könntest du uns etwas darüber erzählen?«

Ich kann mir einfachere Übungen vorstellen, wenn man gerade erst aufgewacht ist. Aber eigentlich machte ich meine Sache ganz gut, erklärte, was ich vorhatte und warum, und schaffte es sogar, gelegentlich ein wenig witzig zu sein.

»Ich habe keine Ahnung, ob ich so fröhlich bleiben werde«, gestand ich Gerry an einem Punkt. »Ich klinge nur so glücklich, weil ich noch nicht gestartet bin.«

»Nun, vielleicht hast du ja gutes Wetter, dann wirst du auf viel Resonanz stoßen. Und da ich weiß, wie die Psyche der Leute hier in diesem Land funktioniert, könnte ich mir vorstellen, dass sie dich äußerst herzlich aufnehmen. Und es ist ja auch eine tolle Sache für den Friedensprozess.«

»Ja, ich hoffe, heute noch durch Nordirland zu fahren. Falls ich also irgendwie dabei behilflich sein kann, die Sache da oben voranzutreiben, würde ich das wirklich gerne tun. Vielleicht sollten wir uns alle an den Kühlschrank setzen. Die Leute haben es mit runden Tischen versucht, und es hat nicht wirklich funktioniert. Die ganze Körpersprache hinter einem Tisch ist total verkehrt. Wir sollten uns um den Kühlschrank herum versammeln.«

»Ich glaube, damit könntest du Recht haben, Tony. Das könnte unser Motto für den Friedensprozess werden: ›Versammeln wir uns um den Kühlschrank!‹«

Wir müssen sechs oder sieben Minuten lang geplaudert habe, was mich überraschte, weil ich das englische Radio gewöhnt bin, in dem sie von einem nur ein paar kurze Äußerungen haben wollen, bevor sie die nächste Platte auflegen. Wir nahmen sogar den Anruf eines Pub-Pächters entgegen, der anbot, eine ›Kühlschrankparty‹ zu schmeißen, wenn ich nach Cork käme. Ich dankte ihm und versprach, ihn beim Wort zu nehmen, fragte mich aber gleichzeitig, ob er irgendeine Vorstellung davon hatte, was es mit einer Kühlschrankparty auf sich hatte. Aber das schien keine Rolle zu spielen.

Ich merkte, dass ich es bei Gerry Ryan mit einem äußerst fähigen Radiomoderator zu tun hatte, der die Kunst beherrschte, sich in aller Ruhe um vier Dinge zugleich zu kümmern und dabei auch noch zu reden. Er schien von der Absurdität meines Vorhabens ehrlich fasziniert zu sein und beendete das Interview, indem er sagte:

»Das ist genau die Art von Aktion, die wir gerne weiterverfolgen. RTE wird dich mit allen Mitteln unterstützen. Rufst du uns morgen an?«

»Unbedingt, Gerry. Mach ich gerne.«

»Einen schönen Tag noch.«

»Gleichfalls.«

Ich klang glücklich, und ich war es auch. Aber nur, weil mir noch nicht richtig klar geworden war, was in Wirklichkeit vor mir lag. Außerdem hatte ich noch nicht aus dem Fenster geschaut, weshalb ich mich in einem Zustand seliger Unwissenheit befand, was den dichten Regen draußen anging.

Durch den Hörer bekam ich noch Gerrys Kommentar mit: »Viel Glück, Tony! Nun, man muss sagen, seine Idee ist total sinnlos, aber verdammt gut!«

Ich hoffte, dass der Rest von Irland der gleichen Ansicht war.

Auf meinem Weg zum Esszimmer der Pension wurde ich von einem strahlenden Rory abgefangen.

»Dafür hast du also den Kühlschrank dabei, du Irrer!«

Er führte mich in die Küche und bot mir einen Platz an einem Tisch an, von dem aus ich bei der Zubereitung des Frühstücks zusehen konnte. Vermutlich war dies eine Ehre, die nur Gästen zuteil wurde, die gerade im Radio zu hören gewesen waren. Während der nächsten Minuten taute Rory richtig auf, erzählte mir von seinem Studium, seinen Reisen und seiner Geschäftspartnerschaft mit seinem Vater, und das alles auf Kosten meines Specks. Es war ihm egal. Er warf die verbrannten Streifen einfach weg und packte mit großartiger Geste neue aus. Alles auf Kosten meiner Eier. Er war nicht besonders gut, was die Frühstückszubereitung anging, und es wäre für mich einfacher gewesen, wenn ich ihm nicht hätte zuschauen müssen. Aber es kümmerte ihn nicht, er war zu sehr damit beschäftigt, mir von dem Fünf-Jahres-Plan zu erzählen, den er und sein Vater aufgestellt hatten.

Ich weiß nicht, was dafür gesorgt hatte, dass Rory derart redselig geworden war, aber ich schätze, zu wissen, warum jemand mit einem Kühlschrank reist, übt eine beruhigende Wirkung aus, ganz egal, wie irrational der Grund für die Reise auch sein mag. In der Nacht hatte Rory vielleicht noch gedacht, dass er einen gefährlichen Psychopathen als einzigen Gast habe, aber jetzt wusste er die Wahrheit: Ich war ein gut gelaunter Exzentriker, dem es nicht so wichtig war, ob man sich mit seinem Frühstück Mühe gab. Tatsächlich ließ Rory mir einen Service angedeihen, der völliger Vernachlässigung gleichkam: Er verschwand dreimal, um ans Telefon zu gehen, und seine lange Abwesenheit machte es notwendig, dass ich mich selbst zum Frühstückskoch beförderte. Kein Problem, denn ich war ein besserer Koch als er, und ich war froh, dass weitere Reservierungen hereinkamen. Die Buchungsrate der letzten Nacht entsprach sicher nicht dem Fünf-Jahres-Plan.

Gerade als ich die erste Mahlzeit des ersten Tags beendete, kehrte Rory von seinem letzten Telefonat zurück.

»War das Frühstück gut?«, fragte er, ohne sich für seine mangelnde Mitwirkung daran zu entschuldigen.

»Großartig. Danke.«

Zwanzig Minuten später saß ich in einem Taxi, das mich zur Bushaltestelle brachte. Rory hatte nur den halben Preis für mein Zimmer verlangt.

»Ach, wenn du einen Monat lang in Pensionen absteigen willst, musst du sparen«, erklärte er mir. Eine nette Geste. Oder versuchte er, mich zurückzulocken, damit ich bei ihm Vollzeit arbeitete?

Der Taxifahrer hatte mir mit dem Kühlschrank geholfen, sah darin aber nichts, über das es sich zu reden lohnte. Er hatte seine eigenen Prioritäten und wollte über die Staus in der Innenstadt, unnötige Kreisverkehre und die unsinnige Einrichtung von Einbahnstraßen plaudern. Mit den Taxifahrern ist es überall auf der Welt dasselbe: Sie sind große Gleichmacher. Ganz egal, ob Nelson Mandela, Präsident Clinton oder Michelle Pfeiffer zu ihnen ins Taxi steigt: Sie erfahren keine besondere Behandlung. Ganz im Gegenteil. Der Fahrer wird sie genauso zu Tode langweilen wie Sie und mich.

Am Busbahnhof entdeckte ich, dass es nicht einfach ist, einen Kühlschrank auf einem Wägelchen durch eine große Menschenmenge zu bugsieren, die es eilig hat. Die Kurven waren schwieriger, als ich gedacht hatte, und die Treppen hinunterzukommen war ein ganz besonders gefährliches Unterfangen. Ich wusste jetzt, dass ich es während der nächsten paar Wochen nach Möglichkeit vermeiden würde, in Eile zu geraten. Vorsichtig bahnte ich mir einen Weg zum Fahrkartenschalter und achtete darauf, keine kleinen Kinder mit meiner sperrigen Ladung zu verletzen. Ich war mir inzwischen des starken Regens bewusst geworden und befand mich ungefähr in der Mitte eines Stimmungsumschwungs von fröhlich zu verzweifelt.

Ich kaufte ein Ticket nach Navan, wo ich mit dem Trampen beginnen wollte. Ich würde mich glücklich schätzen, wenn ich es bis zum Einbruch der Nacht bis nach Cavan schaffte, von wo aus ich am nächsten Morgen die möglicherweise schwierige Strecke nach Donegal angehen wollte. Soweit ich auf der Karte erkennen konnte, durchschnitten die Straßen nach Donegal immer wieder die Grenze nach Nordirland, und ich wollte es unbedingt vermeiden, in jenem Teil der Welt als Anhalter unterwegs zu sein. Abgesehen davon, dass man mir gesagt hatte, die Fahrer dort hielten nur selten für Tramper an, war mir bewusst, dass ein kleiner weißer Behälter bei den Sicherheitskräften vermutlich auf starkes Interesse stoßen würde. Unter all den romantischen und heroischen Möglichkeiten, sein Leben zu lassen, nahm die, Opfer der prophylaktischen Sprengung eines Küchengeräts zu werden, nur einen sehr niedrigen Rang ein. Es war unwahrscheinlich, dass in solch einem Fall Gedichte und Volkslieder über einen geschrieben wurden, und das nicht nur, weil sich auf »Kühlschrank« so wenig reimt.

Der Busfahrer, eine onkelhafte Gestalt mittleren Alters, der die Haare ausgingen, half mir, den Kühlschrank in den riesigen Stauraum des Busses zu laden. Es gab sonst kein Gepäck.

»Wird er nicht jedes Mal, wenn wir um eine Kurve fahren, von einer Seite zur anderen rutschen?«, fragte ich den Fahrer.

»O nein, da passiert nichts«, versicherte er mir, ganz der Experte.

Während der fünfzigminütigen Busfahrt konnte ich nichts von der Landstraße genießen, denn der dichte Regen sorgte dafür, dass die Fenster beschlugen. Ich verstehe die physikalischen Zusammenhänge dieses Phänomens nicht, weiß aber, dass es wenig zur Verbesserung der seelischen Verfassung beiträgt. Mein persönlicher Stimmungsmesser zeigte schon längst nicht mehr ›fröhlich‹ an, sondern näherte sich jetzt ›verzweifelt‹, nachdem er kurz bei ›etwas niedergeschlagen‹ verharrt war.

Wir pflügten weiter durch den Regen Richtung Navan, fünf über den Bus verstreute Passagiere, die entweder lasen oder sich wie ich in quälenden Grübeleien ergingen. Es gab keine

Gespräche, die mich von meinem mir unmittelbar bevorstehenden Schicksal hätten ablenken können. Die einzigen Geräusche waren das Brummen des Motors und das Scheppern des Kühlschranks, der in jeder Kurve von der einen zur anderen Seite rutschte.

Endlich kamen wir in eine Stadt, bei der es sich um Navan handeln musste. Wir erklommen einen Hügel, und auf meiner rechten Seite konnte ich gerade noch ein Schild sehen, auf dem »Nobber Motors« stand.

Ich gewann zwei weitere Erkenntnisse durch den Streifen hindurch, den ich auf der beschlagenen Scheibe frei gewischt hatte: Es regnete noch stärker, und das Zentrum von Navan war nicht der richtige Ort, um mit dem Trampen zu beginnen, denn die Leute gingen hier entweder einkaufen oder zur Bank. Da ich mir dachte, dass es im Norden der Stadt ein geeignetes Stück offener Landstraße geben könnte, beschloss ich, mich an den Fahrer zu wenden.

»Entschuldigung, gibt es noch eine Busstation nördlich von Navan?«

»Wo wollen Sie hin?«

»Äh ... nach Cavan.«

»Nun, dieser Bus fährt nach Cavan.«

»Ja ... äh ... ja ... die Sache ist ... ich möchte an einer Stelle aussteigen, die gut ist, um ...«

»Sie wollen nach Cavan, sagen Sie?«

»Ja, aber ...«

»Nun, dieser Bus fährt nach Cavan.«

»Das weiß ich, aber ...«

»Wo wollen Sie hin?«

»Äh ... Cavan.«

»Nun, dieser Bus fährt nach Cavan.«

Ich setzte mich wieder und hatte absolut keinen Zweifel mehr, wo dieser Bus hinfuhr. Er fuhr nach Cavan. Von meiner Warte aus betrachtet war das Gespräch mit dem Fahrer ein totaler Misserfolg gewesen. Alles, was ich erreicht hatte, war, etwas über jeden Zweifel hinaus bestätigt zu bekommen, das ich schon gewusst hatte, aber jetzt würde es für mich auch noch schwierig werden, den Bus vorzeitig zu verlassen, da der Fahrer sich offenbar vorgenommen hatte, mich in Cavan abzuliefern. Jeder Versuch meinerseits, ihn dazu zu bringen, auf offener Straße anzuhalten, damit ich aussteigen könnte, würde nur zu der beharrlichen Feststellung führen, dass dies nicht Cavan sei und dass dieser Bus nach Cavan fahre.

Ich hätte natürlich darauf bestehen können, dass er anhielt und mich rausließ. Das war schließlich mein unverbrüchliches Recht als Fahrgast. Und was noch schwerer wog: Ich war schon weiter gefahren, als ich mit meiner Fahrkarte durfte. Aber ich litt an der englischen Krankheit: der großen Angst vor einer Szene. Wie die meisten Engländer gehöre ich zu der Kategorie derer, die in einem Restaurant mit schlampigem Service eine drittklassige Mahlzeit über sich ergehen lassen und dann, wenn der Kellner sie fragt, ob alles in Ordnung gewesen sei, einfach mit einem »Ja, danke« antworten. Lieber das als eine Szene. Das Schlimmste, was man tun kann, ist, eine Szene zu machen.

Irgendwie musste ich eine Möglichkeit finden, nicht mit diesem Bus bis nach Cavan zu fahren. Und zwar ohne eine Szene zu machen. Ich beschloss, beim nächsten Halt zu versuchen, heimlich hinauszuschlüpfen, in der Hoffnung, dass die Fahrgäste, die aus- und zustiegen, für ausreichend Deckung sorgen würden. Es war riskant, aber vielleicht klappte es ja. Fünfzehn Minuten später hielten wir am Rand einer kleinen Stadt, und ein paar Leute, die in Navan zugestiegen waren, standen auf und begannen, den Bus zu verlassen. Jetzt oder nie! Ich sprang schnell auf und schob mich zwischen einen Alten und eine Frau, die ein Baby trug. Es stand auf des Messers Schneide, ob der Fahrer mich aus dem Augenwinkel heraus entdecken würde, aber ich benutzte geschickt den

Rucksack, um mein Gesicht dahinter zu verstecken. Ich war gut. Ich war sehr gut, und ich hatte bereits die Treppe des Busses erreicht. Die Freiheit lag vor mir. Meine Erleichterung war so groß, dass ich mich, als ich mich vom Bus zu entfernen begann, auch von dem dichten Regen, der mich empfing, nicht bekümmern ließ. Plötzlich blieb ich stehen. Der Kühlschrank! Ich hatte den Kühlschrank vergessen!

Ich drehte mich um und sah, wie sich die Bustür schloss. Ich sprang zu dem Bus zurück und schaffte es gerade noch, meine Faust zwischen die sich schließenden Türflügel zu rammen, bevor der Bus wegfuhr. Der Fahrer schaute herunter und erkannte mich. Er öffnete die Tür und erklärte: »Das hier ist nicht Cavan.«

Wir waren wieder am Anfang.

»Ich weiß. Es ist nur so, dass ...«

»Steigen Sie ein! Dieser Bus fährt nach ...«

»Cavan, ja, das weiß ich, es ist nur so, dass ich mir dachte, ich könnte vielleicht vorher noch ein bisschen Zeit hier verbringen.«

»In Kells?«

Er wirkte ein wenig überrascht, denn der Wunsch, ein wenig Zeit in Kells verbringen zu wollen, schien nicht oft geäußert zu werden. Als ich mich umsah, konnte ich nur einen Pub, einen Laden und den Grund für das Staunen des Fahrers entdecken. Dann wurde mir der Regen bewusst. Dichter, peitschender Regen. Ich erinnerte mich an mein bequemes Leben zu Hause, und es wurde mir klar, dass ich irgendwo hingehörte, wo es einen Pub, einen Laden und einen Psychiater gab.

»Ja, ich finde, Kells schaut nett aus«, antwortete ich dem verwunderten Fahrer. »Sehr nett sogar.« Vielleicht hatte ich zu dick aufgetragen. »Sie müssen noch den Kofferraum aufmachen, damit ich mein Zeug rausholen kann.«

Der Fahrer gehorchte, aber mit einem Mangel an Enthusiasmus, der schon an Missbilligung grenzte. Er nahm mir diese ganze »Will noch ein bisschen Zeit in Kells verbringen«-Geschichte nicht ab, und was ihn anging, so hatte ich ihn schwer gekränkt, weil ich nicht in seinem Bus nach Cavan fahren wollte. Er half mir mit dem Kühlschrank, behandelte ihn wie ein völlig normales Gepäckstück und verabschiedete sich von mir in einem Ton, der verriet, wie tief ich ihn enttäuscht hatte.

Na ja, manchmal muss man eben auf ein paar Hühneraugen treten.

4

Regen, Schlamm und ein Jack-Russell-Terrier

Das war es also. Der Grund, weshalb ich hierher gekommen war, die Verwirklichung eines lang gehegten Traums und der Beginn einer ungewöhnlichen, abenteuerlichen Entdeckungsreise. Ich war am *point of no return* angelangt. Ich hatte meinen Rucksack, ich hatte meinen Kühlschrank, und ich hatte meine Sehnsucht. Nichts würde mich jetzt noch aufhalten.

Außer dem Regen.

Schauen Sie, ich weiß, es klingt lahm, aber es regnete wirklich heftig. Meiner Meinung nach machte es wenig Sinn, eine Sache absolut durchnässt und schlecht gelaunt zu beginnen. Und – okay – ich musste mir etwas Mut antrinken.

Als ich den Kühlschrank in die Bar rollte, drehte sich der kleine alte Mann an der Theke sofort nach mir um.

»Ist das ein Kühlschrank?«, fragte er.

»Ja«, erklärte ich, inzwischen ganz gut im Beantworten dieser Frage.

Während eines Moments der Stille betrachtete der Mann mein Gepäck nachdenklich.

»Liebe Mutter Jesus, ich habe noch nie einen Mann mit Rucksack und einem verfluchten Kühlschrank hier reinkommen sehen!«, rief er aus. Und dann lächelte er. »Ist da eine Bombe drinnen?«

Ich erzählte ihm von meiner Wette, und er schüttelte verwundert den Kopf, aber schließlich meinte er: »Es ist ein sehr netter kleiner Kühlschrank. Jeder sollte so einen haben.«

Ich stimmte ihm zu und warf dann die Frage auf, ob die Möglichkeit bestehe, dass jemand hinter der Theke auftauchen und mir was zu trinken geben würde.

»Klingeln Sie, und er wird sich gleich um Sie kümmern. Er macht gerade Inventur – Flaschenzählen oder so was.«

Ich klingelte, und während der zehn Minuten, die es dauerte, bis ich damit irgendeine Wirkung erzielte, erfuhr ich das meiste, was es über das Leben des alten Mannes zu wissen gab. Er hieß Willy, er lebte in Kells, er hatte die Jahre von 1952 bis 1962 in London verbracht, er hatte während des Zweiten Weltkriegs für die Briten in Nordafrika gekämpft, er gab seine Armeepension jetzt für eines seiner liebsten Hobbys aus, nämlich das Trinken von Whiskey, und seine Blutgruppe war 0 negativ. Ich wusste nicht einmal, was für eine Blutgruppe ich selbst hatte, war jetzt aber über die von Willy informiert. Er kam gerade aus Navan zurück, wo er Blut gespendet hatte, und war ziemlich stolz auf die Tatsache, dass es in Irland nicht viele Leute mit 0 negativ gab. Er konnte sich glücklich schätzen, denn er genoss das Privileg, als etwas Besonderes geboren worden zu sein. Andere mussten einen Kühlschrank mit sich herumschleppen, um diesen Status zu erlangen.

Schließlich tauchte der Pächter gelassen und ohne jedes Zeichen des Bedauerns aus den Kellergewölben seines Pubs auf, und ich bestellte ein Bier.

»Er hat sein eigenes Eis dabei«, sagte Willy zum Pächter, der den Witz nicht verstand, weil er den Kühlschrank vor der Theke noch nicht gesehen hatte. Willy lachte trotzdem, und ich lächelte zu seiner Unterstützung.

»Haben Sie auch was zu essen?«, fragte ich den verwirrten Pächter. Er schüttelte den Kopf.

»Oh.«

»Nächstes Jahr.«

»Was?«

»Nächstes Jahr. Ab nächstem Jahr haben wir auch Essen.«

Ich wurde allmählich ziemlich hungrig, vermutete, dass nächstes Jahr für mich zu spät sein würde, und lief daher in den Laden auf der anderen Straßenseite, um mir ein Sandwich zu kaufen.

Bei meiner Rückkehr war der Pub deutlich voller, und es herrschten große Aufregung und Geschrei. Die Atmosphäre war völlig verwandelt. Nach wie vor schien es dem Pächter wichtiger, die Flaschen zu zählen als sie zu verkaufen. Zwei Paare mittleren Alters waren hereingekommen, und Willy wurde einem strengen Kreuzverhör unterzogen. Ich quetschte mich, so höflich ich konnte, zwischen sie, um mein Bier zu retten, setzte mich und lauschte, bis ich genug mitbekommen hatte, um zu verstehen, was genau los war. Die Neuankömmlinge waren zwei ursprünglich aus Kells stammende, jetzt aber in Kanada lebende Schwestern mit ihren kanadischen Ehemännern. Sie hatten Kells 1959 verlassen und waren seither nicht zurückgekommen. Wann immer Willy und die Schwestern einen Menschen aus Kells erwähnten, den sie alle drei kannten, stimmten sie ein enthusiastisches Geschrei an, das den Ehemännern eindeutig auf den Keks zu gehen begann. Sie machten sich sowieso schon wegen des abwesenden Barmanns Sorgen. Die Entdeckung, dass die Mutter der Schwestern vor vielen Jahren die Friseuse von Willys Mutter gewesen war, rief einen ungeheuren Lärm hervor. Andere Erkenntnisse von ähnlichem Gewicht folgten, bis die Kakophonie plötzlich von einer lauten und gereizten kanadischen Stimme unterbrochen wurde: »Wie kriegt man denn hier was zu trinken?«

Willy erklärte freundlich das Protokoll, die Klingel wurde betätigt und das Schwelgen in Erinnerungen setzte wieder ein, allerdings in einer etwas erträglicheren Lautstärke. Man begab sich auch auf ein neues Gebiet.

»Erinnern Sie sich an eine kleine Frau, kastanienbraunes Haar – eine wunderbare Tänzerin … Rosie … hat neben der Kirche gewohnt?«

»Ja natürlich erinnern wir uns!«

»Sie ist tot.«

»Oje. Sieh mal einer an! Sie muss ziemlich alt gewesen sein.«

»Das war sie.«

»Und ihre Schwestern?«

»Tot.«

»Und der Bruder?«

»Tot.«

Während der nächsten zwanzig Minuten wurde festgestellt, wer von den Einwohnern Kells im Jahre 1959 noch lebte und wer bereits tot war. Für die einzige Erleichterung sorgte das Erscheinen des Pächters, der die Nerven der kanadischen Fraktion beruhigte und mein Glas nachfüllte.

Dann erfuhren die Damen zwei wichtige neue Fakten: Willy war 0 negativ, und ich reiste mit einem Kühlschrank. Die Schwestern fanden Letzteres äußerst komisch, und auch im Lager der leidenden Kanadier sorgte diese Mitteilung für Heiterkeit.

»Sie karren einen verdammten Kühlschrank mit sich rum? Wozu?«

Ich erzählte ihnen von der Wette.

»Wer zum Teufel soll Sie mitnehmen?«

Ich sagte ihnen, dass der Kühlschrank in eine viertürige Limousine passen würde.

»Nun, ich hoffe, Sie haben gute Wanderschuhe und einen wirklich wasserdichten Regenmantel.«

Es folgte noch mehr Gelächter. Das alles machte mir nicht gerade Mut. Diese Scherze waren nicht böse gemeint, aber sie unterminierten meine ohnehin schon angegriffene Zuversicht weiter.

Ich schaute den Kühlschrank an und sah ein Spielzeugmaschinengewehr.

Ich war seit fünfzehn Jahren nicht mehr getrampt. Ich hoffte, dass der Daumen seinen alten Zauber noch nicht verloren hatte. Ich war einmal per Anhalter durch Amerika gereist, und meine Unbekümmertheit um die Gefahren hatte mich irgendwie immun gegen sie gemacht. An einem triumphalen Tag hatte ich es von den Niagara-Fällen bis nach New York geschafft, und das schneller als der Greyhound Bus. Ich hatte viele nette Leute kennen gelernt und viel Hilfsbereitschaft erfahren. Ein Kerl, der sah, dass ich hungrig war, bestand darauf, mich zu einem großen Mittagessen einzuladen, und als ich ihm für seine Großzügigkeit dankte, sagte er einfach: »Gib es weiter!« Mir gefiel dieses selbstlose Konzept: Revanchiere dich für dieses Geschenk, indem du irgendjemand anderem ein ordentliches Stück davon zukommen lässt!

Die einzige etwas heikle Erfahrung hatte ich in Frankreich gemacht, als ich von einem älteren Herrn mitgenommen wurde, dessen zweite Frage war, was ich vom Nacktbaden halte. Obwohl ich ursprünglich gesagt hatte, ich wolle nach Lyon, änderte ich sofort mein Ziel und bestand darauf, dass er mich in Chalon-sur-Saône rausließ. Als ich aus dem Auto stieg, sagte er etwas auf Französisch, das ich nicht verstand, aber ich vermute, es bedeutete soviel wie »Aber dieser Bus fährt nach Cavan.«

Ich schleppte mein Gepäck langsam zu einem geeigneten Punkt am Straßenrand und bemerkte mit Sorge, dass die Autos in erschreckend unregelmäßigen Abständen vorbeifuhren. In einem Zustand nahe der physischen und psychischen Erschöpfung baute ich mich am Straßenrand auf und zwang mich dazu, optimistisch zu sein. Obwohl der Regen nachgelassen hatte, tröpfelte es noch, und die Wolken am Horizont ließen vermuten, dass es nicht lange dauern würde, bis ich das Regenzeug wieder brauchte. Ich betrachtete die Umgebung, mit der ich, wie ich hoffte, nicht allzu vertraut werden würde, und entdeckte, dass ich einen unwirtlichen, bedrückenden

Straßenabschnitt gewählt hatte, um meine Reise zu beginnen. Die Gegend war nicht hässlich, aber sie war eindeutig nicht attraktiv. Es war einfach ein langweiliges Stück irischer Landstraße. Strommasten, ein paar Felder und die Rückseite eines Schilds, auf dessen anderen Seite hoffentlich »Tramper auslachen verboten!« stand. Ich stellte den Kühlschrank ein Stück vor mir ab und lehnte den Rucksack dagegen, um den Eindruck von Normalität zu erwecken. Als gehörten ein Kühlschrank und ein Rucksack zusammen. Und dann hielt ich den Daumen raus.

Ein Ford Fiesta fuhr vorbei. Dann ein Vauxhall Cavalier. Als Nächstes ein Renault und dann ein rotes Auto, dessen Marke ich nicht kannte. Vier Autos, und keines von ihnen hatte irgendwelche Anstalten gemacht anzuhalten. Was war los? Hatten sie meinen Daumen nicht gesehen? Machte der Anblick des Kühlschranks sie nicht neugierig? Einen Citroën, einen großen Lastwagen, einen Ford Escort und einen BMW später setzte ich mich für einen Augenblick auf den Kühlschrank, um mich zu sammeln. Acht Fahrzeuge waren vorbeigefahren, und ich stand jetzt zehn Minuten dort. Ich erkannte, dass dies weniger als ein Auto pro Minute bedeutete. Ich beobachtete meine Uhr und wartete eine Minute lang. Oje. Nichts. Und es wurde noch schlimmer. Sogar viel weniger als ein Auto pro Minute. Ich versuchte, mich aus der Depression, in die mich diese statistische Berechnung gestürzt hatte, zu befreien, indem ich mir eine aufmunternde Rede hielt und beschloss, für eine Viertelstunde oder so positiv zu denken. Ich rutschte vom Kühlschrank runter, stellte mich wieder hin und versuchte mich als ein starker, positiver Mensch zu präsentieren, der trotzdem einen Hauch Verletzlichkeit spüren lässt, und hoffte, damit die größtmögliche Zahl von Fahrern anzusprechen.

Von dem Theater bekam ich Krämpfe. Ich setzte mich also wieder auf den Kühlschrank und fragte mich, wie ich so naiv hatte sein können, auf einer Hauptstraße einen steten Verkehrsstrom zu erwarten. Vielleicht hätte ich ein Stück Pappe mitnehmen sollen, auf dem mein Ziel stand. Vielleicht hätte ich ein Stück Pappe mitnehmen sollen, auf dem »Irgendwohin« stand. Vielleicht hätte ich den Unterschied zwischen einer lustigen Idee und dem Versuch, sie praktisch durchzuführen, beachten sollen. Die Autos kamen so selten vorbei, dass ich von einem Verkehrsstau zu fantasieren begann. Die Benommenheit, die ich zu Anfang verspürt hatte, war längst verschwunden, und meine Emotionen schwankten stattdessen von einem Extrem zum anderen. Jedes Mal, wenn ich ein Auto oder einen Lastwagen am Horizont entdeckte, wurde ich von Vorfreude erfüllt. »Das ist es! Endlich!« Während das Fahrzeug näher kam, wuchsen meine Hoffnungen derart an, dass ich mir grob zurückgewiesen vorkam, wenn es dann einfach vorbeifuhr. Zwanzig Minuten und siebzehn grobe Zurückweisungen später begann ich, mich ein wenig niedergeschlagen zu fühlen. Drei oder vier Wochen von dieser Art Folter würden dafür sorgen, dass ich eine teure Therapie nötig hätte. Ich dachte an die Wette. Es würde mich nicht umbringen, hundert Pfund zu verlieren, und der Schlag, den mein Stolz würde einstecken müssen, wäre eindeutig weniger schmerzlich als eine tägliche Dosis von dem, was ich gerade durchmachte. Nach noch nicht einmal einer Stunde schon mit dem Gedanken ans Aufgeben zu spielen, war nicht der Start, den ich mir erträumt hatte. Kein Zweifel, ich hing in den Seilen. Eigentlich lag ich schon am Boden und war bis ungefähr sechs angezählt.

Manchmal fuhr ein Paar vorbei, und ich konnte etwas sehen, was wie der Beginn einer Unterhaltung zwischen beiden aussah:

»War das ein Kühlschrank?«

»Was?«

»Der Kerl eben ... der Tramper ... hatte er einen Kühlschrank dabei?«

»Du bist müde, Liebling. Halt bei der nächsten Gelegenheit an, dann fahr ich mal.«

Ich dachte mir: ›Redet nicht darüber, haltet an und nehmt den armen Kerl mit! Egoistische Schweine, ihr hattet Platz in eurem Auto!‹ Nie wieder würde ich einen Tramper am Straßenrand stehen lassen.

Ich begann mit der Möglichkeit zu spielen, den Kühlschrank zu verstecken und seine Existenz erst zu offenbaren, wenn ein Fahrer schon angehalten hatte, um mich mitzunehmen. Ich kam zu dem Schluss, dass dies keine Mogelei wäre, sondern eine Maßnahme, auf die ich erst nach zwei Stunden und falls es wieder stark zu regnen anfing, zurückgreifen sollte. Keine von beiden Möglichkeiten schien in allzu ferner Zukunft zu liegen. Ich stand auf. Ich versuchte es damit, die Autos anzulächeln. Es funktionierte nicht und ließ mich vermutlich aussehen, als wäre ich reif für die Klapsmühle. Um die Langeweile zu bekämpfen, versuchte ich herauszufinden, ob es möglich war, erstaunt zu wirken. Es muss das Privileg großer Schauspieler sein, auf Kommando erstaunt wirken zu können.

Gerade als ich es am allerwenigsten erwartete, zu einem Zeitpunkt, als ich es damit versuchte, bestürzt zu wirken, hielt ein versiffter roter Fiesta-Transporter vor mir am Straßenrand. Ich konnte nicht glauben, dass er wegen mir anhielt, und rannte zu ihm, um zu fragen. Ein ungepflegt wirkender alter Mann und sein Jack-Russell-Terrier betrachteten mich durch das offene Fenster.

»Ich fahre bis Carrerreraragh«, murmelte er. Nicht der Hund. Der Mann.

Zumindest glaube ich, dass er das sagte. Er hatte einen kräftigen Akzent und war offenbar der Ansicht, dass man beim Sprechen den Mund am besten so wenig wie möglich öffnet.

»Wie weit ist es nach Carr … err … eraragh?«

»Sie meinen Carrecloughnarreraragh?«

»Ja, Car …, ja, bis dahin, wie weit ist es?«

»Carrereaoughnanrrara? Ungefähr drei Meilen.«

O Gott. Drei Meilen nützten niemandem was. Aus meinen früheren Erfahrungen als Anhalter wusste ich, dass es manchmal besser war, eine Mitfahrgelegenheit auszuschlagen, durch die man mitten im Nirgendwo landen würde. Mir gefiel der Klang von Carrerrerreragh nicht. Und seine Eigentümlichkeit, immer wieder anders zu klingen, auch nicht. Ich versuchte herauszubekommen, ob Carreranoughnara ein guter Ort zum Trampen war.

»Gibt es dort irgendwo eine Straße, auf der ich …«

»Schmeißen Sie es rein, schmeißen Sie es rein!« Er deutete auf mein Gepäck.

»Wie ist die Straße dort in Carra …«

»Schmeißen Sie es rein, schmeißen Sie es rein!« Bei dem Fortschritt, den wir machten, hätte es auch der Hund sein können, der redete.

»Es tut mir Leid, es ist nur manchmal so, dass …«

»Schmeißen Sie die verdammten Taschen einfach in das verdammte Auto, ja?«

Das wirkte. Ich gehorchte sofort und lud wider besseres Wissen mein Zeug in seinen klapprigen Transporter, um mich drei Meilen weiter wieder absetzen zu lassen. Wie ich irgendwo mal gehört habe, beginnt auch eine Reise von tausend Meilen mit dem ersten Schritt.

Sowohl er als auch der Hund schauten interessiert zu, als ich den Kühlschrank hinten einlud.

»Was haben Sie da?«

»Einen Kühlschrank.«

»Oh, mit einem Kühlschrank zu reisen, ist sicher kein Spaß.«

Ach ja? Nein, ich schätze nicht. Ich stieg vorne ein, und der Hund sprang auf meinen Schoß und verbesserte so seine Aussicht durch die Windschutzscheibe.

»Wo fahren Sie hin?«, fragte ich.

»Ein Stück die Straße runter gibt's eine Viehauktion.«

»Wollen Sie eine Kuh kaufen?«

»Nein, ich will bloß die Zeit totschlagen.«

Ich hatte plötzlich das Gefühl, weit von zu Hause fort zu sein. Ich war in einer Gegend gelandet, in der die Leute zu einer Viehauktion gingen, um die Zeit totzuschlagen. Dann bemerkte ich etwas, das schon die ganze Zeit offensichtlich gewesen, mir aber entgangen war, weil ich ganz davon in Anspruch genommen wurde, zu entschlüsseln, was er sagte: Der alte Mann war mit Schlamm bedeckt. Es gibt da diesen Blödsinn, den Biologen und Physiker erzählen, dass der Mensch zu 90 % aus Wasser besteht. Dieser Kerl hier bestand zu mindestens 25 % aus Schlamm. Es sah aus, als hätte er sich darin gesuhlt. Vermutlich, um die Zeit totzuschlagen. Das Seltsame war, dass sein Hund kaum mit Schlamm bedeckt war. Wie konnte das sein? Hunde legen Wert darauf, verschlammt zu sein, und weniger verschlammt als das Herrchen auszusehen, muss für sie zutiefst peinlich sein. Ich schätze, deshalb war der Hund so versessen darauf, aus dem Fenster zu schauen: Er wollte feststellen, wo die anderen Hunde waren, damit er ihnen ausweichen konnte und nicht an Ansehen verlor.

Wir kamen viel zu schnell in Carrererarsch an. Die sechs Minuten, die ich in der Gesellschaft dieses mit Schlamm bedeckten Mannes und seines Hundes verbrachte, lenkten mich von der quälenden Gewissheit ab, einen dummen Fehler begangen zu haben. Mit einem Kühlschrank zu trampen war möglich. Der Mann hatte angehalten und sowohl mich als auch meinen Kühlschrank mitgenommen. Es war Pech, dass er bloß ein paar Meilen weit fuhr. Und es war auch nur Pech, dass Carrererranoughnascheiß zum Trampen einer der schlimmsten Orte der ganzen nördlichen Hemisphäre war.

Als der alte Mann am Straßenrand hielt, wurde er von drei

älteren Farmer-Typen begrüßt, die auch mit Schlamm bedeckt waren. Sie waren zwar eindeutig nicht so schlammig wie er, aber ohne Zweifel schlammig genug, um im Komitee des Schlammclubs zu sitzen. Ich stieg aus, holte mein Zeug aus dem Auto, verabschiedete mich und wurde mir der Tatsache bewusst, dass ich mich in der Nähe einer Viehauktion im Herzen des ländlichen Irlands befand, und zwar mit einem Rucksack, einem Kühlschrank und einer zu dünnen Schlammschicht, um hier willkommen zu sein.

Um mich herum fand der Verkehrsstau statt, von dem ich nur Minuten zuvor geträumt hatte. Lastwagen, Kombis, Traktoren, Range Rovers und versiffte rote Fiesta-Transporter kamen zur Viehauktion, und sie waren für mich ohne jeden Nutzen. Eher waren sie ein enormes Hindernis, denn sie machten es zu einem Problem, einen Platz zu finden, wo ich vom Durchgangsverkehr entdeckt werden konnte. Ich hob den Kühlschrank auf sein Wägelchen, warf den Rucksack auf den Rücken und begann, die Straße entlangzumarschieren. Es versteht sich von selbst, dass sie schlammig war. Ich sah mich um, um zu winken, aber der alte Mann war verschwunden und statt seiner blickte mir der Jack-Russell-Terrier geringschätzig durch die Windschutzscheibe des Fiestas nach. Er schien instinktiv zu wissen, dass die Art zu reisen, für die ich mich entschieden hatte, nicht die schlaueste war. Ich zeigte ihm den Stinkefinger und ging weiter.

Über die entfernte Lautsprecheranlage konnte ich das monotone Maschinengewehrstakkato des Viehauktionators hören. Ich hoffte für ihn, dass nicht sein ganzes Publikum aus Leuten bestand, die nur die Zeit totschlagen wollten. Ich ging weiter. Ein Farmer starrte mich an. »Was hat der?«, fragte ich mich. Ich hatte vergessen, dass er gerade beobachtet hatte, wie ein Mann, der nicht mit Schlamm bedeckt war und einen Kühlschrank hinter sich her zog, einem Jack-Russell-Terrier den Stinkefinger zeigte.

Bald erreichte ich einen Platz, den ich noch für den besten unter den vielen schlechten, die mir zur Auswahl standen, hielt. Ich musste mich zwar immer noch neben geparkten Autos aufbauen, aber ich dachte mir, ich sollte es mal versuchen. Gerade, als ich mich so attraktiv wie möglich platziert hatte, fing es zu regnen an. Und zwar stark.

Ich hatte zwei Alternativen. Ich konnte entweder den würdelosen Kampf mit meinem Rucksack aufnehmen, um ihm meine Regensachen zu entreißen, oder irgendwo Unterschlupf suchen. Das Problem mit der zweiten Möglichkeit war, dass der einzige Unterschlupf, der sich mir bot, das Gebäude war, in dem die Viehauktion stattfand, und ich Angst hatte, eine Kombination aus Verzweiflung und Delirium könnte dazu führen, dass ich eine Kuh ersteigerte. Mit einem Kühlschrank und einer Kuh rund um Irland zu trampen, hätte wirklich bedeutet, die Sache auf die Spitze zu treiben.

Mit einiger Beklommenheit stellte ich mich der Herausforderung des Rucksacks. Ich hatte ihn gerade geöffnet und setzte die oben liegenden Kleidungsstücke erbarmungslos den Widrigkeiten des Klimas aus, als Gott sei Dank ein Auto anhielt. Ein blauer Datsun-Kombi, ein Sunny oder Cherry oder so was: Nein, ich weiß, was es war: der Datsun-Retter. Ich lief zur Beifahrertür und öffnete sie.

»Wie weit fahren Sie?«, fragte ich.

Der Fahrer blickte mich erstaunt an. »Ich parke bloß«, erwiderte er.

Oh. Ich ging beiseite, damit er sein Manöver ohne weitere Unterbrechung vollenden konnte. Vor ihm hatte ein anderes Auto angehalten, um zu parken. Ich stand wirklich am ungeeignetsten Platz. Ich kehrte zu meinem Gepäck am Straßenrand zurück. Das Auto weiter vorne hupte. Niedergeschlagen wühlte ich weiter nach meinem Regenzeug. Dann machte das Auto weiter vorne etwas sehr Seltsames. Es stieß zurück und hielt neben mir. Der Fahrer beugte sich herüber, kurbelte das Beifahrerfenster herunter und sagte: »Ich habe Sie heute Morgen im Radio gehört. Ich dachte, Sie wären längst viel weiter.«

Nach einem Fehlstart hatte die Reise jetzt wirklich begonnen.

5

Wer ist Fünfter geworden?

Brendan, mein Retter, war tadellos mit Anzug und Krawatte bekleidet und hatte nicht das kleinste bisschen Schlamm an sich kleben. Er hatte am Morgen Radio gehört und wusste genau, was ich vorhatte und warum ich es tat, was nach meinen jüngsten Erfahrungen mehr war, als ich von mir selbst behaupten konnte.

Er war ein Vertreter von Drogerieartikeln, stammte aus Nordirland, hatte aber in letzter Zeit auch Kunden in der Republik Irland gewonnen. Er punktete auf drei Gebieten: Er war charmant, er war amüsant, und er war auf dem Weg nach Cavan. Während seine Scheibenwischer im Kampf gegen den jetzt sturzflutartigen Regen Akkordarbeit verrichteten, unterhielten wir uns über das Leben, die Liebe, Politik, Religion und den steigenden Preis von Deos. Und das alles in dem herrlichen, trockenen Innenraum seines Autos. Verdammt noch mal, ich hatte wirklich Glück gehabt.

Brendan erklärte, dass er, bevor wir nach Cavan kämen, noch ein paar Kundenbesuche erledigen müsse, und fragte, ob mir das was ausmache. Natürlich nicht, er war ja mein Retter. Er hätte mich um alles bitten können, und ich hätte eingewilligt. Fast alles. Und schon schossen wir durch den Regen bis nach Cootehill, wo er ein paar Drogerieartikel verkaufte und ich in einem altertümlichen Tea-Room Kaffee trank. In einem Tea-Room Kaffee zu trinken, bereitet mir immer ein besonderes Vergnügen, denn ich habe dann das Gefühl, gegen

das bestehende System zu rebellieren. Es ist, wie wenn man Spaghetti in einer Pizzeria isst oder Huhn in einem Steakhaus und sich in einem thailändischen Massagesalon den Nacken massieren lässt. Wir fuhren Richtung Norden nach Clones im County Monaghan, was, wie Brendan mir erklärte, eine Hochburg der IRA war. Ich war mir nicht sicher, welche Konsequenzen ich daraus ziehen sollte, beschloss aber, dass ich, falls uns ein Mann mit einer Gesichtsmaske und einer Schrotflinte in der Hand anhalten sollte, auf heitere Scherze verzichten und versuchen würde, nicht über meine Tage bei der Combined Cadet Force in der Schule zu plaudern. Als wir nach Clones kamen, wartete ich im Auto, während Brendan in einem mittelgroßen Supermarkt seiner Arbeit nachging. Er brauchte eine ganze Weile, was mich überraschte, denn ich dachte, wenn es einen Ort gibt, an dem Drogerieartikel leicht zu verkaufen sind, dann ist es ein Supermarkt. Er muss ein schlechtes Gewissen bekommen haben, denn nach einer Viertelstunde brachte er mir ein Eis, entschuldigte sich und versprach, dass es nicht mehr lange dauern würde. Das gefiel mir. Es schien, als wäre ich wieder acht. Vierzig Minuten später waren wir in Cavan, meinem Tagesziel. Als wir ein Viertel ansteuerten, in dem es, wie Brendan wusste, Pensionen gab, war ich ziemlich stolz auf mich. Es war erst fünf oder so, aber der nächste Teil meiner Reise, auf dem ich immer wieder die Grenze nach Nordirland würde überqueren müssen, konnte gefährlich werden, und ich wollte nicht in der Dämmerung aus Versehen in ein paramilitärisches Trainingscamp stolpern und nach einem preiswerten Bed & Breakfast fragen. In einer trübseligen Wohnstraße hielten wir vor einer wenig einladenden Pension. Ich stieg aus und begann auszuladen. Es tat mir Leid, mich von Brendan zu trennen. Es kam mir vor, als wäre er auf meiner Seite gestanden, während alle anderen sich gegen mich verschworen hatten. Und er hatte mir ein Eis gekauft.

Ich leitete die heitere Verabschiedungsszene ein. »Sollte ich dich jemals in England mit einem Kühlschrank am Straßenrand stehen sehen, halte ich ganz bestimmt an.«

»Solltest du mich jemals mit einem Kühlschrank am Straßenrand in England stehen sehen, hast du halluzinogene Drogen genommen.«

»Komm gut nach Nordirland zurück!«

»Wie?«

»Gute Heimreise!«

»Ich fahre nicht nach Hause.«

»Wo fährst du denn dann hin?«

»Donegal Town.«

»Wozu das denn?«

»Ich habe dort morgen früh einen Termin.«

Wir hatten uns so schnell so gut verstanden, dass wir das Geplauder übersprungen hatten, mit dem solche wichtigen Details geklärt werden. Ich fand, dass es die Mühe wert wäre, jetzt auf eines von ihnen hinzuweisen.

»Nun, ich bin auch auf dem Weg nach Donegal.«

»Nicht Cavan?«

»Cavan war nur eine Etappe auf dem Weg nach Donegal.«

»Gut. Na, dann steigst du besser wieder ein.«

Und genau das tat ich mit großer Freude.

Der Tag war ein Strudel anstrengender Emotionen gewesen, aber als wir am Ufer des herrlichen Lough Erne entlang durch die atemberaubende Seenlandschaft von County Fermanagh fuhren, gestattete ich mir, ein weiteres Gefühl auszukosten: Triumph. Die Sonne kam sogar für fünf Minuten zum Vorschein, und die frisch gewässerte Landschaft strahlte ähnlich wie ich, nur etwas weniger selbstgefällig. Ich verfolgte stolz unser Fortkommen auf der Landkarte und wies darauf hin, wie unsinnig es war, dass der Lower Lough Erne in Wirklichkeit über dem Upper Lough Erne lag. Brendan erklärte mir, dass der Lower Lough Erne nur für mich als Betrachter einer genordeten Karte höher lag. In der geografischen Wirklichkeit aber war er dem Meeresniveau näher und daher ganz bestimmt der tiefere der beiden Lough Ernes.

Mein Triumphgefühl wich sofort der Scham. Dieser Teil der Welt hatte in seiner Geschichte auch ohne meinen ignoranten Beitrag schon genug kartografische Inkompetenz seitens der Kolonialherren erlebt. Wir waren schließlich in Nordirland. Wir mussten nur an einer Polizeiwache mit all ihren grotesken Barrikaden vorbeifahren, um daran erinnert zu werden.

Bald erreichten wir die Hauptstadt des County Fermanagh, Enniskillen. Enniskillen. Schon der Name genügte, um Erinnerungen an Fernsehsendungen über eine der allzu häufigen Schreckenstaten des Nordirland-Konflikts wachzurufen, aber hier vor mir lag die echte Stadt, nicht der Beitrag einer Nachrichtensendung, die ich mir im friedlichen England ansah. Ich war mit Nordirland in den Schlagzeilen aufgewachsen, war dagegen allmählich immun geworden und hatte eigentlich nie richtig wahrgenommen, dass die Leute dort in Hauptstraßen genau wie unseren einkauften, dass sie Telefonzellen der British Telecom benutzten und Abgeordnete in unser Parlament entsandten. Ich meine in ihr Parlament – na ja, wie auch immer –, genau das ist der Knackpunkt, wie mir scheint. Nachdem wir die scheinbar friedliche Grenzstadt Belleek hinter uns gelassen hatten, fuhren wir an einem letzten verlassenen Grenzposten vorbei und kehrten in die Republik Irland zurück. Ich hatte mich von einem Teil des Britischen Königreichs, den ich nicht erkennen oder verstehen konnte, verwirren lassen, aber jetzt, da wir uns Donegal Town näherten, erfüllte mich wieder das Gefühl, etwas vollbracht zu haben. Ich weiß, es war nur der erste Tag, aber ich hatte viele Meilen zurückgelegt und mir selbst bewiesen, dass ich nichts Unmögliches versuchte.

Mit Donegal Town erreichte ich einen Punkt, der sowohl

den Anfang als auch das Ende einer Rundtour durch Donegal County bilden würde und daher das Privileg genoss, neben Dublin der einzige Ort in Irland zu sein, den ich zweimal besuchen sollte. Die Einfahrt in die Stadt zeichnet sich durch einen kleinen Hafen und einen reizenden Blick auf die Bucht von Donegal aus.

Brendan setzte mich vor einem Bed & Breakfast mit einem »Zimmer frei«-Schild ab, und wir verabredeten, später in seinem Hotel ein Bier zu trinken. Es war nicht nötig, nach dem Weg zu fragen: Es lag in Donegal Town, und angesichts der Größe des Orts genügte das als Information. Vermutlich waren in seinem Hotel auch Zimmer frei, aber ich glaube, zwischen Brendan und mir herrschte die stillschweigende Übereinkunft, dass es wegen der vielen Zeit, die wir inzwischen miteinander verbracht hatten, irgendwie eine wichtige Bestätigung unserer Heterosexualität wäre, in verschiedenen Unterkünften abzusteigen.

Ich wurde von der Lady, die das Bed & Breakfast führte, begrüßt, als wäre sie es gewohnt, Engländer mit Rucksack und Kühlschrank zu empfangen. Sie hatte eine zittrige Stimme und redete quälend langsam, als ob sie in der vorherigen Woche gerade erst herausgefunden hätte, was es mit dem Sprechen auf sich hat. In einem endlosen Vortrag erklärte sie mir, dass ich den Kühlschrank an der Eingangstür abstellen könne, wie die Dusche funktioniere und dass es ihr lieber sei, wenn ich im Voraus zahlte. Als sie endlich fertig war, war es schon fast Zeit, Brendan zu treffen. Ich zog mich in mein winziges Zimmer zurück, ließ den verblüffenden Tag Revue passieren und überlegte mir, was ich morgen machen würde und ob ich schon mal ein Schlafzimmer mit weniger Fußbodenfläche gesehen hatte.

Ich hatte vor meinem Treffen mit Brendan nur für einen schnellen Rundgang durch die Stadt Zeit. Es war eine Schande, dass ich nicht ein bisschen mehr Spielraum hatte, denn dann hätte ich ihn zweimal machen können. Donegal Town ist winzig, und es gibt nicht sehr viel mehr zu sehen als die Burg, die ein nettes altes Haus zu sein scheint, zu dem noch ein paar Zinnen hinzugefügt worden sind, damit es den Status einer Burg erlangt.

Brendan und ich tranken in drei Pubs, von denen mir der letzte bei weitem am besten gefiel. Von außen verriet kaum etwas, dass es sich um einen Pub handelte: Netzgardinen, eine alte Lampe und ein verblichenes altes Schild mit einem Nachnamen darauf. In Irland halten sie nur wenig von so pompösen Pub-Namen wie ›The Coach and Horses‹ oder ›The Prince of Wales‹. Sie benennen die Pubs einfach nach den Besitzern, ›Daly's‹ zum Beispiel oder ›McCarthy's‹, was ein erstes Indiz für die intime Atmosphäre ist, die einen drinnen erwartet. Ich taufte diese Einrichtungen bald »Gute-Kumpel-Pubs«, denn jeder redet dort mit jedem, egal, um wen es sich handelt, was zum einen daran liegt, dass die Kunden sehr freundlich sind, und zum anderen daran, dass sie sehr betrunken sind.

Genauso, wie jedes Orchester seinen Ersten Geiger hat, haben die meisten Pubs ihren Ersten Betrunkenen. Oder den Hausbetrunkenen. Er hat mit dem Pächter vermutlich ein Abkommen getroffen, dass er nur für Getränke, die er noch klar verständlich bestellen kann, zu zahlen braucht. Seine Hauptaufgabe scheint es zu sein, Neuankömmlinge mit einem langen Heulen zu begrüßen und dabei wie ein Ertrinkender mit den Armen herumzufuchteln, bis sein ohnehin schon labiles Gleichgewicht so weit gestört ist, dass er sich völlig von seinem Barhocker zu lösen droht. An diesem Punkt streckt der Zweite Betrunkene instinktiv die linke Hand aus, um ihn daran zu hindern, zu Boden zu stürzen, und trinkt dabei mit der rechten weiter, als hätte er das ganze Manöver sorgfältig einstudiert. Was natürlich stimmt. Seit Jahrzehnten jeden Abend.

Es dauerte nicht lang, bis Brendan und ich in eine Unterhaltung mit den Stammgästen verwickelt waren, deren Thema die Höhepunkte des Formel-1-Rennens an diesem Tag, die auf dem Fernseher hinter der Bar gezeigt wurden, bestimmten. Ich hielt mich bei dieser Diskussion zurück, was vor allem an meiner Ignoranz in Sachen Motorsport lag, und an meiner Unfähigkeit, irgendwas von dem, was gesagt wurde, zu verstehen. Soweit ich feststellen konnte, ging es hauptsächlich darum, wer Erster, Zweiter und Dritter geworden war.

Der Erste Betrunkene lag jetzt schon fast im Koma, denn die Anstrengung, die es ihn gekostet hatte, uns zu begrüßen, forderte ihren Tribut. Viele Namen wurden vorgebracht und wieder verworfen, aber nach zehn Minuten angeregter Debatte einigte man sich darauf, dass Schumacher gewonnen hatte und Eddie Irvine Dritter geworden war. Alle Anwesenden schienen mit dem, was sie erreicht hatten, zufrieden zu sein. Plötzlich plärrte der Erste Betrunkene: »Wer ist Fünfter geworden?«

Alle wandten sich ihm schockiert zu. Woher kam diese Frage? Der Mann war während der letzten Viertelstunde in sich zusammengesackt auf seinem Barhocker gesessen. Drei Probleme beschäftigten uns alle: Wie hatte er mitbekommen, was um ihn herum passierte? Wieso hatte er seinen ersten verständlichen Satz an diesem Abend äußern können? Und warum wollte er wissen, wer Fünfter geworden war?

»Wer ist Fünfter geworden?« Er wiederholte seine außergewöhnliche Frage, aber diesmal schien er der Ansicht, dass es besser sei, sie zu brüllen. Zum ersten Mal an diesem Abend (und ich vermute, auch zum ersten Mal seit einigen Jahren) verstummten die Besucher der Bar völlig. Keiner wusste, welcher Kurzschluss im Hirn des Betrunkenen diese Äußerung ausgelöst hatte, wo doch »Wer ist Zweiter geworden?« wichtiger und »Hilfe!« passender gewesen wären. Vor allem aber herrschte Stille, weil niemand wusste, wer Fünfter geworden war. Als die Diskussion zur Lösung dieses Rätsels endlich in Gang kam, beschlossen Brendan und ich, dass dies das Signal sei, ins Bett zu gehen. Unser »ein Bier für den Heimweg« war zu »drei Bier für den Heimweg« geworden, und wir liefen Gefahr, dem Heimweg allzu viel Respekt zu erweisen.

Am nächsten Morgen schaffte ich es, weniger Zeit unter der Dusche zuzubringen, als die Alte am Tag zuvor mit den Erklärungen zu deren Gebrauch benötigt hatte. Ich zog mich mit großen Schwierigkeiten auf dem schmalen Teppichstreifen zwischen Bett und Tür an. Es war im wahrsten Sinne des Wortes ein Schlafzimmer. Man konnte darin nur schlafen. Außer dem Bett gab es nur noch Platz, um die Tür zu öffnen. Als ich den Flur entlangging, jagte mir der plötzlich so weite Raum Angst ein, als wäre ich agoraphob.

Am Fußende der Treppe bekam ich einen kleinen Schrecken, als ich entdecke, dass der Kühlschrank verschwunden war. Er war aber nicht gestohlen worden, wie die Lady des Hauses mir beim Frühstück mühsam erklärte.

»Ich ... habe ihn ... zur ... Sicherheit ... in ... den ... Laden ... gebracht.«

Ich war mir nicht sicher, was das bedeutete, vermutete aber, dass ich es schneller herausfinden würde, wenn ich nicht danach fragte. Der einzige weitere Pensionsgast leistete mir am Tisch Gesellschaft. Es handelte sich um einen Vertreter, der einen mit einem Auge ansah und mit dem anderen nicht. Die Schwierigkeit bestand darin zu entscheiden, auf welches Auge man sich konzentrierte. Während ich meine Cornflakes aß, wählte ich das linke, aber als ich beim Toast angelangt war, war ich trotz erheblicher Zweifel in das Lager des rechten übergelaufen. Am Ende gab ich auf und fixierte seine Nase, was ziemlich unnatürlich ist und eine negative Auswirkung auf meinen Appetit hatte. Der Mann war ein Vertreter für Souvenirs und jammerte während des größten Teils des Frühstücks darüber, wie schwer es sei, Souvenirs zu verkaufen, wenn es regnerisch und kalt war wie jetzt gerade. Ich hatte das Gefühl, dass diese Absatzprobleme eher mit seinen Augen zu tun hatten.

Am Abend zuvor hatte mir Brendan angeboten, mich die ungefähr vierzig Meilen nach Letterkenny mitzunehmen, sobald er seine Morgentermine in Donegal Town erledigt hatte. Aber danach würde er nach Nordirland zurückkehren, und ich würde mich wieder den Unwägbarkeiten der Straße ausliefern müssen. Während er seine Vertreterbesuche erledigte, hatte ich genug Zeit, zur Touristeninformation zu gehen und die beste Art herauszufinden, nach Tory Island zu kommen. Mir wurde gesagt, dass jeden Abend um 9 Uhr von einem Ort namens Bunbeg aus ein Postboot dorthin fahre, also wurde Bunbeg mein Tagesziel.

Wie sich herausstellte, war mein Kühlschrank »sicherheitshalber« in der Metzgerei nebenan untergebracht worden. Warum, weiß ich nicht, denn als ich ihn abholen wollte, entdeckte ich, dass er »sicherheitshalber« auf der Kundenseite der Theke eines völlig leeren Ladens abgestellt worden war. Ich räusperte mich in der Annahme, der Metzger würde auftauchen, weil er meinte, eine größere Ladung Schweinerippchen verkaufen zu können, aber es nutzte nichts. Ich hob den Kühlschrank auf sein Wägelchen und wollte gerade den Laden verlassen, als der Metzger erschien.

»Ist das Ihr Kühlschrank?«

»Ja.«

»Ah. Sehr gut.«

Mein Gott, der Sicherheitsstandard hier war wirklich beeindruckend. Wenn der Kühlschrank nicht meiner gewesen wäre und mir nicht diese schlaue Antwort eingefallen wäre, hätte dies das Ende meiner Verbrecherkarriere bedeutet.

»Wieviel haben Sie dafür bezahlt?«, fragte der Metzger noch.

»130 Pfund.«

»Ah, bei uns war es ungefähr das Gleiche. Wir haben auch so einen oben in der Wohnung.«

»Sind Sie damit zufrieden?«

»O mein Gott ja, sie sind großartig, wenn man nicht so viel Platz hat.«

Bevor wir in die Art von Gespräch über Kühlschränke verwickelt werden konnten, die Motorradnarren über ihre Motorräder führen, verabschiedete ich mich, und er wünschte mir viel Glück und freute sich über die Erkenntnis, dass ihn die lokale Filiale von *Fridges ›R‹ Us* nicht übers Ohr gehauen hatte. Ich hoffte, dass ihm dieses Wissen jenes Quentchen an zusätzlicher Motivation verleihen würde, die er brauchte, um einen weiteren anstrengenden Tag als führender Metzger von Donegal Town zu bewältigen, und beobachtete, wie er nach hinten ging, um mit dem fortzufahren, was Metzger so machen, wenn sie nicht vorne im Laden sind.

Brendan, der fantastische Brendan, wartete geduldig in seinem Auto, während ich die *Gerry Ryan Show* von einer Telefonzelle auf dem Hauptplatz aus rasch über meinen ersten Tag informierte. Gerry war von meinem Vorankommen bisher äußerst beeindruckt und erklärte, dass Donegal Town an Tag eins »der echte Wahnsinn« sei. Ich erzählte von meinem Plan, heute noch Bunbeg zu erreichen und dann nach Tory Island überzusetzen, und er bat die Autofahrer unter den Zuhörern, in ungefähr einer Stunde nördlich von Letterkenny nach mir Ausschau zu halten. Das war wirklich sehr nett von ihm, und angesichts der bedrohlichen Regenwolken am Himmel konnte dies den Unterschied zwischen guter Gesundheit und einem längeren Krankenhausaufenthalt wegen einer Lungenentzündung ausmachen. Am Ende unseres Gesprächs wurde mir mitgeteilt, jemand habe, während wir auf Sendung waren, angerufen und mir eine kostenlose Übernachtungsmöglichkeit in Bunbeg angeboten. Ich schrieb die Adresse auf und war völlig verblüfft, dass mein Unternehmen auf derart positive Resonanz stieß. Ich legte auf und war verdutzt und befriedigt zugleich. – Keine leichte Übung.

Ich habe irgendwo gelesen, dass Letterkenny über die einzige Ampel im County Donegal verfügt, was entweder ein Beleg dafür war, wie abgelegen und ruhig dieser Landstrich ist, oder einfach ein weiteres Zeichen dafür, dass hier den Leuten in den Seitenstraßen grundlegende Menschenrechte verwehrt bleiben. Falls Ersteres zutraf, was wahrscheinlicher war, dann war das Reisen per Anhalter in dieser Gegend vermutlich nicht so einfach. Als Brendan mich gleich nördlich von Letterkenny am Straßenrand absetzte, war ich ausgesprochen erleichtert darüber, dass der heftige Dauerregen, der unsere Fahrt bis hierher begleitet hatte, vorübergehend aussetzte. Da wir unsere Abschiedsszene schon einmal geprobt hatten, spielten wir sie jetzt geübt herunter, und Brendan versprach, nachdem er seine Geschäfte in der Stadt erledigt hatte, zurückzukommen, um nachzusehen, ob ich immer noch am Straßenrand stand. Was er, außer sein Mitleid zu bekunden, zu tun gedachte, falls ich wirklich noch da sein sollte, wusste ich allerdings nicht.

Glücklicherweise fand ich es auch nie heraus. Ich hatte nämlich gerade erst die einem Anhalter angemessene Haltung eingenommen und begonnen, mir einen Aktionsplan für den nächsten Regenschauer auszudenken, als ein riesiger Lastwagen – und ich meine gigantisch – eine Vollbremsung hinlegte und vierzig Meter weiter zum Stehen kam. Ich ließ mein Zeug zurück und rannte los, um nachzusehen, ob er wegen mir angehalten hatte oder wegen irgendeines Hindernisses auf der Straße. Der Lastwagen war so groß, dass ich den Griff der Kabinentür nur mit Mühe erreichte. Ich öffnete sie, und der Fahrer sah zu mir herunter.

»Bist du Tony?«, fragte er.

»Ja.«

»Na, dann hol deinen Kühlschrank.«

Es lief wirklich ganz gut für mich.

6

Bunbeg

Es war eine ziemliche Kletterei hoch in diesen Lastwagen. Die Kabine war überraschend klein, und die Enge wurde noch durch den Kühlschrank verstärkt, der hinter meinem Sitz verkeilt war. Der Platzmangel wirkte ein bisschen absurd angesichts der Tatsache, dass wir einen 15 Meter langen Sattelschlepper hinter uns herzogen.

Nach einer förmlichen Begrüßung (na ja, so förmlich, wie sie unter diesen Umständen möglich war) erfuhr ich, dass ich mich in der Gesellschaft von Jason befand, einem Mann Anfang zwanzig, der mich sofort mit Fragen überhäufte.

»Was hast du eigentlich mit dem Kühlschrank vor?«

»Äh, ich mache mit ihm eine Reise, um eine Wette zu gewinnen.«

»Du spinnst ja. Ich habe dich heute Morgen im Radio gehört, und da hätt's mich fast zerrissen.«

Ich war mir nicht sicher, ob das gut oder schlecht war, aber Jason lächelte.

»Ich war gerade auf dem Weg nach Donegal Town, als du erzählt hast, dass du in Letterkenny stehen würdest, deshalb hab ich nach dir Ausschau gehalten.«

»Großartig. Das war wirklich nett von dir.«

»Zuerst wusste ich nicht, ob du es bist, aber dann habe ich den Kühlschrank gesehen und mir gedacht ...«

Gelächter schüttelte ihn eine Zeit lang, bevor er unter Mühen fortfuhr: »Ach, das alles ist ziemlich witzig.«

Toll, er hatte es kapiert.

Ich brauchte einen Moment, um das zu verarbeiten. Der Kühlschrank war längst keine Behinderung mehr, sondern entwickelte sich zu einem wahren Segen und zum Protagonisten einer Reise, die immer surrealer wurde.

Aus dem Schutz der Lastwagenkabine beobachtete ich den peitschenden Regen, der gegen die Windschutzscheibe trommelte, und fühlte mich irgendwie unschlagbar. Vor allem, nachdem Jason verkündet hatte, dass er meinen heutigen Zielort ansteuern würde: Bunbeg. Na gut, ich würde warten müssen, während er ein paar Sachen auslieferte, aber das machte mir nichts aus. Warum sollte es auch? Am Tag zuvor hatte ich mit Drogerieartikeln zu tun gehabt, heute mit Lebensmitteln. Und ich kam in unmittelbaren Kontakt mit dem, was die Welt am Laufen hält: gute, ehrliche Arbeit.

Unser erster Halt war McGinleys in Dunfanaghy, und als ich Jason mit Schachteln und Paletten kämpfen sah, wurde ich vom Anblick seines verbissenen Fleißes erfreut und von der Tatsache, dass ich damit nichts zu tun hatte, beruhigt. Es sah anstrengend aus. Manche Leute sind für diese Art von Arbeit geboren, andere sind dazu geboren, dabei zuzuschauen. Mir fiel die Entscheidung, zu welcher dieser beiden Kategorien ich gehörte, nicht schwer. Viele Jahre lang habe ich meinen Erfolg in der von mir gewählten Berufssparte daran gemessen, wie wenig ich zu heben habe. Schwere Sachen hochzuheben, mag gut für den Charakter sein, aber es ist schlecht für den Rücken und hindert einen oft genug am Herumgammeln.

Nachdem wir den Mace-Supermarkt in Dunfanaghy mit ausreichend Lebensmitteln versorgt hatten, machten wir uns auf den Weg durch eine der wilderen, windgepeitschten Landschaften Irlands. Graue, abweisende Berge ragten über dunklen, stillen Seen empor, Sümpfe und Bäche säumten die Straße, die diese Bezeichnung kaum verdiente, und sture Schafe blockierten den Weg, wann immer und wo immer sie das Bedürfnis danach überkam. Ganz egal, ob da ein verdammt großer Lastwagen auf sie zuraste: Sie würden erst zur Seite gehen, wenn sie Lust dazu hatten, und keine Sekunde früher. So weit ich sehen konnte, lag um diese Schafe herum meilenweit offenes Gelände, das ihnen ausgezeichnete Weidemöglichkeiten bot, aber diese Tiere zogen es trotzdem vor, sich mitten auf der Straße zu versammeln. Soll noch mal einer behaupten, dass ihnen die Unannehmlichkeiten, die sie anderen verursachen, kein perverses Vergnügen bereiten! Schafe sind nicht dumm! Sie sind kleinlich, boshaft und blutrünstig. »Ihr Arschlöcher!«, dachte ich mir, als der Lastwagen zum hundertsten Mal anhalten musste, und beschloss, Lammfleisch in das abendliche Menü aufzunehmen.

Irgendwann verließen wir das Konferenzzentrum der Schafe, und Jason arbeitete sich durch die zehn Gänge seines riesigen Lastwagens durch, bis wir so was wie dessen Höchstgeschwindigkeit erlebten. Eine Menge Geld der Europäischen Gemeinschaft ist in die Verbesserung von Irlands Straßen investiert worden, aber es gab nur dürftige Anzeichen dafür, dass die Verkehrswege von Nord-Donegal davon profitiert haben. Jason hatte seine eigene Methode, um mit dem ausgesprochen abwechslungsreichen Höhenprofil der Straße fertig zu werden, und die bestand darin, über die Buckel hinweg zu beschleunigen.

Wenn wir über die größeren von diesen Unebenheiten hinwegjagten, hob ich ab, mein Arsch löste sich einen Augenblick von allen festen Dingen, und ich durfte für einen viel zu kurzen Moment erleben, wie es ist, frei zu schweben. Die negative Folge erlebte ich einen Sekundenbruchteil später in Form einer unbequemen Landung, und gleich darauf rammte sich die scharfe linke obere Ecke eines kleinen Kühlschranks mit Macht in mein schutzloses Schulterblatt. Jedesmal, wenn dies passierte, was leider ungefähr alle zwanzig Sekunden der Fall war, versuchte ich, nicht vor Schmerz zusammenzuzucken, und lächelte dem unerschütterlichen Jason zu. Unerschütterlich, weil er den Vorteil hatte, zu wissen, wo die Buckel waren, und weil ihm der »Kühlschrank-bohrt-sich-ins-Kreuz«-Schmerz erspart blieb.

»Geht das mit dem Kühlschrank?«, fragte Jason.

»Ja, prima«, antwortete ich.

Ich wollte keine Szene machen.

Als Jason mich schließlich an einer Stelle absetzte, die er Bunbeg nannte und die die meisten von uns für ein Stück Straße gehalten hätten, hatte es vollständig zu regnen aufgehört. Um mich herum gab es ein Hotel, ein paar Häuser, viel offenes Land und einen schönen Ausblick auf eine sandige Bucht. Die kostenlose Unterkunft war mir von Bunbeg House angeboten worden, einer Pension, die sich, wie mir die Radio-Leute erzählt hatten, unten am Hafen befand. Auf Nachfrage im Hotel erhielt ich eine Wegbeschreibung und meine erste schlechte Nachricht: Während des höflichen Geplauders hatte ich verraten, dass ich nach Tory Island wolle, und damit ein Kopfschütteln hervorgerufen.

»Das werden Sie nicht vor Freitag schaffen.«

Wie sich herausstellte, wurde die Fähre einmal im Jahr für eine Generalüberholung nach Killybegs gebracht, und das war ausgerechnet heute Morgen passiert.

Die Fähre war drei Tage lang nicht einsatzbereit. Oje. Oje. oje. Ein Rückschlag von beträchtlichem Ausmaß. Der Besuch auf Tory Island war Bedingung der Wette, und im Augenblick schienen drei Tage Aufenthalt an einem Stück Straße ein bisschen viel verlangt. Also tat ich, was jeder tun sollte, wenn seine Nerven geprüft werden: Ich setzte mich und nahm eine gute Mahlzeit zu mir. Da die Speisekarte des Hotels kein Lamm anbot, aß ich Pastete mit Pommes und anschließend Wackelpudding mit Eis, was einen tröstlichen Effekt hatte, denn es war die Art von Mahlzeit, die meine Mutter in einem Moment der Krise aufgetischt hätte. Wackelpudding. Ich hatte seit Mark Eversheds Party keinen Wackelpudding mehr bekommen. Ein seltsames Essen anlässlich eines vierzigsten Geburtstags, aber das Leben ist eben voller Überraschungen. Wie zum Beispiel diese nicht vorhandene Fähre bewies.

Der zwanzigminütige Marsch die schmale, gewundene Straße zum Hafen hinunter sollte für das Wägelchen des Kühlschranks zu einem harten Test werden. Bisher war es recht anständig mit allen Aufgaben fertig geworden, aber diese Strecke war über eine Meile lang und kaum mit den Bahnsteigen zu vergleichen, für die es eigentlich konstruiert war. Wir machten uns auf den Weg, ich und das Team aus Rucksack, Kühlschrank und Wägelchen, und verursachten bald ein interessantes und nicht unbedingt angenehmes Geratter, als die Räder des Wägelchens über die unebene Oberfläche von Bunbegs Highway Number 1 rollten. Der Kühlschrank wirkte wie ein Resonanzkörper und verstärkte das Geräusch so weit, dass zusätzliche Aufmerksamkeit auf jemanden gelenkt wurde, der auch ohne diesen besonderen Effekt eine ziemlich auffällige Figur abgab. Ich rief damit die Aufmerksamkeit eines amerikanischen Touristen hervor. Zumindest vermutete ich, dass es sich um einen amerikanischen Touristen handelte, denn der Mann trug diese karierte Kleidung, die jedem sagt »Ich bin ein amerikanischer Tourist«.

»Sie haben Ihren eigenen Kühlschrank dabei?«, fragte er mit einem Akzent, der meinen Verdacht bestätigte.

»Ja, genau.«

»Das nenn ich reisen.«

»Genau.«

»Ich hab leider nicht daran gedacht. Echt cool.«

Ich ließ mich durch diese witzige Zustimmung nicht beeindrucken, bummelte weiter und erreichte fünf Minuten später einen Punkt, an dem der Blick über die Bucht zu meiner Rechten ein Foto verlangte. Ich positionierte meine Kamera auf einen Zaun und warf mich für ein Selbstauslöserfoto in Positur. Das Foto hätte kein Problem sein dürfen, da ich eine idiotensichere Kamera habe, bei der alles automatisch funktioniert. Auf dem Kameramarkt herrscht jedoch neben dem Zwang, immer kleinere und einfachere Geräte zu produzieren, der Zwang, immer mehr Funktionen anzubieten. Zusätzliche Funktionen bedeuten zusätzliche Hebel und Schalter. Konsequenterweise ist die beste Kamera auf dem Markt die kleinste und am leichtesten zu bedienende mit den meisten Hebeln und Schaltern. Also die, die ich habe. Daher wurde, als ich das drückte, was ich für den Selbstauslöser hielt, der Film wieder aufgespult, und in der Konfusion, die daraufhin entstand, schaffte ich es, alle Fotos zu vernichten, die ich bisher gemacht hatte. Da ich schon gut gegessen hatte, was ja das Beste ist, das man tun kann, wenn die Nerven geprüft werden, tat ich jetzt das Zweitbeste und fluchte.

»Scheiße!«, rief ich und zwar gerade so laut, dass der amerikanische Tourist zu mir herüberschaute, was ich wenig freundlich mit einem »Das gilt auch für dich!« beantwortete.

Das war unnötig, aber das Kameramissgeschick war, wie ich wusste, mein Fehler gewesen, und daher brauchte ich jemanden, dem ich die Schuld geben konnte. Amerikanische Touristen sind für solche Zwecke ideal.

Verfluchte Kamera. Wie bei allen Neuerwerbungen hatte ich das Begleitheft, auf dem mit großen Lettern »Bitte lesen Sie diese Gebrauchsanweisung sorgfältig« geschrieben stand, völlig ignoriert und war gleich ins tiefe, kalte Wasser gesprungen im Vertrauen darauf, dass gesunder Menschenverstand und ein kräftiger Schuss Glück ausreichen würden, um eine lange und erfolgreiche Beziehung zu diesem japanischen Dreckszeug aufzubauen.

»Scheiße, Scheiße, Scheiße.«

Der amerikanische Tourist begann Erleichterung darüber

zu verspüren, dass er nicht versucht hatte, unsere Beziehung über den heiteren Wortwechsel hinaus zu vertiefen. Ich setzte mich auf meinen Kühlschrank und war wütend auf mich selbst, die Kamera und das Verlangen der Welt, die Dinge immer kleiner zu machen, und übersah dabei, dass ich eben diesem Verlangen der Welt, die Dinge immer kleiner zu machen, den ungeheuren Luxus verdankte, mich auf meinen Kühlschrank setzen zu können.

Ein Auto hielt an, und das Fenster wurde heruntergekurbelt. »Wo wollen Sie hin?«

O nein, der Fahrer meinte, ich wäre ein Anhalter. Er musste die untröstliche Verzweiflung in meinem Blick bemerkt und daraus geschlossen haben, dass ich ein gestrandeter Anhalter war. Ich versuchte, ihn nicht zu abrupt zu enttäuschen.

»Nun, ich will eigentlich gar nicht trampen, ich wollte ...«

»Sie sind der Typ, der einen Kühlschrank rund um Irland transportiert, nicht wahr?«

Ich brachte nur ein Nicken zustande.

»Ich habe Sie gestern im Radio gehört. Wo wollen Sie hin?«

»Bunbeg.«

Der Mann, der ungefähr vierzig war und einen schicken Anzug trug, zögerte einen Moment lang. »Aber das hier ist Bunbeg.«

»Ehrlich? Großartig, dann habe ich ja für heute mein Ziel schon erreicht.«

»Was wollen Sie in Bunbeg? Hier gibt es nichts.«

»Ich möchte die Fähre rüber nach Tory Island nehmen.«

»Ich glaube, die fährt nicht. Ist die nicht in Killybegs zur General...

...überholung. Ja, ich glaube, das ist sie.«

Mir wurde plötzlich klar, dass es vielleicht wenig Sinn machte, noch länger hierzubleiben, denn Tory Island war unerreichbar, und damit hatte sich diese Sache erledigt. Kevin würde sicher nicht darauf bestehen, dass ich jedes Detail der

Wette erfüllte. Ich nahm mir vor herauszufinden, ob dieser Typ, der wie ein weiterer Handelsvertreter aussah, mir eine Hilfe sein konnte.

»Wo fahren Sie hin?«

»Ich bin auf dem Weg nach Dunglow, und dann fahre ich nach Donegal Town. Steigen Sie ein, ich nehme Sie mit!«

Meine Reise war eine Verherrlichung des Absurden, dessen Champion ich war, aber selbst unter dieser Voraussetzung konnte ich die Absurdität, einen ganzen Tag mit Trampen zugebracht zu haben, nur um am Abend an genau dem Ort wieder anzukommen, in dem ich am Morgen aufgebrochen war, nicht ertragen. Aus diesem Grund, und nur aus diesem Grund, beschloss ich, dort zu bleiben und herauszufinden, ob es irgendeine andere Möglichkeit gab, nach Tory Island zu gelangen. Ich dankte dem Mann, und er fuhr mit einem Gesichtsausdruck davon, der dem des Buschauffeurs auf dem Weg nach Cavan sehr ähnlich sah. Ich hatte erstaunlich wenig Gewissensbisse. Herrje, das Leben auf der Straße härtete mich ziemlich schnell ab. Mir war es inzwischen egal, wem ich auf die Füße stieg.

Fast kam die Sonne hervor, als ich mein Gepäck einen kleinen Hügel hinabrollte und hinter einem Pub, dessen Gastfreundlichkeit ich bewundernswerterweise widerstand, rechts abbog. Ich war jetzt auf einer ganz besonders stillen Straße, und die Vibrationen eines Kühlschranks auf der Durchreise hallten als lautstarke Huldigung des Absurden von den umliegenden Hügeln wider. Ich bog um eine Ecke, und dort in der Ferne stand ein verfallenes Haus, davor standen zwei Damen, die auf Staffeleien malten. Ich kam immer näher und wurde immer mehr von dem Gedanken in Anspruch genommen, wie wohl ihre Reaktion auf den bizarren Anblick sein würde, der sich ihnen gleich bieten würde. Sie erschraken über das entfernte Rattern, blickten auf, und während ich näherrückte, wurde ihr Interesse an ihren Bildern zweitrangig. Ich hielt schließlich neben ihnen, einer älteren und einer jüngeren, attraktiven Lady.

»Guten Tag«, sagte ich. Die Ältere der beiden betrachtete mich ungläubig.

»Mein Gott, ein Gentleman, der mit einem Kühlschrank reist«, stellte sie mit amerikanischem Akzent fest.

»Stimmt nicht! Ich bin nur Teil eines surrealen Traums, den Sie beide gerade haben.«

»Das glaub ich gerne«, sagte die Jüngere von beiden mit einem Akzent, der eindeutig aus der Nähe stammte. Sie hatte schöne Augen.

Ich warf einen kurzen Blick auf ihre Leinwände und ihre Interpretationen des verfallenen Hauses vor ihnen. Aha. Ich verstehe zwar nicht viel von Kunst, aber ich weiß, was mir nicht gefällt.

»Ich suche den Hafen«, erklärte ich und erwähnte schlauerweise nicht, wie wenig mir ihre Arbeiten zusagten.

»Gehen Sie einfach um die Kurve und den Hügel runter, und schon sind Sie da. Es ist sehr hübsch dort.«

Das war es, aber es war kaum ein Hafen. Es war nicht mehr als ein schmales Becken mit fünf Fischerbooten, drei im Wasser und zwei auf einem Trockendock, wo sie frisch gestrichen wurden. Der Kai wurde von zwei Gebäuden flankiert: einem Hotel, das geschlossen war, und dem Bunbeg House, einem Bed & Breakfast und dem Grund meines Hierseins. Ich klingelte und machte mich daran, meine Kleidung zu ordnen und mich überhaupt vorzubereiten, gab das aber bald wieder auf, weil mir klar wurde, dass ich nicht wusste, auf was ich mich vorbereitete. Es spielte sowieso keine Rolle, weil niemand da war, was eine neuartige Methode war, eine Pension zu führen, aber keine, die mich völlig überraschte. Dann entdeckte ich einen handgeschriebenen Zettel im Fenster, auf dem »Sind bald zurück« stand, woraus ich schloss, dass ich es mit Leuten zu tun hatte, die ihren Finger direkt am Puls des Geschäftslebens hatten. »Bald zurück« hatte eine Vieldeutigkeit an sich, die mich ein bisschen beunruhigte. ›Bald‹ hieß einer vernünftigen Interpretation gemäß ›in ein paar Stunden‹, aber ich war hier in Bunbeg, im County Donegal, und das Schild bedeutete vielleicht, dass sich Mitte Oktober jemand um mich kümmern würde. Ich war mitten im Nirgendwo ohne Unterkunft, ohne Grund für mein Hiersein und ohne eine zündende Idee.

Ich beschloss, meine Pläne zu vergessen, auszuspannen und mich der örtlichen Geschwindigkeit anzupassen. Ich stellte also meinen Rucksack und den Kühlschrank vor der Eingangstür ab und machte mich auf den zwanzigminütigen Marsch zum Pub. Wenn die Besitzer des Bunbeg House »bald zurück« waren, würden sie den Kühlschrank sehen und keinen Zweifel haben, welcher zusätzliche Gast sie heute Nacht erwartete. Als Visitenkarte war er zwar effektiv, aber auch ein bisschen sperrig.

Auf dem Weg zurück kam ich an meinen beiden Malerinnen vorbei, und die Jüngere rief: »Wo ist Ihr Kühlschrank?«, worauf ich zu ihnen hinüberging und es ihnen erläuterte. Selbstverständlich wollten sie dann noch mehr darüber wissen, weshalb ich einen Kühlschrank bei mir hatte. Es kam mir in der Tat so vor, als hätten sie während der vergangenen zehn Minuten über kaum etwas anderes gesprochen. Ich versuchte, die Erklärung knapp zu halten, aber sie löcherten mich mit Fragen. Bevor es uns bewusst wurde, hatten wir schon eine halbe Stunde geplaudert.

Beide Frauen erweckten den Eindruck gepflegter Verwahrlosung, die meiner Meinung nach das Kennzeichen von Künstlern ist. Lois war eine vornehme Dame reiferen Alters, die, wie ich zu meiner Überraschung erfuhr, in New Yorks 57ster Straße eine Galerie hatte. Mir wurde klar, dass sie eine ziemlich angesehene Künstlerin sein musste, denn ich wusste, dass man eine Galerie nicht automatisch bei Verlassen der

Kunstakademie kriegt. Die viel jüngere Elizabeth war verheiratet und wohnte in New York, obwohl sie ursprünglich aus West Cork stammte. Ich vermutete, dass sie weniger erfolgreich und Lois' Schützling war, vielleicht ein zukünftiger Star. Ich erfuhr, dass es während der letzten zwei Tage wie aus Kübeln gegossen hatte und dass die Damen beschlossen hatten, eine Scheune zu zeichnen, die sie am Ende eines Schlammwegs zwischen ein paar Feldern entdeckt hatten. Sie saßen mit ihren Blöcken auf dem Schoß im Auto und zeichneten die Scheune, als sie im Rückspiegel einen alten Bauern entdeckten, der völlig reglos dastand und sie aus der Ferne beobachtete. Ihm muss es so vorgekommen sein, als hätten die beiden Frauen im Auto gesessen und die Scheune angestarrt. Elizabeth und Lois erzählten, dass er ungefähr alle zwei Stunden zurückgekommen sei, um nachzusehen, ob sie immer noch da waren – die Frauen, die seine Scheune anstarrten. Der fortdauernde Regen am nächsten Tag bedeutete, dass sie wiederkamen, um ihre Zeichnungen zu vollenden. Der Bauer wurde durch die Entscheidung der Frauen, noch einen Tag des Starrens einzulegen, weiter verwirrt. Wer sind sie? Und warum starren sie meine Scheune an? Das waren naheliegende Fragen, die er aber lieber nicht stellte. Stattdessen baute er in einem Intervall von zwei Stunden stattfindende Visiten bei den Damen in sein Tagesprogramm ein. Er fand nie heraus, warum diese beiden Frauen aus dem Nichts bei ihm aufgetaucht waren, um in einem geparkten Auto seine Scheune anzustarren, und ich vermute, er hat mit niemandem darüber gesprochen. Darin liegt der Unterschied zwischen alten Bauern aus Donegal und … na ja, allen anderen.

Im Verlauf dieses Gesprächs musste ihnen klar geworden sein, dass ich keinen Schimmer von der näheren Umgebung hatte, denn Elizabeth und Lois erklärten, sie würden ihre Malerei für heute abbrechen, um eine Sightseeing-Tour für mich zu veranstalten. Irgendwas an einem Reisenden mit Kühlschrank bringt eindeutig das Beste in den Menschen zum Vorschein.

Elizabeth, die das Fahren übernahm, verwies auf eine Broschüre über Lois' Werk auf dem Rücksitz, die ich schnell durchblätterte. Die Bilder waren ausgezeichnet, und ich tadelte mich, weil ich ihre Arbeit anfangs nach einem flüchtigen Blick abgetan hatte. Daran sieht man mal wieder, dass man nie eine Arbeit, die noch im Entstehen begriffen ist, beurteilen sollte. Ich wollte beschreiben, was mir an ihrem Stil gefiel, konnte es aber nicht. Daher warf ich einen Blick auf den Text der Broschüre, um zu sehen, ob deren Verfasser mehr zustande gebracht hatte: »Lois' Kunst passt wegen ihrer Beschäftigung mit dem Realismus-Problem in die weitere Diskussion über die Privilegierung der Abstraktion und deren Legitimität in einer Welt des Konflikts.«

Genau das hatte ich mir auch gedacht, selbst wenn ich mich vermutlich nicht so ausgedrückt hätte. Stattdessen erklärte ich, dass die Bilder »großartig« seien, schloss die Broschüre rasch und lenkte das Gespräch auf ein Terrain, auf dem ich viel mehr zu bieten hatte.

»Das Wetter ist also besser geworden, Lois?«

»Ob Sie es glauben oder nicht, das ist der schönste Tag, den wir bisher gehabt haben«, antwortete sie. »Wissen Sie, was die Leute hier oben sagen? ›Wenn man die Berge sieht, regnet es bald. Sieht man sie nicht, regnet es längst.‹«

»Entweder das, oder die Vorhänge sind noch zugezogen«, antwortete ich.

Sie lachten. Mein Gott, war ich ein unterhaltsamer Begleiter! Ich fühlte mich in meiner Entscheidung, nicht die Privilegierung der Abstraktion und deren Legitimität in einer Welt des Konflikts zu diskutieren, bestätigt.

Die Damen erläuterten mir, dass wir uns in Gweedore befanden, einer ›Gaeltacht‹, d. h. in einer Region, wo man Gälisch spricht. Die Landschaft war felsig und dürftig mit Stechginster bedeckt. Kleine weiße Häuser waren über sie verstreut wie Konfetti, die ein Riese vom Himmel hat regnen lassen. Wir erreichten das Bloody Foreland, das Blutige Kap, ein Stück Küste an der nördlichen Spitze von Donegal, das wegen der intensiven roten Tönung, die die kahlen Felsklippen bei Sonnenuntergang annehmen, so heißt, und nicht etwa, weil sein Entdecker sich hier das Knie aufgeschlagen hat, wie ich annahm. Man hatte einen sehr guten Blick auf das ferne Tory Island, und ich fragte mich zwangsläufig, ob es ein Fall von »so nah und doch so fern« werden würde.

Als die Damen mich vor dem Bunbeg House absetzten, waren der Kühlschrank und der Rucksack verschwunden, was hieß, dass sie entweder von den Eigentümern reingeholt oder von einem exzentrischen Opportunisten gestohlen worden waren. Ich setzte darauf, dass Ersteres der Fall war, und verabschiedete mich von meinen reizenden Reiseführerinnen. Als sie weggefahren waren und ich eine beunruhigend lange Zeit darauf wartete, dass jemand auf mein Klingeln reagierte, begann ich mir die peinliche Unterhaltung vorzustellen, die ich mit der Garda würde führen müssen, falls mein Zeug doch gestohlen worden sein sollte.

»Ich möchte den Diebstahl eines Rucksacks und eines Kühlschranks melden.«

»Eines Kühlschranks?«

»Ja, ich reise mit einem Kühlschrank.«

»Sehr witzig! Was sind Sie, Komiker?«

»Ähm ... ja.«

»Verschwinden Sie lieber und vergeuden Sie nicht unsere Zeit!«

Dann begann ich mich zu fragen, worauf ich mich eingelassen hatte, indem ich hierher gekommen war. Was für eine Sorte Mensch ruft bei einer Radiostation an und bietet jemandem, der mit einem Kühlschrank reist, eine kostenlose Unterkunft an? Ein toleranter Philanthrop? Ein gestörter Psychopath? Oder – die Tür öffnete sich und jemand sagte in astreinem Cockney »Hallo, wie geht's?« – ein Engländer?

Ja, ein Engländer! Andy aus Bermondsey, jetzt ein Bewohner von Bunbeg. Und verflucht noch mal, was freute er sich, mich kennen zu lernen! Er bat mich ins Wohnzimmer. »Komm rein und setz dich! Erzähl mal, was du vorhast! Ich hab heute Morgen Frühstück gemacht und gehört, wie du von dir und deinem Kühlschrank erzählt hast, und da dachte ich mir, ich ruf mal an und biete freie Logis an. Jeder, der mit einem Kühlschrank rumreist, hat das verdammt noch mal verdient.«

Da hatte er Recht. Er redete weiter und gab mir immer noch keine Gelegenheit zu antworten.

»Ich dachte mir, was für eine super Idee: ein Kühlschrank. Dich nehmen sie sicher sofort mit, jetzt, wo die *Gerry Ryan Show* dir hilft. Gerry ist in Ordnung. Was hältst du von Gerry? Kommst du mit ihm klar? Setz dich, setz dich! Wow, das ist großartig! Ein Kühlschrank! Ich habe meiner Frau Jean davon erzählt, und sie konnte es nicht glauben. Sie ist schwanger, weißt du.«

Es klang, als wäre die Schwangerschaft der Grund für ihre Überraschung. Naja, Schwangerschaften haben eine seltsame Wirkung auf Frauen.

»Willst du eine Tasse Tee?«

Sie würde mir etwas zu tun geben, während er redete.

»Ja, das wäre nett.«

»Es tut mir Leid, dass wir nicht schon vorhin hier gewesen sind. Ich musste Jean zum Krankenhaus bringen. Ihr geht's aber gut. Keine Probleme.« Er sah mich an und schüttelte erstaunt den Kopf. »Der Fridge Man. Der Mann mit dem Kühlschrank. Ich kann es nicht glauben. Setz dich!«

Ich saß schon seit langem. Wir unterhielten uns weiter auf diese Weise. Andy ließ es gelegentlich zu, dass ich eine seiner

Fragen beantwortete, aber es gab kein Anzeichen dafür, dass seine Begeisterung irgendwann nachlassen oder eine Tasse Tee auftauchen würde. Mit seiner Frage, ob ich eine Tasse Tee wolle, hatte er anscheinend herausfinden wollen, ob mir der Sinn nach Tee stand. Sie war kein Hinweis darauf, dass er ernsthaft die Absicht hegte, tatsächlich Tee zu kochen.

»Ich zeige dir dein Zimmer, du duschst dich, machst dich frisch und ruhst dich aus. Wir können ja vielleicht später im Pub ein Bier trinken gehen, oder?«

»Ja, das wäre nett.«

Genau das Gleiche hatte ich auf sein Angebot einer Tasse Tee geantwortet, aber irgendwie hatte ich den leisen Verdacht, die Chancen, dass das Bier im Pub Wirklichkeit werden würden, standen besser als die auf einen Tee.

Das Zimmer war erstklassig. Es war Teil eines modernen Anbaus, den Andy dem ohnehin schon ziemlich großen Gebäude angefügt hatte, und es war deutlich komfortabler und geräumiger, als ich erwartet hatte. Es war das netteste Zimmer, das ich bisher gehabt hatte, und das würde es vermutlich für den Rest der Reise bleiben. Ganz sicher zu dem Preis. Aber trotz seiner malerischen Lage am »Hafen« und seiner geräumigen Zimmer war Bunbeg House alles andere als voll. Ich schätze, während der Touristensaison ist es immer ausgebucht, aber im Moment residierten dort nur ein Mann mit seinem Kühlschrank und ein weiteres Paar.

»Hier ist es, Kumpel«, sagte Andy und führte mich in das Zimmer. »Doppelbett. Eins für dich und eins für deinen Kühlschrank.«

Andy war um die vierzig, schätze ich, und schmal gebaut. Er hatte das eckige Gesicht eines Kobolds und einen Haaransatz, der gerade eine neue Rückzugstaktik erkennen ließ. Andys anfängliche Begeisterung hatte ihn zuerst ein wenig anstrengend wirken lassen, aber jetzt, da er zu dem fragwürdigen Schluss gekommen zu sein schien, dass jemand, der mit einem Kühlschrank reist, sich nicht wesentlich von den übrigen Menschen unterscheidet, war er leichter zu ertragen. Ja, er wurde mir direkt sympathisch, seit er mich seltener aufforderte, mich »hinzusetzen«. Er empfahl mir den Pub für das Abendessen und versprach, dort später zu mir zu stoßen.

Ich duschte mit Wasser, das zwischen unangenehm heiß und unangenehm kalt wechselte, und machte mir dann das beste Ausstattungsdetail des Zimmers zunutze: die Möglichkeit, sich Tee oder Kaffee zu kochen. Von der Möglichkeit, in einem Zimmer Tee oder Kaffee zu bereiten, geht etwas Tröstliches und Beruhigendes aus. Ich liebe die aufwendigen Verpackungen von Tee, Kaffee, Milch und Zucker, und das immer gleiche Ritual – das Füllen des Aluminiumkessels, die Suche nach der Steckdose, die Frage, ob man durch das Drücken des Schalters auf der Rückseite des Kessels diesen nun ein- oder ausgeschaltet hat – bereitet mir großes Vergnügen. Sobald ich mir eine Tasse Tee gemacht habe, habe ich das Gefühl, an dem entsprechenden Ort zu Hause zu sein. Es ist, als würde ich ein Territorium markieren, und jeder, der versucht, sich auf meiner Parzelle eine Tasse Tee zu bereiten, wird mit schweren Konsequenzen rechnen müssen, die höchstwahrscheinlich in einem Gegenangriff auf das gegnerische Territorium und der Eroberung der dortigen Milchbehälter und Kekse bestehen.

Bevor ich zum Pub aufbrach, rief ich die *Gerry Ryan Show* an, hinterließ auf dem Anrufbeantworter, wo man mich erreichen konnte, falls Gerry am Morgen mit mir reden wollte, und war mir durchaus bewusst, wie sehr diese Unterhaltungen meinem Vorankommen nützten. Als ich im Hudi-Beags (dem Pub mit diesem seltsamen Namen) ankam, war es ungefähr acht Uhr und noch sehr ruhig, aber bis ich mein Essen verdrückt hatte, hatte sich das Lokal mit einem überraschend jungem Publikum gefüllt. Als Andy kam, hatte ich meine Anonymität bereits preisgeben müssen. Zwei Mädchen hatten mich an der Bar angesprochen und gefragt, ob ich der Mann sei, der mit einem Kühlschrank reist. Ich konnte es nicht fassen. Ich hatte den Kühlschrank im Bunbeg House gelassen und machte mir daher jetzt Sorgen, dass irgendwas an meinem Auftreten zu der Vermutung Anlass gab, mit mir stimme was nicht. Wie sich aber herausstellte, hatte mich nur eine von ihnen bei meiner heroischen Wanderung den Highway Number 1 hinunter beobachtet. Bald war ich von all ihren Freunden umzingelt und wurde mit Fragen bombardiert. Nachdem bekannt geworden war, in welch misslicher Lage ich mich wegen der Überfahrt nach Tory Island befand, schien der ganze Pub sich auf die Suche nach einer Lösung des Problems zu begeben.

Ich hatte bald die Telefonnummern von fünf Fischern, die am Morgen vielleicht nach Tory Island fahren würden, und man drückte mir 20-Penny-Münzen in die Hand und schickte mich los, um diesen Hinweisen nachzugehen. Aber es nützte nichts. Immer wieder bekam ich mit höflichem Bedauern zu hören: »Nein, da kann ich Ihnen nicht helfen.« Es gab dort draußen offenbar nur wenige Fische, denn niemand, aber auch wirklich niemand, fuhr dorthin.

»Warum versucht er es nicht mit Patsy Dan?«, fragte jemand.

»Wer ist Patsy Dan?«, fragte ich zurück.

»Er ist der König von Tory.«

»Was?«

»Patsy Dan Rogers – er ist der König von Tory.«

Ich hatte richtig gehört. Tory Island war eine traditionsreiche Monarchie, und der jetzige Throninhaber hieß Patsy Dan.

Man gab mir seine Telefonnummer. Das war an sich schon ungewöhnlich. Ich vermute, dass die Privatnummern von Königen sonst nicht einfach in Pubs weitergereicht werden.

»Aber was nützt es, ihn anzurufen?«

»Er kann vielleicht von seiner Seite aus was organisieren.«

Also machte ich mich auf das Drängen eines Haufens Einheimischer hin auf den Weg zum Pub-Telefon, um einen König anzurufen und ihm zu erklären, dass ich und ein Kühlschrank ziemlich dringend zu seiner Insel hinüberfahren müssten. Das war Dienstagabend. Ich war am Montagmorgen losgefahren. Es war nicht zu erwarten gewesen, dass sich die Dinge so schnell entwickeln würden.

»Hallo, spreche ich mit Patsy Dan?«, fragte ich, während eine kleine Abordnung meiner begeisterten Anhänger sich zu meiner Unterstützung in der Nähe des Telefons aufbaute.

»Ja.« Er hatte eine tiefe, raue Stimme.

»Sind Sie der König von Tory?«

»Das bin ich, ja.«

»Gut. Ich frage mich, ob Sie mir vielleicht helfen können. Ich reise mit einem Kühlschrank rund um Irland, um eine Wette zu gewinnen, und ich muss nach Tory Island hinaus, um die erste Bedingung der Wette zu erfüllen, aber wie Sie vermutlich wissen, fährt die Fähre nicht ...« Und so redete ich weiter. Patsy hörte aufmerksam zu und schien nichts Ungewöhnliches an meiner Frage zu finden.

»Wir würden es natürlich großartig finden, wenn Sie nach Tory kommen könnten, und ich werde Sie gerne bei Ihrer Ankunft empfangen, deshalb werde ich Ihnen die folgenden Nummern geben, die Sie anrufen können, um herauszufinden, ob jemand zur Insel hinausfährt.«

Er sprach sehr lange und sorgfältig und gab mir dann die Namen und Telefonnummern von all den Fischern, die ich schon angerufen hatte. Ich widerstand der Versuchung »Danke bestens für nichts und wieder nichts« zu sagen oder zu fragen, ob nicht die königliche Yacht zur Verfügung stehe.

Wir hatten also eine weitere Niete gezogen. Meine Legion von Helfern war aber nicht geschlagen, sondern kehrte zum gemeinsamen Besprechungstisch zurück, um noch mal von vorne anzufangen.

Bei seiner Ankunft war Andy entsprechend beeindruckt.

»Mensch Meier, du brauchst nicht lange, um neue Freunde zu finden, was?«

Ich glaube nicht, nein. Es dauerte nicht lange, bis er dem »Schafft Tony nach Tory Island«-Komitee beigetreten war, ja, er übernahm trotz seines verspäteten Eintreffens sogar den Vorsitz der Versammlung. Das Bier wurde in einem alarmierenden Tempo konsumiert, und die Vorschläge wurden immer lächerlicher, bis schließlich ein Mädchen von der Bar draußen in unseren Nebenraum kam und uns erzählte, dass sie mit einer Gruppe von Typen vom Air Corps gesprochen habe, die in der Nähe stationiert waren.

»Herrje, das ist es!«, rief eine Stimme. »Wir schaffen ihn mit'm Hubschrauber rüber.«

Einen Sekundenbruchteil lang herrschte Schweigen, dem überwältigende Zustimmung folgte. Das war es! Die Leute hatten sich bereits dafür entschieden, mich in einem Hubschrauber nach Tory Island zu bringen. Es gab niemanden, der anderer Meinung gewesen wäre.

»Los, Tone, wir geh'n mal zu ihnen und reden mit ihnen!«, sagte Andy, dessen Cockney-Akzent mich an die Heimat und eine rationalere Welt erinnerte, die ich hinter mir gelassen hatte. Wir zogen los zur Bar, wo ich aufgefordert wurde, mich vor eine Gruppe von Soldaten zu stellen und sie um einen Hubschrauber zu bitten. Ich war mir meiner Sache keineswegs sicher, begann schlecht und baute rasch ab, als ich versuchte, beiläufig einfließen zu lassen, dass ein Kühlschrank mit all dem zu tun hatte. Und ich konnte sehen, wie sich erst Neugierde und dann Ratlosigkeit auf den Gesichtern der Soldaten abzeichneten. Ich verhedderte mich, und Andy griff ein.

»Hört mal, Jungs, das ist kein blöder Witz. Der Mann hier muss raus nach Tory Island. Eine landesweit übertragene Radiosendung steht hinter ihm, und wenn wir es schaffen, ihn dort rauszubringen, dann ist das gut für den Tourismus – sowohl auf Tory Island als auch hier bei uns in der Gegend. Ich weiß ja, das kann euch egal sein, und ihr seid auch nicht von hier, aber denkt nur an die gute Presse, die ihr kriegt, wenn ihr uns in dieser Sache helft, und die gute Meinung, die dann hier im Ort alle von euch haben werden.«

Wir verließen die Bar ohne Erfolg, obwohl Andys zungenfertige Überredungskünste am Ende auf offene Ohren stießen. Die Piloten sagten, dass sie uns gerne helfen würden, und gaben uns den Namen einer Frau im Verteidigungsministerium in Dublin, die wir bitten müssten, so eine Hilfsaktion zu autorisieren. Wir kehrten in die eigentliche Bar zurück und waren ziemlich zuversichtlich, dass sie Verständnis für uns haben würde.

»Sie tut es, oder?«

»Natürlich tut sie es.«

Eine ganz normale Unterhaltung zwischen zwei Männern in einer Bar, die sich aber für gewöhnlich auf weniger noble Vorhaben bezieht.

Wir ließen es zu, dass der Alkohol einen bescheidenen Erfolg zu einem großartigen Triumph aufblähte. Alle waren felsenfest davon überzeugt, dass ich am nächsten Morgen in einem Hubschrauber nach Tory Island fliegen würde. Irgendwelche Zweifel, die ich vielleicht noch hatte, wurden bald von dem dauernden Biernachschub beseitigt, der bis tief in die Nacht anhielt.

»Seht ihr, was man alles erreicht, wenn man sich etwas in den Kopf gesetzt hat?«, sagte Andy.

Das taten wir. Die Dinge wirkten zwar ein wenig verschwommen, aber wir sahen immer noch ganz gut. Der Inhaber der Bar wartete neben der Tür im Schlafanzug und klimperte mit den Schlüsseln, was wir als ein subtiles Signal dafür verstanden, dass es ihm recht wäre, wenn wir den Abend für beendet erklären würden, und das taten wir dann auch. Als wir uns auf den Weg nach draußen machten, wurde mir ein letzter Rat zuteil: »Wenn du nach Tory Island kommst, solltest du diesen Kühlschrank einen steilen Hügel hochschleppen und den Hang runterstürzen, damit er einen Tory-Erdrutsch auslöst!«

Einen erdrutschartigen Sieg für die Tories, die konservative Partei! Es war ein Zeichen dafür, wie viel wir getrunken hatten, dass eine Bemerkung wie diese allgemeines hysterisches Gelächter hervorrief. Falls die fortgesetzte Anwesenheit des Pächters im Nachtgewand nicht genügte, dann war dies die endgültige Bestätigung dafür, dass es Zeit war, ins Bett zu gehen. Wir verabschiedeten uns laut und ungeschickt voneinander und wiederholten Versprechen, an die wir uns vermutlich nicht erinnern und die wir ganz bestimmt nicht halten würden, und stolperten in die Nacht davon.

Als Andy und ich wieder im Bunbeg House waren, öffnete er seine Bar, und wir begingen den entsetzlichen Fehler, noch einen Schlummertrunk zu uns zu nehmen. An diesem Punkt verwandelt sich das, was am nächsten Morgen ein relativ leichtes Kopfweh gewesen wäre, in einen Schädel voll heftig pulsierender Schmerzen. Aber es war eine Entscheidung aus freien Stücken. Wir stießen mit unseren Whiskey-Gläsern an, zwei Engländer in einem abgelegenen Eck Irlands, die Blödsinn redeten und bis tief in die Nacht vor sich hin nuschelten. Wir waren jedoch stolz, stolz auf das, was wir erreicht hatten. Andy stand mühsam auf, schwankte, erhob sein Glas und verkündete so ernst, wie er konnte, die Worte, die er schon früher am Abend geäußert hatte: »Siehst du, was man alles erreicht, wenn man sich etwas in den Kopf setzt?«

Das tat ich. Wenn man es sich in den Kopf setzte, konnte man sehr, sehr betrunken werden. Es war Zeit, gute Nacht zu sagen.

»Gu'Nacht!«

»G'Nacht. Schlaf ut!«

Wir wussten, was wir meinten.

7

Tory Island, hier komm ich!

Ich erwachte am nächsten Morgen mit trockener Zunge, pochenden Schläfen und einem heftigen Schmerz in meinem rechten Schulterblatt. Ich war bereit, es mit der Welt aufzunehmen, vorausgesetzt, die Welt war ebenfalls nicht in bester Verfassung.

Ich stand mühsam auf, schleppte mich vorsichtig zum Fenster und zog so beklommen wie jemand, der kurz davor steht, in extrem kaltes Wasser zu springen, die Vorhänge beiseite. Ich zuckte zusammen, aber nicht ganz so heftig wie der Fischer, der direkt vor meinem Fenster ein Boot strich und peinlicherweise zum Betrachter meiner nackten, ungewaschenen Männlichkeit wurde. Sein gekränkter Gesichtsausdruck verriet, dass dieses unappetitliche Schauspiel ihn zutiefst verstörte und dass er das Frühstück an diesem Morgen auslassen würde.

Wieder einmal unterwarf mich die Dusche den Extremen von eiskaltem und kochend heißem Wasser, aber diesmal ertrug ich es mit deutlich weniger Stoizismus und entschied mich stattdessen dafür, die Brause anzubrüllen. Wenn keiner sie schimpfte, würde sie mit dieser nachlässigen Art einfach weitermachen.

Beim Frühstück gesellten sich die einzigen anderen Gäste des Bunbeg House zu mir, Rolf und Cait, ein Paar, das auf einem Kanu-Ausflug war. Ihre Ehe war insofern ungewöhnlich, als Cait aus Irland war und Rolf aus Deutschland, zwei Länder, die sich an entgegengesetzten Enden des Spektrums zu befinden scheinen: Deutschland, ein Land, das von Präzision und Entschlossenheit zusammengehalten wird, und Irland, ein Land, das von einem gelassenen Gemütszustand und extrem flexiblen Pub-Öffnungszeiten geprägt ist. Rolfs Akzent war, gelinde gesagt, exzentrisch: Deutsch mit zwanzig Jahren irischem Einfluss. Er klang wie eine schlechte Imitation von Manchester Uniteds Torwart Peter Schmeichel. Andy näherte sich vom anderen Ende des Esszimmers und winkte mich zum Telefon. Er sah wie ein Mensch aus, der eineinhalb Tage unter einer Maschine verbracht hat, die den umgekehrten Effekt eines Solariums hat.

»Die *Gerry Ryan Show* für dich, Tone! Und vergiss nicht, ihnen zu sagen, dass wir einen Hubschrauber zu kriegen versuchen. Sie könnten eine große Hilfe sein.«

O Gott ja, der Hubschrauber! Den hatte ich vergessen.

Die *Gerry Ryan Show* bat mich zu warten und erklärte mir, dass ich gleich nach den Neun-Uhr-Nachrichten dran wäre. Ich stand mit dem Hörer gegen das Ohr gepresst da und fürchtete, am vergangenen Abend so viele Hirnzellen getötet zu haben, dass ein Stück Käse ein besseres Interview geben würde als ich. Andy näherte sich mir wieder. Was wollte er diesmal?

»Tone, kannst du von der Bar aus telefonieren, denn dann kann ich das Radio hier im Esszimmer anstellen, damit Cait und Rolf zuhören können. Mit den Lautsprechern gibt es sonst eine Rückkopplung, wenn du hier drinnen sprichst.«

»Bist du sicher? Ich werde jeden Augenblick durchgestellt.«

»Kein Problem, ich habe alles arrangiert. Es ist ein neues System, das wir gerade haben einbauen lassen. Leg einfach auf, heb den Hörer drüben in der Bar ab und drück die Vier!«

Ich hängte also auf, nahm den Hörer in der Bar ab und drückte die Vier. Die Leitung wurde unterbrochen. Bisher war das neue System eine Enttäuschung. Im anderen Zimmer aber

konnten Cait und Rolf ganz klar und ohne jegliche Rückkopplung hören, wie Gerry im Radio ins Schwimmen geriet:
»Tony? Bist du da, Tony Hawks? ... Nun, das ist komisch,
wir hatten ihn gerade noch dran, und jetzt ist er weg ...«

Ich blickte zu Andy hinüber, der zuerst seine Schuhspitzen
anschaute und dann mich. Er lächelte einfältig. »Sie rufen
noch mal an, keine Sorge.«

»Vielleicht werde ich diesmal nicht den Apparat in der Bar
benutzen und die Vier drücken.«

»Kann ich verstehen, Tone, kann ich verstehen. War mein
Fehler. Ich glaub, du musst die Sechs drücken.«

»Wenn es dir nichts ausmacht, würde ich es lieber nicht riskieren.«

»Bist du dir sicher, Tone? Wenn es nicht die Vier ist, dann
ist es ganz bestimmt die Sechs. Wenn du hier drinnen sprichst,
müssen Cait und Rolf den Kopfhörer benutzen.«

Meiner Ansicht nach würden Cait und Rolf einfach mit den
Ohren zuhören können, denn schließlich befanden sie sich im
gleichen Zimmer wie ich. Aber Andys seltsamen Prioritäten
zufolge war es wichtig, dass sie das Interview genauso hörten
wie der Rest des Landes auch, selbst wenn dadurch eben dieses Interview gefährdet wurde.

Das Telefon klingelte, und ich hob schnell ab, bevor Andy
mich in ein anderes Zimmer verfrachten konnte, wo ich die
Vier, die Sechs oder irgendeine andere Nummer drücken sollte, um das »neue System« zu aktivieren. Aus dem Hörer drang
eine besorgte Stimme:

»Tony?«

»Ja.«

»Ich stelle Sie jetzt zu Gerry durch.«

Und so wurde mein drittes Interview in einer landesweit
ausgestrahlten Radiosendung vor einem total chaotischen
Hintergrund abgehalten, denn Andy, Cait und Rolf versuchten, sich einen Kopfhörer zu teilen. Während ich mich bemüh-

te, ganz locker mit Gerry zu plaudern, sah ich, wie sechs Hände verzweifelt ein stark verknotetes Kabel zu entwirren versuchten und die Ohren unter Verrenkungen in die Reichweite des winzigen Kopfhörers schoben. Die Szene erinnerte an drei verwöhnte Kinder, die um ein Geschenk kämpfen, das sie alle unbedingt haben wollen. Und wissen Sie was, ich fand das alles ein kleines bisschen irritierend. Ich schaffte es aber trotzdem, die nötigen Informationen weiterzugeben, und erinnerte mich dabei an die Sache mit dem Hubschrauber, und Gerry schickte den passenden Aufruf über den Äther: »Die Aufgabe ist hiermit klar: Wir müssen Tony und seinen Kühlschrank raus nach Tory Island schaffen. Also, wenn Sie Zugang zu einem Hubschrauber, einem U-Boot, einem Heißluftballon, einem Hovercraft, einem Flugboot, einer Yacht oder auch nur zu einem bescheidenen Fischkutter haben, rufen Sie uns jetzt an, 180 85 22 22, die Leitung der *Gerry Ryan Show* ist jetzt geschaltet.«

Die begeisterte Menschengruppe am Esszimmertisch, meine treue Zuhörerschaft, reckte aus drei ineinander verwickelten Armen drei Daumen in die Höhe, denn man stimmte darin überein, dass dieses Interview genügen sollte, um mir einen Hubschrauber zu sichern. Jeden Augenblick konnte das Telefon klingeln und das Verteidigungsministerium sich melden, das mir ein Hin- und Rückflugticket nach Tory Island anbieten wollte. Warum auch nicht? Schließlich waren es mit dem Hubschrauber nur fünf Minuten, und die Kerle vom Air Corps saßen eh nur den ganzen Tag auf ihren Hintern und warteten darauf, jemanden retten zu können.

Rolf und Cait verschoben ihre Abreise eine Viertelstunde, damit sie die gute Nachricht miterleben würden, wenn sie eintraf, aber als nichts passierte, wünschten sie mir viel Glück und machten sich auf den Weg zum Kanu fahren. Drei Kannen Tee später hatte das Telefon immer noch nicht geklingelt, und Andy und ich begannen, besorgt im Esszimmer auf und ab zu gehen. Andy, für den diese Mission wichtiger geworden war als die Pflege seiner schwangeren Ehefrau, war überzeugt, dass wir Gerry Ryan anrufen sollten, um nachzufragen, ob irgendwelche Hilfsangebote eingegangen seien. Ich war mir da nicht so sicher, denn ich wollte nicht aufdringlich wirken, aber Andys überzeugende Argumentation ließ mich schwankend werden.

»Wenn wir eine Niete gezogen haben, können wir anfangen, mit den Leuten Kontakt aufzunehmen, die uns gestern Abend empfohlen worden sind. Aber wenn wir das jetzt tun und Gerrys Leute reden auch gerade mit ihnen, dann treten wir ihnen auf den Schlips. Deshalb müssen wir Bescheid wissen, Tone.«

Manchmal sorgt der Kriegsausbruch dafür, dass die heroische Seite im Charakter eines Menschen zum Vorschein kommt. Es war Andys persönliche Tragödie, dass diese Verwandlung in seinem Fall durch die Ankunft eines Mannes mit einem Kühlschrank ausgelöst wurde. Denn als wir die schlechte Nachricht erhalten hatten, dass sich bei der *Gerry Ryan Show* niemand wegen des Tory-Island-Aufrufs gemeldet hatte, trotzte Andy seiner Leichenblässe, wurde quicklebendig, tätigte einen Anruf nach dem anderen und erklärte: »Keine Sorge, Tone, wir schaffen dich schon noch dort raus.«

Der Name, den man uns letzten Abend gegeben hatte, sagte niemandem im Verteidigungsministerium irgendwas, also rief er beim Air Corps direkt an, bei der Lokalpresse und beim Parlamentsabgeordneten der Gegend, und nach 45 Minuten beinahe ununterbrochenem Blödsinn erhielt er endlich die Telefonnummer des höchsten Tiers im Verteidigungsministerium in Dublin. Dieser Mann musste dem Air Corps nur noch die Erlaubnis geben, mich auf die Insel zu fliegen. Andys großer Augenblick war gekommen. Er hatte eindeutig bewiesen, dass er überzeugenden Blödsinn daherreden konnte, aber das alles war nur Vorbereitung auf dieses eine Gespräch gewesen. Er war fantastisch. Ich hörte voller Verwunderung zu, wie er einem Dubliner Bürokraten weismachte, dass es von größter Wichtigkeit sei, einen Mann mit einem Kühlschrank per Hubschrauber auf eine winzige, kaum besiedelte Insel im Atlantik zu schaffen.

»... Wissen Sie, er ist aus England, und dort drüben verfolgen sie seine Geschichte, und ich bin heute Morgen von der Presse mit Anrufen überschüttet worden, weil alle wissen wollen, wie er vorankommt. Es ist ein großes Unglück für uns hier oben, denn das ist eine der größten Chancen, die wir haben, um Donegal und Tory Island bekannt zu machen, und wir sind alle völlig schockiert, weil der Ausfall der Fähre wirklich das Letzte ist, mit dem wir gerechnet haben, und alle sind völlig fertig, denn alle haben so viel Arbeit in diese Sache investiert ... es ist wirklich eine Riesensensation ... gestern Abend sind alle rumgerannt und haben zu helfen versucht ... ja ... ja ... das kann ich verstehen ... richtig. Ich will bloß nicht derjenige sein, der zum Komitee zurückgehen und verkünden muss, dass wir ihm nicht helfen können. Wenn wir Tony im Stich lassen, lassen wir Irland im Stich und verlieren viele Millionen Pfund an Einnahmen aus dem Tourismus.«

Ich errötete ein wenig. Andy legte auf und wandte sich mir zu.

»Das war's. Jetzt haben wir alles versucht. Sie haben mir versprochen, dass sie mich innerhalb der nächsten zwanzig Minuten anrufen und mir sagen, ob es was wird oder nicht.«

»Was meinst du, wie stehen unsere Chancen?«

»Gut. Ziemlich gut. Ich hatte wirklich den Eindruck, dass er uns helfen will.«

Ich wurde ziemlich aufgeregt. Ich war noch nie mit einem Hubschrauber geflogen.

Moment mal, hatte ich nicht irgendwo gelesen, dass ein Hubschrauberflug die mit Abstand gefährlichste Form von

Lufttransport war? Ich wurde nervös und versuchte, mich mit dem Gedanken, dass nur der Start und die Landung gefährlich seien, zu beruhigen. Dann wurde mir klar, dass bei der Kürze der Entfernung der Flug eigentlich nur aus Start und Landung bestehen würde. Aus der Nervosität wurde echte Angst.

Ich hätte mir allerdings keine Sorgen zu machen brauchen, denn zwanzig Minuten später rief das Verteidigungsministerium an, um uns zu sagen, dass es ihnen Leid tue, aber sie könnten uns nicht helfen.

Wir fühlten uns wie ein Tennisspieler, der eine Partie verliert, in der er einen Matchball hatte. Okay, bei diesem Matchball hatte der Gegner den Aufschlag, und er hatte einen großartigen Service, aber wir hätten nur ein bisschen Glück gebraucht – einen Ball an die Netzkante oder einen ängstlichen, schlecht getroffenen Return, der unerreichbar ins Feld trudelt – und wir hätten es geschafft. Das Adrenalin war durch unsere Adern gerauscht, und der Sieg, der Moment des Triumphs war in Reichweite gewesen. Es war erst kurz vor Mittag, aber wir hatten das Gefühl, als wäre der Tag für uns schon gelaufen.

Wir trösteten einander mit bedeutungslosen Platitüden wie »Wer weiß, wozu es gut ist« und »Wenigstens haben wir es versucht«. Wie nicht anders zu erwarten war, linderten sie den Schmerz kaum. Andy sah schrecklich niedergeschlagen aus. Schließlich hatte er Stunden auf etwas verwendet, was viele eine sinnlose Aufgabe nennen würden, und alle seine Anstrengungen waren vergebens gewesen. Es schien, als baue ihn der Gedanke, sich den Rest des Tags mit Dingen beschäftigen zu können, die wesentlich sinnvoller waren, nicht auf. Er verschwand, vermutlich, um die Bekanntschaft mit seiner Frau und seinen Kindern zu erneuern. Außerdem musste er noch Besorgungen erledigen, die längst hätten erledigt werden müssen. Ich schlenderte zum Kai, um herauszufinden, ob möglicherweise am nächsten Tag ein Fischkutter zur Insel hinausfahren würde. Falls nicht, würde ich vermutlich das Handtuch werfen müssen, was Tory Island anbetraf.

Draußen führte das grelle Licht, dem ich plötzlich ausgesetzt war, dazu, dass sich an meinen beiden Stirnseiten lebhaft pulsierende Schläfen bemerkbar machten: eine Erinnerung daran, dass ich in Zukunft mehr Rücksicht auf meinen Körper nehmen sollte. Ein paar Meter vom Bunbeg House entfernt entdeckte ich einen raubeinig wirkenden Fischer, der auf Händen und Knien an seinem Gerät herumfummelte. Als ich mich ihm näherte, stellte ich zu meiner Erleichterung fest, dass er nicht derjenige war, der am Morgen den Anblick des meinen genossen hatte. Ich hustete verlegen, um ihn auf mich aufmerksam zu machen.

»Hallo, ich weiß nicht, ob Sie mir helfen können, aber ich versuche, nach Tory Island zu kommen, und die Fähre fährt erst Freitag wieder, und da wollte ich Sie fragen, ob Sie von irgendwelchen Booten wissen, die vielleicht dort rausfahren.«

Er betrachtete mich erstaunt.

»Rory McClafferty ist vor einer Stunde weg.«

»Was?«

»Rory McClafferty ist schon weg. Seit ungefähr einer Stunde, würde ich sagen. Er ist mit einer Ladung Steine rübergefahren.«

»Sie meinen, er ist mit einem Boot losgefahren, von diesem Kai hier, rüber nach Tory Island?« Ich konnte nicht glauben, was ich da hörte.

»O ja, er ist seit ungefähr einer Stunde weg. Sie sagen, Sie wollen nach Tory Island raus?«

»Das könnte man so sagen.« Ich deutete auf das Esszimmer von Bunbeg House. »Wir waren den ganzen Vormittag über dort drinnen, haben einen landesweiten Aufruf über das Radio organisiert und versucht, das Verteidigungsministerium dazu zu bewegen, einen Hubschrauber bereitzustellen, der mich zur Insel fliegt.«

»Oje, dort drinnen erreichen Sie nichts«, erklärte er und deutete auf das Esszimmer. Ich musste voller Bewunderung anerkennen, wie treffend diese knappe Feststellung war.

»Meinen Sie, dass heute noch jemand zur Insel fährt?«

»Jetzt nicht mehr, bei der Tide.« Er schaute von seinen Netzen auf und warf mir einen fragenden Blick zu. »Waren Sie heute Morgen nicht hier unten am Pier?«

»Äh ... nein.«

»Nun, wenn Sie heute Morgen hier am Pier gewesen wären, hätte Ihnen jemand von Rory erzählt und Sie wären jetzt auf der Insel.«

Natürlich wäre ich das. Ich hatte einen schrecklichen Fehler begangen. Ich hatte mich darauf verlassen, dass Andy, ein Mann aus Bermondsey, sich mit den lokalen Gepflogenheiten auskannte. Mit dem, was bei den Booten direkt vor seiner Haustür passierte, kannte er sich genauso gut aus wie mit seinem neuen Telefonsystem. Während er sich tapfer in das fruchtlose Abenteuer, mir einen Hubschrauber zu verschaffen, gestürzt hatte, hatte wirklich nur ein paar Meter entfernt ein freundlicher Fischkutter in Richtung des angestrebten Ziels abgelegt. Am Abend zuvor ein paar Fischer anzurufen war kein ausreichender Ersatz für einen Spaziergang zum Kai, wo man sich direkt hätte umhören können. Als ich die fünf oder sechs Meter zum Bunbeg House zurückging, begriff ich plötzlich, was man daraus für eine Lehre ziehen konnte: Sei ehrgeizig, setze dir große Ziele und gib nicht kampflos auf, aber tue das nicht, ohne vorher die einfacheren Möglichkeiten erkundet zu haben! Ich beschloss, Andy diese neue Erkenntnis vorerst zu ersparen, denn ich vermutete, dass sie ihm den Tag noch gründlicher verderben würde. Außerdem hatte unser Missgeschick den Vorteil, dass ich jetzt über einen freien Nachmittag verfügte, an dem ich lesen und mich ausruhen konnte.

Ich war naiverweise optimistisch gewesen. Die Leute wussten, wo ich war, und ich war gefragt. Den ganzen Nachmittag über hörte das Telefon nicht auf zu klingeln, und Andys Esszimmer verwandelte sich in mein Büro. Leute vom Fernsehsender RTE waren die ersten Anrufer. Bei einer Nachmittagssendung namens *Live At Three* hatte man von mir Wind bekommen, und nun wollte man einen Reporter und einen Sendewagen schicken, um zu filmen, wie ich als Anhalter am Straßenrand stand. Die Leute wollten wissen, wo ich am Freitag sein würde. Das hätte ich auch gerne gewusst. Ich versuchte, ihnen das Problem zu erklären, aber es war für jemanden aus der Filofax-Welt des Fernsehens schwer zu begreifen.

»Aber Sie müssen doch wissen, wo Sie sein werden. Haben Sie keinen Schlachtplan?«

»Mein Schlachtplan ist, keinen Schlachtplan zu haben«, erklärte ich bewusst vage.

Antoinette, mit der ich redete, war hin- und hergerissen: Einerseits amüsierte sie die Vorstellung vom »Kühlschrank-Trampen«, andererseits fand sie die garantierte Ungewissheit, die Teil des Unterfangens war, frustrierend. Sie schien Produzentin, Rechercheurin und Moderatorin von *Live At Three* zu sein, und ich erwartete beinahe, dass unser Gespräch jeden Augenblick unterbrochen werden würde, weil sie jemanden schminken oder die Kamera 4 bedienen musste. Sie rief innerhalb einer Stunde noch dreimal mit weiteren Fragen an, die ich alle nicht zufriedenstellend beantworten konnte. Ich erleichterte ihr das Leben nicht gerade mit meinen »Ich weiß nicht«s, »vielleicht«s und »vermutlich«s. Ich hätte mir mehr Mühe geben können, aber da es mir eigentlich ziemlich egal war, ob ich in diese Sendung kam oder nicht, verfügte ich über eine gewisse Macht, und die wollte ich auskosten.

»Schauen Sie, Tony, Sie verrückter Kerl, Sie: Ich rufe später noch mal an, aber unser bisheriger Plan sieht wie folgt aus: Jemand fährt Sie am Freitag zum Sendewagen und bringt Sie anschließend dorthin, wo Sie hingekommen wären, wenn Sie an dem Tag ganz normal getrampt wären.«

Ihr schien das offenbar einzuleuchten.

Als Nächstes war die Lokalpresse dran: *The Derry People*, *The Donegal Democrat* und die überregionale gälische Zeitung *Foinse*, was offenbar ›leicht zu begeistern‹ heißt, denn sie planten, mich und den Kühlschrank auf der Titelseite zu platzieren. Donohoe, der als freier Mitarbeiter für die Zeitung arbeitete, war der dritte und letzte Fotograf an diesem meinem Nachmittag der Erholung. Er war ein umgänglicher und gebildeter Mann, der zuerst angenommen hatte, dass der Auftrag, einen Mann zu fotografieren, der mit einem Kühlschrank rund um Irland reist, ein Scherz sei, mit dem ihn die Kollegen aufziehen wollten. Er ging die Aufgabe, von mir ein Foto zu machen, mit deutlich mehr künstlerischem Ehrgeiz an als seine beiden Vorgänger, die sich mit einer Hand voll Schnappschüssen und der richtigen Schreibweise von Hawks zufrieden gegeben hatten. Donohoe hatte an mir Interesse, an dem, was ich tat, und daran, wo er das einfallsreichste Foto von mir und meinem Kühlschrank machen könnte.

»Wir müssen einfach eine Aufnahme machen, wie du mit deinem Kühlschrank an dem Wrack vorbeiläufst.«

»An welchem Wrack?«

Das Wrack war der gut erhaltene Rumpf eines Holzboots, das seinen Lebensabend auf dem weitläufigen Sandstrand verbrachte, den zu fotografieren mir am Tag zuvor in so überzeugender Manier misslungen war. Wir verwendeten eine anregende Stunde darauf, an diesem schönen Flecken kunstvolle Kühlschrank-Aufnahmen zu kreieren, und diskutierten über die Geschichte der gälischen Sprache. Ich erfuhr das interessante Detail, dass England und Portugal die einzigen Länder in Europa ohne eine Minderheitensprache sind. Mit einiger Befriedigung speicherte ich diese Information in einem Winkel meines Hirns ab, wohl wissend, dass ich mit ihr, wenn ich sie im richtigen Augenblick der richtigen Person gegenüber offenbarte, enorm viel Eindruck machen würde. Ich setzte Donohoe mit meinen anspruchsvollen Fragen weiter zu:

»Was heißt ›mein Kühlschrank‹ auf Gälisch?« Ich lächelte in seine Kamera und hatte einen Fuß auf den Kühlschrank gestützt und einen Arm an das Wrack gelegt.

»Mo Chuisneoir«, antwortete er.

»Mo Kushnar?«

»Genau. Mo Chuisneoir.«

»Ich glaube, ich sollte ›Mo Kushnar‹ vorne auf den Kühlschrank schreiben zum Zeichen meiner Hochachtung für die gälische Sprache.«

»Gute Idee. Wenn wir in mein Büro hochgehen, drucke ich es mit dem Computer aus, damit du es aufkleben kannst.«

Und so kam es, dass der Kühlschrank bei meiner Rückkehr zum Bunbeg House mit den Worten

MO CHUISNEOIR

geschmückt war.

»Was heißt das?«, fragte Andy.

»Es heißt ›Denke immer zuerst an die nächstliegende Möglichkeit‹.«

»Wie?«

Ich erklärte es ihm, während ich auf eine Tasse Tee wartete, die nie gekocht wurde.

8

Der ärmste König der Welt

Am nächsten Morgen wachte ich auf, machte genau den gleichen Fehler mit den Vorhängen wie am Tag zuvor und offenbarte mich dem malenden Fischer erneut als »Akt am Fenster«. Wie es schien, hatte ihn die Erfahrung des Vortags abgehärtet, denn er ließ sich nichts anmerken und kriegte sogar so etwas wie ein Begrüßungsnicken hin.

Die vorherige Nacht war gemessen an meinem bisherigen Standard ruhig gewesen. Ich hatte mich mit Elizabeth und Lois zum Essen getroffen und die überwältigende Gastfreundschaft des Hudi-Beags im Interesse meiner Selbsterhaltung gemieden. (Ich hatte meinen eigenen Spitznamen für das Hudi-Beags gefunden: Houdini's, denn man musste ein Entfesselungskünstler sein, um aus ihm zu entkommen.) An diesem Morgen fühlte ich mich also ziemlich gut.

Vor dem Frühstück tat ich, was ich am Morgen zuvor schon hätte tun sollen, und machte einen Spaziergang zum Pier, um herauszufinden, ob irgendjemand später nach Tory Island fahren würde. Ich sprach einen Fischer an, der mit dem Rücken zu mir knietief inmitten von Netzen hockte.

»Entschuldigen Sie ...«

Er drehte sich um und wirkte verwirrt. Es war der Fischer, der schon zweimal meine Genitalien gesehen hatte. Keiner von uns beiden verfügte über die soziale Kompetenz, um mit dieser Situation fertig zu werden.

»Oh, hallo«, fuhr ich fort, denn ich hatte das Gefühl, ich

müsse irgendwie zeigen, dass wir uns schon kannten. »Sie wissen nicht zufällig, ob heute irgendwelche Fischer raus nach Tory Island fahren?«

Er schaute mich einfach an und erstarrte. Ich glaube nicht, dass er in seinem bisherigen Leben jemals gezwungen gewesen war, mit jemandem zu sprechen, den er zuvor nackt gesehen hatte. Ich beschloss daher, weiterzugehen, bevor er die Hilfe des Notarztes von Bunbeg würde in Anspruch nehmen müssen. (Vermutlich ein Briefträger, der die entsprechenden Geräte in seinem Wohnzimmer lagerte.)

Die anderen Fischer auf dem Kai, die mich nicht unbekleidet gesehen hatten, waren zugänglicher. Man erzählte mir, dass Rory McClafferty verkündet habe, gegen elf losfahren zu wollen, um eine weitere Ladung Steine nach Tory Island zu bringen, und mich sicher gerne mitnehmen würde. Das war eine wirklich gute Nachricht, und als ich zur Basis zurückkehrte, hatte ich einen federnden Gang.

Zwischen der Küste und Tory Island liegen vierzehn Kilometer Wasser, die als Tory Sound bekannt sind. Das letzte Stück gilt als besonders tückisch, denn es ist starken Winden und gefährlichen Strömungen ausgesetzt. In den Wintermonaten ist die Insel manchmal bis zu einen Monat lang vom Festland isoliert, und es passiert ziemlich häufig, dass die Boote drei Tage hintereinander weder in die eine noch die andere Richtung übersetzen können. Es wehte eine steife Brise, aber glücklicherweise blies sie vom Land weg, und die berüchtigte Dünung würde deutlich geringer sein als bei Nordwestwind. Donohoe zufolge war die Insel seit prähistorischen Zeiten besiedelt und ein einsames, felsiges, ödes Land, auf dem jetzt ungefähr hundertdreißig Menschen vom Fischfang lebten. Teilweise arbeiteten sie nebenbei auch als Künstler und malten naive Landschaften, die große Anerkennung fanden. Ich hatte keine ihrer Arbeiten gesehen, bezweifelte aber stark, dass sie sich in die weitere Diskussion über die Privilegierung der Abstraktion und deren Legitimität in einer Welt des Konflikts einfügten. Ich beschloss trotzdem, dieses Thema nicht anzuschneiden, außer, die Unterhaltung geriet arg ins Stocken.

»Telefon für dich«, sagte ein geduldiger Andy, der Gefahr lief, sich in meinen Sekretär zu verwandeln.

Es war Antoinette von *Live At Three*, und diesmal hatte sie wesentlich weniger Verständnis für meine fortgesetzte Unentschlossenheit und machte deutlich, dass sie am nächsten Tag eine Sendung machen musste und auf Zauderer wie mich gut verzichten konnte.

»Sag mal, gehst du denn in deinem Leben überhaupt keine Verpflichtungen ein?«, fragte sie, und ihre Worte waren das erschreckende Echo der Vorwürfe, die mir mindestens zwei meiner Ex-Freundinnen an den Kopf geworfen hatten.

Der Widerhall, den diese letzte Bemerkung hervorrief, hatte mich aus dem Gleichgewicht gebracht, und daher erklärte ich mich gedankenlos dazu bereit, in ihrer Sendung mitzumachen, ohne zu begreifen, dass ich damit meinen romantischen Wunsch, zumindest eine Nacht auf einer mehr oder weniger einsamen Insel zu verbringen, gefährdete. Der Plan, dem ich zugestimmt hatte, beinhaltete, dass ein Typ namens Gary mich am nächsten Morgen um halb elf abholen und zum Sendewagen fahren würde. Deshalb bestand die neue und sehr wichtige Frage darin, wie ich von Tory Island zurückkommen würde, und zwar rechtzeitig.

Es blieb mir nichts anderes übrig, als noch mal den König anzurufen.

»Hallo, spreche ich mit Patsy Dan?«

»Ja, das tun Sie.«

»Guten Morgen, mein Name ist Tony Hawks. Ich habe vorgestern schon bei Ihnen angerufen. Ich weiß nicht, ob Sie sich erinnern ...«

»Das tue ich.«

»Nun, ich habe ein Boot gefunden, das mich heute Vormittag zu Ihrer Insel rausfahren wird, aber ich muss morgen um ungefähr zehn Uhr wieder hier sein. Wissen Sie, ob morgen früh irgendein Boot bei Ihnen losfährt?«

»Ja, das tue ich. Ein paar Amerikaner haben bei uns auf der Insel übernachtet, und Patrick Robinson wird sie ungefähr um acht zurückbringen.«

»Ist da noch für mich Platz?«

»Sie werden für Sie Platz machen.«

Fantastisch. Nachdem ein oder zwei Tage lang nicht alles genau nach Plan gelaufen war, hatte ich das Glück jetzt wieder auf meiner Seite.

»Ich hoffe, ich habe Gelegenheit, Sie kennen zu lernen. Ich bin noch nie einem König begegnet. Einem Prinzen schon, aber wir haben uns nicht besonders gut verstanden.«

»Wir werden uns bestimmt begegnen. Die Insel ist nicht allzu groß, und es wird mir ein Vergnügen sein, Ihnen alles über Tory zu erzählen.«

»Ist die Unterkunft ein Problem? Ich habe gelesen, dass es auf der Insel keine Hotels gibt.«

»Nein, wir haben jetzt eins. Und um diese Jahreszeit ist es nicht voll. Werden Sie Ihren Kühlschrank mitbringen?«

»Natürlich.«

»In diesem Fall werden wir Sie beide herzlichst bei uns aufnehmen.«

Für einen König schien er ganz in Ordnung zu sein. Ich fragte mich, ob es irgendeine Möglichkeit gab, in die königliche Familie einzuheiraten.

»Sie haben nicht zufällig eine unverheiratete Tochter, oder?«

»Doch, habe ich. Sie heißt Brida.«

»Wie alt ist sie?«

»Sie ist zwanzig.«

»Hmmmmm. Dann freue ich mich darauf, Sie beide kennen zu lernen.«

Die Hin- und Rückreise zum örtlichen Laden hatte mich vierzig Minuten gekostet und war ziemlich anstrengend gewesen. Immerhin hatte sie sich gelohnt. Beim Frühstück konnte Rolf der Versuchung nicht mehr widerstehen und stellte mit seinem völlig unverständlichen Akzent eine Frage.

»Wie bitte?«

Cait schritt ein. »Wozu ist der Blumenstrauß?«

»Oh, ach so! Entschuldigung, Rolf! Nun, er ist für die Königstochter. Ich plane, in die königliche Familie einzuheiraten.«

Dies rief mehr Belustigung hervor, als meiner Meinung nach gerechtfertigt war. Andy ließ durchblicken, dass ich dafür nicht gut genug sei, Cait verkündete, dass die romantische Liebe noch nicht ausgestorben sei, und Rolf rundete alles ab, indem er behauptete: »Wenn ihr dein Kühlschrank gefällt, gehört sie dir.«

Ich hoffte, dass er Recht hatte. Ich hatte schon vierzig Minuten Freizeit in dieses Projekt investiert und baute darauf, dass das genügen würde.

Bald wandte sich die Unterhaltung den maritimen Traditionen der örtlichen Fischer zu, von denen mich einige Aspekte stark beunruhigten. Vor vielen hundert Jahren hatten die Fischer in dieser Gegend den schönen Brauch eingeführt, *niemanden zu retten, der ins Wasser fiel.* Das hatte nichts mit der kleinlichen Vorstellung »Du bist selbst reingefallen, jetzt sieh zu, wie du selbst wieder rauskommst« zu tun, sondern mit dem Aberglauben, dass jede Begegnung mit der See vorherbestimmt sei und jeder Rettungsversuch eine Behinderung des Schicksals und des natürlichen Gangs der Dinge darstelle und nur dazu führen könne, dass die Tragödie einen selbst oder die eigene Familie ereilte. Wenn also ein Seemann Pech hatte und über Bord fiel, eilten ihm die Kollegen nicht etwa zu Hilfe, sondern stellten sich vermutlich an die Bordwand und riefen ihm zu: »Wirf uns deine Uhr herüber!« oder »Kann ich deinen Esstisch haben?«.

Zu diesem gefährlichen Brauch gehörte auch die Überzeugung, dass man sich schon durch bloßes Schwimmen dem göttlich sanktionierten Recht der See, einem das Leben zu nehmen, widersetzte. Bis heute konnte daher, zumindest laut Andy, Cait und Rolf, die Mehrheit der örtlichen Fischer nicht schwimmen. Ich fand diese interessante Eigenheit nicht faszinierend, sondern sah darin den eindeutigen Beweis dafür, dass diese Leute nicht geeignet waren, mich über dieses trügerische Stück Wasser hinweg zu eskortieren. Ich wollte Seeleute, die schwimmen konnten, und mir war auch kein fanatischer Hass auf Schwimmwesten eingeimpft worden. Ich hatte ein sanftes Abenteuer geplant, bei dem ich höchstens den Verlust von ein bisschen Würde riskierte. Das mit der Lebensgefahr ist was für Bergsteiger und Polarforscher, die so was auf sich nehmen, weil sie schüchtern und verklemmt sind. Wenn ich auf meiner Reise unnötige Risiken hätte auf mich nehmen wollen, hätte ich dafür gesorgt, dass mich Mark Thatcher fährt.

Nachdem diese Offenbarungen mich ziemlich ernüchtert hatten, kehrte ich in mein Zimmer zurück, um zu packen. Ich suchte die paar Dinge zusammen, die ich brauchen würde, öffnete die Kühlschranktür, stopfte die Sachen hinein und verwandelte den Kühlschrank so in eine Reisetasche. Auf dem Weg zum Kai wurde ich von einem neugierigen Fischer angehalten, der mit Interesse beobachtet hatte, wie ich mich ihm lärmend näherte.

»Ist das ein Kühlschrank?«, fragte er.

»Ja.«

»Und für wen sind die Blumen?«

»Die sind für die Tochter des Königs von Tory.«

Er schaute mich an, als hätte ich den Verstand verloren. Es war unmöglich zu erkennen, welche der beiden Informationen seinen verblüfften Gesichtsausdruck hervorgerufen hatte. Aber ich hatte so meine Befürchtungen.

Rory McClafferty und sein Boot legten Punkt elf ab. Das war das erste Mal in über vierhundert Jahren, dass in diesem Teil der Welt jemand etwas genau zum angekündigten Zeitpunkt tat. Eine kleine Menschenmenge hatte sich zu meinem Abschied versammelt: Cait, Rolf und Andy und Jean und ihre drei kleinen Kinder, die ich bisher, gemäß einer vorteilhaften Umkehrung des Spruchs, wonach man »Kinder sehen, aber nicht hören soll«, nur gehört, aber nie gesehen hatte. Der Kühlschrank und die Blumen wurden von der verdutzten Mannschaft unter Beifallsrufen meines Abschiedskomitees an Bord genommen. Die beiden so wertvollen Dinge wurden ohne Zeremoniell auf einem Haufen Schlackensteine abgeladen und wirkten dort genauso fehl am Platz, wie auch ich mich fühlte. Wir legten gleich darauf ab, denn einer der Vorteile des Glaubenssystems der Fischer war es, dass man keine Zeit darauf verschwenden musste, den Leuten zu erzählen, wo die Schwimmwesten verstaut waren. Es herrschte stillschweigendes Einverständnis darüber, was im Notfall zu tun war: Geht das Schiff unter, ertrinke!

Beim Auslaufen aus dem Hafen von Bunbeg muss man eine Reihe schmaler, sehr schöner Kanäle durchfahren, bevor man die offene See erreicht. Zum ersten Mal schien richtig die Sonne, und London schien mir Lichtjahre entfernt. Als ich das Boot und meinen Kühlschrank und den Blumenstrauß auf diesem betrachtete, war ich mit mir und dem, was ich gerade aus meinem Leben machte, zufrieden. Ich wusste, dass diese Einschätzung einer genaueren Untersuchung nicht standhalten würde, aber es gab um mich herum niemanden, der solch eine genauere Untersuchung vornehmen wollte. In dieser Hinsicht hatte ich also Glück, und ich hatte Gelegenheit, die Vorstellung zu genießen, dass alles großartig war und niemand daran zweifelte.

Die ersten 45 Minuten unserer Reise verbrachten wir damit, uns zwischen kleinen, mit verfallenen Häusern gesprenkelten Inseln hindurchzuschlängeln. Wie Rory mir mitteilte, wohnte seit zwanzig Jahren niemand mehr auf ihnen, und dies hatte ironischerweise damit zu tun, dass sie dem Ufer so nahe waren. Weil es so leicht zu erreichen war, fuhren die Bewohner der Inseln abends oft in ihren primitiven Ruderbooten, den ›Currachs‹, zum Festland, um sich dort zu amüsieren. Anschließend versuchten sie, völlig betrunken die Rückreise anzutreten. Nun neigt ein Betrunkener schon auf der Terra firma zum Hinfallen, kommen aber noch kabbeliges Wasser, die Unfähigkeit, zu schwimmen, und eine Schiffsmannschaft, der es auffällig an Lebensrettungsmedaillen mangelt, hinzu, ist das Ergebnis eine zwar durchschlagende, aber irgendwie auch sehr endgültige Methode, einen Kater zu kurieren. Es ereigneten sich so viele Todesfälle, dass die irische Regierung schließlich die Inselbewohner zwang, auf das Festland zu ziehen, aber draußen auf Tory, wo die Betrunkenen ohne schlimme Folgen in die Straßengräben taumelten, ging das Inselleben munter weiter.

Vorsichtig stellte ich mich an die Reling und betrachtete voll Respekt die See, deren trübe, tiefschwarze Farbe, in der sich der blaue Himmel über uns nicht spiegelte, mich ein bisschen verwirrte. Vielleicht hatte sie sich entschieden, einen Farbton anzunehmen, der besser zu den vielen Leichen in ihrer Vergangenheit passte.

Schon bald wurde ein winziger Fleck, bei dem es sich um Tory Island handelte, am Horizont sichtbar. Er wurde größer und größer, bis man endlich nah genug war, um zu sehen, wie klein er war. Fünf Kilometer lang und einen Kilometer breit. Rory stand im Heck und steuerte uns in den Hafen, und ich stand neben ihm und schaute über seine Schulter auf eine Karte der Insel. Eine ›East Town‹ und eine ›West Town‹ waren eingezeichnet, obwohl nicht mehr als ein paar hundert Meter zwischen ihnen liegen konnten. Ich stellte mir die Zeichen am jeweiligen Stadtrand vor:

East Town
(Partnerstadt von West Town)
Bitte gehen Sie vorsichtig!

West Town
(Partnerstadt von East Town)
West Town freut sich über vorsichtige Fußgänger

Wir legten am Ende eines verlassenen Piers an, und ich stellte zu meiner Enttäuschung fest, dass mich kein königliches Begrüßungskomitee empfing, keine schöne, sexuell ausgehungerte Prinzessin, die darauf wartete, von einem Ritter in glänzender Rüstung umworben zu werden (oder von einem Mann mit einem Kühlschrank – je nachdem, wer zuerst kam). Ein paar schmuddelig aussehende Inselbewohner tauchten schließlich aus einem der vier Häuser der Metropole, die vor uns lag, auf und begannen, auf Gälisch mit Rory und seiner Mannschaft zu sprechen. Einer von ihnen half mir dabei, den Kühlschrank ans Ufer zu schleppen, und ich nutzte die Gelegenheit, um ein paar Informationen einzuholen.

»Ich suche Patsy Dan, den König von Tory.«

»Ah ja.«

»Ich dachte eigentlich, er wäre hier, um mich zu begrüßen.«

»Vielleicht leidet er noch an den Folgen der gestrigen Sauferei.«

»Er trinkt ganz gerne, was?«

»Das habe ich nicht gesagt.«

Der Mann lächelte, sprang an Bord und begann, Schlackensteine an seinen extrem abschreckend aussehenden Kollegen weiterzureichen. Ich hatte keine Ahnung, ob es auf der Insel Inzucht gab, aber wenn man das behaupten wollte, dann würde man diesen Kerl als überzeugendstes Indiz heranziehen. Ich wandte mich daher wieder an den Kerl, mit dem ich gerade gesprochen hatte, denn ich nahm an, dass es sich bei ihm mit geringerer Wahrscheinlichkeit um einen Mörder handelte.

»Wann fährt Patrick Robinson mit den Amerikanern zurück?«

»Oh, der ist vor einer Stunde gefahren.«

»Was?«

»Ich würde sagen, dass er ungefähr vor einer Stunde gefahren ist.«

»Ich dachte, er würde erst morgen fahren.«

»Nun, die Amerikaner haben beschlossen, dass sie schon heute fahren wollen.«

Ich blickte mich auf diesem winzigen, düsteren Außenposten der Zivilisation um und konnte nachvollziehen, wie dieser plötzliche Sinneswandel der Amerikaner zustande gekommen sein mochte. Die Grenze zwischen friedlich, abgelegen und klein oder richtiggehend langweilig ist sehr dünn, und für die Amerikaner war sie offenbar überschritten worden.

»Es wird morgen also niemand zum Festland zurückfahren?«

»Das erste Boot morgen wird das Postboot mittags sein. Falls es fährt.«

Verflucht. Ich konnte also entweder sofort mit Rory zurückfahren, sobald der seine Steine ausgeladen hatte, oder ich blieb über Nacht und ließ Antoinette und ihren Kollegen bei RTE im Stich.

»Rory, wie lange brauchst du, um die Steine auszuladen?«, rief ich Rory zu.

»Ungefähr eine halbe Stunde, würde ich sagen.«

So kurz nur? Nach all den Schwierigkeiten, die ich gehabt hatte, um nach Tory Island zu gelangen, sollte ich hier nur dreißig Minuten bleiben? Das wäre lächerlich. Und dann war da ja noch diese andere Sache. Prinzessin Brida. Würde es tatsächlich möglich sein, sie in so kurzer Zeit zu heiraten? Ich bezweifelte es. Ich schaute auf meine Uhr und sah, dass es eins war.

»Rory! Patrick Robinson ist schon weg, deshalb würde ich gerne mit dir zurückfahren, wenn ich kann, aber wenn ich nicht bis halb zwei zurück bin, heißt das, dass ich doch nicht mitkomme.«

Er nickte und tat sein Bestes, damit es nicht so aussah, als wäre es ihm scheißegal.

Die Einwohner dieser winzigen, abgelegenen Insel müssen im Laufe der Zeit schon eine Menge seltsamer Dinge gesehen haben, aber hatten sie schon jemals etwas so Eigenartiges beobachtet wie die Ankunft eines Mannes, der ein Wägelchen mit einem Kühlschrank hinter sich herzieht und einen Blumenstrauß in der Hand hält? Die paar Leute, die in der Nähe des Kais standen, hielten in ihrer jeweiligen Beschäftigung inne und starrten mich an, vollkommen unfähig, zu erschließen, welche Verkettung von Umständen dazu geführt haben mochte, dass gerade diese beiden Gegenstände zusammen transportiert wurden.

Ich musste Patsy Dan finden, und die Blumen mussten die Prinzessin erreichen. Mein Gepäck und ich kamen vor einem alten Mann zum Stehen, der uns mit offenem Mund angaffte, als würden an seinem Unterkiefer Gewichte hängen.

»Wissen Sie, wo Patsy Dan ist?« Eigentlich sagte ich »yer man Patsy Dan«, und dieses »yer man« hatte ich mir erst vor kurzem angewöhnt als freundliche Verbeugung vor dem lokalen Dialekt.

Er musterte mich und meinen Besitz und kurbelte langsam den Kiefer hoch, bis dieser wieder zum Rest seines Gesichts stieß.

»Patsy Dan? O ja, der ist sicher nicht weit.«

Das war die eine Sache, die man mit Sicherheit von jedem auf der Insel behaupten konnte.

»Ist er zu Hause?«

»O ja, ich schätze schon.«

»Wo wohnt er denn?«

Der Mann gab mir eine genaue Wegbeschreibung und beäugte dabei immer wieder verstohlen meinen Kühlschrank und den Blumenstrauß, fühlte sich aber offenbar nicht in der Lage, die Frage nach dem Grund für ihre Anwesenheit auf der Insel anzuschneiden.

»Wie lang dauert es, dorthin zu kommen?«

»Och, ich würde sagen, so sechs oder sieben Minuten.«

Ich nahm an, er hatte die Tatsache mit eingerechnet, dass ich ein bisschen durch den Kühlschrank, den ich hinter mir herzog, gebremst wurde. Sechs oder sieben Minuten hin und sechs oder sieben Minuten zurück. Damit blieb mir weniger als eine Viertelstunde, um die Prinzessin für mich zu gewinnen. Ich machte mir nicht viel Hoffnung. Selbst wenn sie Prinzessin Hastig geheißen hätte, wäre es ein ganz schönes Stück Arbeit gewesen. Andererseits könnte ich ja übernachten …

Während ich den Kühlschrank die buckelige Schotterpiste hochzog, die zu der Königsresidenz führte, beschloss ich, außer die Prinzessin würde mich umstimmen, mit Rory McClafferty zurückzufahren. Die Sonne strahlte noch immer, aber von der Insel ging eine Trostlosigkeit aus, die alles andere war als die Einladung, ein bisschen zu bleiben und das Leben zu genießen.

Ein Mann in einer Arbeitshose, der wie ein Statist aus *Die Waltons* aussah, bestätigte mir, dass ich den Anweisungen des alten Mannes richtig gefolgt war.

»Das stimmt. Er wohnt gleich dort drüben«, erklärte er stolz.

Falls König dieser Insel zu sein überhaupt irgendwelche Vorteile mit sich brachte, dann gehörte der, eine besonders gute Behausung zur Verfügung gestellt zu bekommen, nicht dazu. Ich blickte auf einen weißen Bungalow, den einiges von einem Palast unterschied. Ich klopfte an die Tür, und Sekunden später erschien ein untersetzter, robust wirkender Mann mit einem blonden Schnurrbart und einer spitz zulaufenden Mütze anstelle einer Krone.

»Hallo, sind Sie Patsy?«

»Ja, das bin ich.«

»Patsy, ich bin Tony Hawks.«

»Ah – failte, failte!«

Ich vermutete, dass »failte« das gälische Wort für »Willkommen!« war, aber es hätte genauso gut »Verschwinde!« heißen können. Falls dem so war, muss Patsy von meiner schlagfertigen Replik beeindruckt gewesen sein: »Danke.«

Mutig fuhr ich fort. »Ich habe Blumen für Ihre Tochter dabei, denn sie ist eine Prinzessin, und Prinzessinnen haben Blumen verdient.«

»Oje. Sie ist nicht auf der Insel. Sie ist heute Morgen gefahren und bleibt ein paar Tage auf dem Festland.«

Man sagt, dass Timing das Geheimnis einer guten Komödie ist. Es kann auch auf anderen Gebieten von Vorteil sein.

»Sie wäre hier gewesen, aber sie ist mit Patrick Robinson mitgefahren, weil die Amerikaner früher zurückwollten«, erläuterte Patsy.

Das entschied es. Ich würde mit Rory fahren.

»Nun, dann kriegen Sie die Blumen, Patsy. Oder geben Sie sie Ihrer Frau. Die Königin soll sie haben.«

»Du meine Güte, danke. Vielen Dank.«

»Es ist schade, dass Ihre Tochter nicht hier ist. Ich hatte gehofft, sie zu heiraten und ein Prinz zu werden.«

»Du meine Güte, nun, ich glaube nicht, dass das so einfach wäre. Sie würden eine Menge reden müssen. Und dann die vielen Sitzungen und so weiter. Wollen Sie eine Tasse Tee?«

Ich hatte das Gefühl, dass mir diese ersatzweise angeboten wurde.

»Ich habe nur Zeit für ein schnelles Tässchen, dann muss ich wieder runter zum Pier, sonst fährt das Boot ohne mich los.«

Und so tranken wir den Tee in der engen Küche des Palasts

und verwendeten fünf Minuten darauf, uns in herzlicher Atmosphäre über das Leben der Insulaner und deren Kampf, auf Tory bleiben zu dürfen, zu unterhalten, denn in den 70er und 80er Jahren tat die irische Regierung ihr Möglichstes, um sie zum Verlassen ihrer Heimat zu bewegen. Noch vor nicht allzu langer Zeit hatten die Straßen über offene Abwasserrinnen verfügt, und heißes Wasser und Elektrizität waren Errungenschaften der letzten zwanzig Jahre. Wir sprachen darüber, wie Patsy Dan König geworden war. Die Geschichte war die, dass nach dem Tod des letzten Königs dessen Sohn das Amt abgelehnt hatte, weil es zu viel Verantwortung mit sich brachte. Patsy hatte den Posten vor allem deshalb bekommen, weil niemand sonst auf der Insel ihn haben wollte. Keine langwierigen, blutigen Auseinandersetzungen, stattdessen ein Haufen gefälschter Atteste und immer neue Versionen von Ausreden, die man seit jeher benutzt hat, um sich in der Schule zu drücken, und die hier schlau variiert wurden, um dem Thron zu entgehen: »Es wäre mir eine Ehre, König zu werden, aber ich habe eine Warze, und außerdem erlaubt mir meine Mutter nicht, etwas Metallisches wie eine Krone auf dem Kopf zu tragen, weil ich davon Migräne kriege.«

Bei mehreren Gelegenheiten beugte sich Patsy zu mir, um einen Punkt besonders zu betonen, und ein Hauch von seinem Atem verriet mir, dass seine Vorliebe einem etwas stärkeren Getränk als Tee galt. Ich schaute auf die Uhr und staunte, dass ich schon soviel Alkohol in seinem Atem riechen konnte, obwohl es erst zwanzig nach eins war. Zwanzig nach eins! Ich musste los. Ich sprang auf, und mein Magen stieß ein lautes Grummeln aus, fast so, als wolle er ein gleichgültiges Hirn daran erinnern, dass er eher ziemlich bald etwas Essen brauchen würde. Als mir klar wurde, dass zwei weitere Stunden auf See unmittelbar vor mir lagen, ließ ich den Blick über die Arbeitsplatte der Küche streifen, bis er an einer Obstschale hängen blieb.

»Könnte ich vielleicht einen Ihrer Äpfel haben?«, fragte ich den König. (Ich möchte mich für diesen letzten Satz entschuldigen, der wie ein Zitat aus einem Kinderbuch klingt, aber genau das waren meine Worte.)

»Du meine Güte, ja, bedienen Sie sich!«

Ich nahm einen Apfel, der sich wie der Inbegriff all dessen, was ich hier erreicht hatte, anfühlte. Ich entschuldigte mich für meinen lächerlich kurzen Aufenthalt, und Patsy entschuldigte sich dafür, dass er mich nicht bei meiner Ankunft am Pier empfangen hatte. Wir posierten rasch für ein Selbstauslöserfoto vor dem Palast, aber unser endgültiger Abschied wurde aufgeschoben, denn Patsy bestand darauf, mich zum Boot zu bringen, und nahm es auf sich, den Kühlschrank für mich zu ziehen, damit ich mich, wie er sich ausdrückte, »von ihm erholen« konnte. Er war von Bewunderung für mein Kühlschrank-Abenteuer erfüllt, und das vor allem deshalb, weil er, obwohl ich es ihm zweimal auszureden versucht hatte, überzeugt war, dass ich um Irland herum*wanderte*. Als wenn ich mich je auf so eine blödsinnige Unternehmung einlassen hätte!

Während der Kühlschrank zufrieden den Hügel zum Meer hinabratterte, freute ich mich darüber, wie die Audienz beim König verlaufen war. Sie war beträchtlich erfolgreicher gewesen als meine erste Begegnung mit jemandem von königlichem Geblüt, und außerdem hatte ich auch noch einen Apfel bekommen. Einen Apfel von der königlichen Tafel. Ich bedauerte nur, dass meine Unterredung mit dem König sich, was die Kürze betraf, fast mit der messen konnte, die ich mit dem Prinzen geführt hatte. Am Kai signalisierte ein riesiger Steinhaufen, dass die Abfahrt des Boots kurz bevorstand.

Patsy schüttelte mir die Hand und äußerte seine denkwürdigsten Worte: »Wissen Sie, Tony, ich mag zwar der ärmste König der Erde sein, aber ich bin glücklich.«

Das klang gut und ziemlich tiefsinnig. Selbstverständlich

könnte es sein, dass das nur eine Phrase war, die er für Touristen aufsagte, und die Wahrheit sah vielleicht ganz anders aus, aber als das Boot aus dem Hafen auslief und er lächelnd am Pier stand und winkte, fiel es mir nicht schwer zu glauben, dass er es besser als andere verstand, mit dem Leben, der Liebe und der Monarchie umzugehen.

9

Banditenland

Gary schien nicht viel Verständnis für meinen Wunsch zu haben, früh ins Bett zu gehen.

»Komm schon, sei nicht albern, wir trinken ein paar Bier«, erklärte er. »Ich hol dich um neun ab.«

»Aber ...«

Es war zu spät. Er war verschwunden, und er würde sicher zurückkommen.

Gary wohnte in Dublin und war dünn, um die dreißig und Toningenieur beim Fernsehen. Der Job als mein Fahrer für den nächsten Tag war ihm zuteil geworden, weil er hier in der Gegend gute Freunde hatte und jemandem bei *Live At Three* einen Gefallen schuldete. Bevor er bei mir eingetroffen war – angeblich, um »Hallo« zu sagen, eigentlich aber, um mich einzuladen, abends mit ihm in den Pub zu gehen –, hatte Antoinette mich angerufen und mir gesagt, dass ich unter keinen Umständen Gary erlauben dürfe, mich am Abend in den Pub mitzunehmen.

»Ja, das Gleiche hat sie mir auch gesagt«, erklärte Gary in seinem starken Dubliner Akzent, als er sich neben mich setzte und zwei Pint Bier auf einen der stabilen Tische des Hudi-Beags stellte.

»Was?«

»Sie hat gesagt, dass ich heute Abend unter keinen Umständen mit dir in den Pub gehen darf.«

»Ach so. Weißt du, wenn sie es nicht gesagt hätte, wäre ich

vermutlich gar nicht mitgekommen. Sie hat mich einfach neugierig darauf gemacht, wie viel Unheil du anrichten kannst.«

»Antoinette meint, ich würde bis zum Umfallen trinken und bestünde dann darauf, andere Menschen mit zu Boden zu reißen.«

»Und stimmt das?«

»Ja klar. Aber mach dir jetzt deshalb keine Sorgen, es sind noch Stunden bis dahin.«

Ich hatte das Gefühl, dass das »Houdini's« an diesem Abend seinem Namen gerecht werden würde.

Fünf oder sechs von Garys Freunden, von denen ich ein paar schon an jenem anderen Abend kennen gelernt hatte, als sie mir bei einem ruhigen Glas Bier die Benutzung eines Hubschraubers zu ermöglichen versucht hatten, stießen zu uns.

»Hast du es raus nach Tory geschafft?«, fragte einer von ihnen.

»Ja, danke.«

»Wie war der Flug?«

Auf ihren Gesichtern zeichnete sich deutlicher Unglauben ab, als sie erfuhren, dass mir kein Hubschrauber angeboten worden war.

Ein anderer Freund meldete sich zu Wort: »Hast du dich dort draußen amüsiert?«

»Ja, ich habe den König getroffen, und er hat mir einen Apfel geschenkt.«

»Gut. Dann war das alles ja nicht umsonst.«

Diese letzte Feststellung erfolgte ohne jedes Anzeichen von Sarkasmus, denn der Typ hatte mir einfach nicht zugehört und automatisch mit einer beruhigenden Floskel geantwortet. Ein paar der anderen wirkten ein bisschen amüsiert, als ich den Apfel erwähnte, schienen der Sache aber nicht weiter nachgehen zu wollen.

Gary erzählte, dass das Fernsehinterview auf einer Straße

gleich südlich von Armagh in Nordirland stattfinden würde. Anscheinend wurde am Morgen mit dem RTE-Sendewagen außerhalb von Newry gefilmt, und deshalb würden wir das Interview für das irische Fernsehen in einer Provinz des Vereinten Königreichs aufzeichnen. Das war ein wenig seltsam, und es bedeutete, dass ich dorthin zurückfahren würde, wo ich herkam, aber ich lernte, dem Fluss der Dinge zu folgen und nichts grundsätzlich in Frage zu stellen. Als das Thema Nordirland zur Sprache kam, wurde kurz über die »Troubles«, den dortigen Bürgerkrieg, diskutiert, und Gary offenbarte, dass er zu diesem Thema ziemlich eindeutige Ansichten hegte. Obwohl er kein offener Feind der Briten war, kam ich zu dem Schluss, dass ich dieses Problem lieber nicht mit ihm besprechen sollte, wenn wir noch ein paar mehr Pints intus hatten.

Die Hintergrundmusik zu unserer Unterhaltung lieferte Dave, ein Betrunkener, dessen Trunkenheit ihn glauben machte, er könne sich des gesamten Repertoires irischer Volkslieder erinnern und dies sei der Ort und der Zeitpunkt, sie einem Publikum zu Gehör zu bringen. Er hatte das Glück, ein gutmütiges und geduldiges Publikum zu haben. Es war ganz offensichtlich nur eine Frage der Zeit, bis dieser musikalische Marathon ein Ende haben und Dave leblos über einem Barhocker hängen würde, aber noch wollte er die Ziellinie nicht überqueren. Nicht, so lange er mit dieser letzten, schier unendlichen Runde in den anderen noch ein kleines bisschen Unwohlsein hervorrufen konnte. In dieser Hinsicht war er selbstlos.

Ich wollte nicht, dass sich dieser Abend bis tief in die Nacht hinzog, aber Gary hatte andere Pläne, und als das Pub zumachte, verkündete er: »Gehen wir noch runter zu Dodge's und besaufen uns so richtig!«

»Nein, ich muss jetzt wirklich gehen«, erwiderte ich, denn ich ahnte, dass Dodge's keinen besonders kultivierten Abschluss des bisherigen Abends bedeuten würde. Naiverweise suchte ich bei den anderen nach Zustimmung. Die fand ich dort aber nicht. Stattdessen wurde eine ganze Breitseite von Kommentaren auf mich abgefeuert, die meine Absicht, nach Hause zu gehen, nicht unbedingt unterstützte.

»Tony, es passt überhaupt nicht zu einem Mann, der mit einem Kühlschrank rund um Irland reist, jetzt einfach ins Bett zu gehen.«

»Ich weiß, ich weiß, es ist nur so, dass ich wirklich müde bin, und ...«

»Jaja, blah blah, das wissen wir, aber wir müssen doch noch einen für den Heimweg zu uns nehmen.«

»Ich brauch ein bisschen Schlaf, wirklich.«

»Dann stimmt es also, dass alle Engländer Weicheier sind?«

»Es tut mir Leid, aber heute Abend bin ich eins, leider.«

Ich stand auf in der Hoffnung, dass mir das helfen würde, aber Gary reagierte schnell: »Setz dich verdammt noch mal, du gehst nirgendwo hin!«

Ich gehorchte. Ich war im Houdini's, und meine Künste als Entfesselungskünstler genügten seinen Anforderungen nicht ganz. Am Ende sorgte aber meine eigene trunkene Verwirrtheit für meine Befreiung. Ich erhob mich wieder, wandte mich Gary zu und versuchte, entschlossen zu wirken.

»Ich werde jetzt gehen. Ich sehe dich dann morgen, James.«

James. Ich hatte ihn James genannt. O ja, es war verständlich, dass ich am Ende eines langen Abends einen Namen verwechselte, aber warum musste ich mich bei all den falschen Namen, die mir zur Verfügung standen, ausgerechnet für James entscheiden? Garys Gesichtsausdruck schien sich zu verändern, und mich überfiel für einen Augenblick die Befürchtung, er glaube, mein Fehler sei ein Freudscher Versprecher und ich sähe in ihm einen James, einen unterwürfigen irischen Diener und meinen Chauffeur für den nächsten Morgen. Ich meinte, plötzlich an die Figur des alten englischen

Großgrundbesitzers zu erinnern, großmütig vielleicht, aber trotzdem ein Symbol für Jahrhunderte der Ungerechtigkeit.

Die Müdigkeit hatte mich paranoid gemacht. Alle lachten, und obwohl Garys Benehmen vielleicht auf eine leichte Verstimmung schließen ließ, so schlug er mit seinem Schlusswort doch einen ziemlich freundlichen Ton an. Es brachte mir auch die Freiheit.

»Tony, nachdem du mich James genannt hast, solltest du wirklich nach Hause gehen.«

Der Weg nach Hause war genau der, den ich drei Tage zuvor, als ich gerade in Bunbeg angekommen war, zurückgelegt hatte. Er hätte mir jetzt, ohne Rucksack und Kühlschrank, leichter fallen sollen, aber irgendwie schien die Strecke weiter, denn der Zick-Zack-Kurs eines Mannes, der seinen physischen Tiefpunkt erreicht hat, verdoppelte die Entfernung bestimmt. Als ich wieder am Hafen war, setzte ich mich an den Kai, schaute zu den Sternen hoch und dann hinunter auf das schimmernde Wasser, wo die grünen und roten Lichter der Hafeneinfahrt dieser Szenerie, die wie geschaffen für einen Schwarzweißfilm über das idyllische Landleben wirkte, ein paar Technicolor-Tupfer verliehen. Ich stellte fest, dass es mir hier gefiel, und fühlte mich all jenen verbunden, die aus Irland nach London oder New York oder irgendwo anders hin ausgewandert waren, aber trotzdem eine unbeirrbare Liebe für dieses, ihr herrliches, unverfälschtes Vaterland bewahrt hatten. Ich rülpste laut, was meine romantischen Träumereien zu einem ziemlich vulgären Abschluss brachte, und erinnerte mich daran, dass man morgens den klarsten Kopf hat und dass nachts zu schlafen schon immer das Vernünftigste gewesen ist.

Um halb neun erwachte ich mit einer Erektion. Dafür gab es keinen Grund. Ich befand mich nicht in Gesellschaft einer schönen Frau, und ich war durch mein Erwachen auch nicht aus einem erotischen Traum gerissen worden. Es war einfach der Weg, den mein Körper wählte, um dem neuen Tag zu salutieren. Dieses Phänomen der ungewollten, unnötigen und oft genug unansehnlichen Erektion ist ohne Zweifel ein Programmierungsfehler Gottes. Insgesamt hat Gott ganz gute Arbeit geleistet, als er die Meere, die Wolken, die Winde, den Schnee, die Wale, die Tiger und die störrischen Schafe schuf. Es war eine enorme Aufgabe, und keiner wird leugnen, dass der Allmächtige Großes vollbracht hat. Aber auf einem bestimmten Gebiet, bei der äußeren Gestaltung und der technischen Funktionsweise des menschlichen Penis, hat er geschlampt. Gott, der Glückliche, war niemandem Rechenschaft schuldig, aber wenn er es doch gewesen wäre, wie hätte dann sein Zeugnis ausgesehen?

Erdkunde ... 1 Ausgezeichnet. Besonders gut sind die Ox Box Lakes gelungen.

Geschichte ... 1 Sehr gut. Hättest du die Zeit nicht geschaffen, wäre dies eine Freistunde geworden.

Mathematik ... 1 Es scheint alles aufzugehen.

Englisch ... 1 Gut, aber du hättest dafür sorgen können, dass die Engländer besser im »eine Szene machen« sind.

Religion ... 2+ Du hättest ein bisschen deutlicher zeigen können, welches der richtige Weg ist. Aber die meisten Menschen scheinen dich auch so anzubeten, also hast du es offenbar doch hinbekommen.

Biologie ... 5 Der Entwurf des menschlichen Penis ist schlecht. Bitte komm nach dem Unterricht zu mir!

Nach dem Frühstück rief die *Gerry Ryan Show* an und fragte, ob ich sie rasch darüber informieren könne, wie ich vorankam. Anscheinend waren Gerrys Zuhörer aufs Äußerste gespannt und wollten endlich wissen, ob ich nach Tory gekommen war oder nicht. Ich gab alle Neuigkeiten weiter und erzählte Gerry, dass ich mich heute auf den Weg nach County

Sligo machen würde, wobei ich praktischerweise zu erwähnen vergaß, welch ungewöhnliche Route ich einschlagen würde, um dorthin zu kommen.

»Wirst du dir morgen das englische Cup-Final anschauen?«, fragte er.

Das hatte ich ganz vergessen.

»Ja, würde ich gerne. Zeigen sie es hier im Fernsehen?«

»Ja. Ich bin mir sicher, du und dein Kühlschrank, ihr werdet einen geeigneten Pub finden. Ich wünsch dir ein schönes Wochenende, okay?«

»Ja, ich dir auch, Gerry.«

Ich war angenehm überrascht, als Gary mit nur einer halben Stunde Verspätung auftauchte. Er verkündete stolz, dass er erst um halb sieben ins Bett gegangen sei. Mein Auftritt bei *Live At Three* hing ganz davon ab, dass Gary »Alive at Ten Thirty«, also um halb elf lebendig war, und die Chancen dafür konnten um sechs Uhr morgens bestenfalls fifty-fifty gestanden sein. Ich betrachtete ihn eingehend. Er wirkte hager und ausgemergelt. Alkohol pulste durch seine Adern. Ich begann, mir zu wünschen, ich hätte tatsächlich einen Fahrer namens James mit Bonbons im Handschuhfach, einer Thermoskanne mit Tee und einer Decke auf dem Rücksitz. Stattdessen hatte ich einen Wilden, der dafür sorgen wollte, dass ich in die Verkehrsunfallstatistik einging.

»Dann bau dich mal auf!«, krächzte er mit einer Stimme, die eine Oktave tiefer war, als ich in Erinnerung hatte.

Am Abend vorher waren wir darin übereingekommen, dass es falsch wäre, wenn ich mich von Gary mitnehmen lassen würde, ohne dafür »gearbeitet« zu haben. Während Andy seine Familie für eine formelle Abschiedsszene zusammentrommelte, fuhr Gary daher davon, um zu wenden, und ich baute mich am Straßenrand auf und hielt wie gewohnt den Daumen raus.

Sekunden später stoppte ein Auto. Das Fenster wurde runtergekurbelt und ein hagerer, ausgemergelter Mann, durch dessen Adern Alkohol zu pulsieren schien, rief mir zu: »Wo willst du hin?«

»Ich bin auf dem Weg nach Nordirland, südlich von Armagh.«

»Das trifft sich gut: Ich auch. Steig ein!«

Du meine Güte, welch glücklicher Zufall!

Ich war traurig, als ich Andy, Jean und die Kinder verlassen musste, denn Bunbeg House war während dreier ereignisreicher Tage und Nächte mein Zuhause gewesen. Andy hatte mich nicht für mein Zimmer zahlen lassen und akzeptierte erst nach langem Kampf etwas Geld für die Telefonrechnung, von der ich befürchtete, dass sie sich wegen der Hubschrauber-Aktion verdoppelt hatte. Als Gary mich die schmale Straße hochfuhr, mit der ich jetzt so vertraut war, kam uns ein Lieferwagen entgegen, auf dem Donegal-Sanitär-Service stand, und mich überkam Stolz, denn wenn ich auch sonst nicht viel erreicht hatte, so würde zumindest eine funktionierende Dusche auf Zimmer 6 als bleibendes Vermächtnis an mich erinnern.

Gary vertraute mir die Straßenkarte an, war aber wenig auskunftsfreudig, als ich nach unserem genauen Ziel fragte.

»Bring uns einfach nach Armagh. Über den Rest machen wir uns später Sorgen. Ich habe irgendwo ein Fax mit den genauen Angaben.«

Ich schlug eine Route vor, die Gary mit beunruhigender Sorglosigkeit akzeptierte. Er wollte sich ganz auf seine Hälfte der Abmachung konzentrieren, nämlich das Fahren. Ich hoffte, dass er dazu in der Lage war.

»Bist du nicht kaputt?«, fragte ich.

»O nein, mir geht's großartig. Ich brauch bloß dreieinhalb Stunden Schlaf.«

Gary war ein energischer Fahrer. An seiner Windschutzscheibe hätte ein Schild kleben sollen, auf dem »Keine Zugeständnisse« stand, denn er ging auf der Suche nach der kürzesten Verbindung zwischen zwei Punkten keine Kompromisse ein und nahm weder auf die Verkehrsregeln noch auf das Wohlergehen seines Passagiers Rücksicht. Die Tatsache, dass es sich um einen Mietwagen handelte, machte alles noch schlimmer, denn Gary war der künftige Zustand des Fahrwerks egal, was dazu führte, dass ich mit halsbrecherischer Geschwindigkeit über die Straßen Donegals jagte, um ein Fernsehteam zu treffen, oder – falls er diesem zuvorkam – meinen Schöpfer.

Die Landschaft zog zwar schneller vorüber, als mir recht war, aber ich wurde trotzdem ihrer wilden Schönheit gewahr, ganz gleich, ob es sich um die eindrucksvollen Errigal Mountains handelte, deren Quarzit-Kegel beinahe so aussah, als wäre er mit Schnee bedeckt, oder um die dramatischen Felsabbrüche und sumpfigen Böden eines Tals, das den ominösen Namen »Poisoned Glen«, »Vergiftetes Tal«, trägt. Als wir hindurchrasten, erzählte mir Gary etwas von einem rachsüchtigen britischen Grundbesitzer, der die Gewässer des Tals absichtlich vergiftet hatte, aber mir entgingen die Details, denn es war schwer, sich zu konzentrieren, während mit jeder Straßenbiegung die eigene Existenz erneut gefährdet wurde. Wir schnitten blind die nächste Kurve, und ich fürchtete, dass mein Auftritt bei *Live At Three* durch einen bei *Dead At Noon* ersetzt werden würde.

In Strabane änderten sich die Verkehrsschilder, und die Entfernungen wurden jetzt in Meilen statt in Kilometern angegeben, was bedeutete, dass ich auf britisches Hoheitsgebiet zurückgekehrt war. Dies war die Provinz Tyrone, und wir flitzten bald durch ihre Hauptstadt Omagh, in der der Stückeschreiber Brian Fiel geboren worden war. Sein Stück *Philadelphia, hier komme ich!* ist ohne Zweifel von dieser Umgebung inspiriert und hätte genauso gut *Jeder Ort außer Omagh, hier komme ich!* heißen können.

Es war wieder ein sonniger Tag mit nur ein paar Wolken. Trotzdem verstand ich nicht, warum mir so heiß war. Dann entdeckte ich den Grund.

»Gary, weißt du, dass die Heizung voll aufgedreht ist?«

»Ja, aber ich weiß nicht, wie man das Ding abstellt.«

Ich verwendete fünf Minuten meiner Zeit darauf und entdeckte lediglich, dass ich auch nicht fähig war, das Ding abzustellen. Ich griff auf den einzigen Bestandteil des Autos zurück, den ich verstand, und kurbelte das Fenster runter.

In Aughnacloy befanden wir uns wieder an der Grenze, und Gary machte einen kurzen Umweg, um mir eine Siedlung eingefleischter Anhänger der britischen Krone zu zeigen, wo die Bewohner es für angemessen erachtet hatten, die Pflastersteine mit Union Jacks zu bemalen. Um nicht zurückzustehen, hatten ihre Gegner in ihrer Siedlung die Gehwege mit irischen Flaggen geschmückt. Wenn doch dieser Konflikt überhaupt nur mit Pinseln ausgetragen würde!

Ich konsultierte die Karte und machte Gary darauf aufmerksam, dass Armagh jetzt gar nicht mehr so weit weg war. Er wies mich an, auf der Rückbank nach dem Fax mit den Details unseres Rendezvous zu suchen.

»Die Gegend südlich von Armagh ist natürlich eines der wenigen genau bestimmbaren Krisengebiete im Nordirlandkonflikt«, erklärte er. Ein angedeutetes Grinsen verriet, dass er das Kommende genießen würde. »Es ist Banditenland. Wir werden dort vermutlich viel Armee sehen, Hubschrauber in der Luft und so weiter. Hast du von dem Schild gehört, das sie in der Nähe von Crossmaglen aufgestellt haben?«

»Nein.«

»Es ist das Bild von einem bewaffneten Mann, unter dem ›Vorsicht, Scharfschütze‹ steht. Als die IRA-Anhänger es zum ersten Mal aufgestellt haben, hat die britische Armee es wieder entfernt. Da haben sie ein zweites gemalt und aufgestellt, und als auch das entfernt wurde, noch eins, und so ging es immer weiter, bis die Briten aufgegeben haben und es einfach hängen ließen.«

Das klang alles ziemlich beängstigend. Ich versuchte, die Stimmung aufzuheitern, indem ich vorschlug, dass die britische Armee ihr eigenes Schild aufstellen sollte, auf dem der Scharfschütze durchgestrichen war. Wer weiß, vielleicht würde es ja wirken. Bei »Rechtsabbiegen verboten« funktioniert es zumindest meistens.

Es muss seltsam gewirkt haben, wie ich meinen Hintern dem entgegenkommenden Verkehr entgegenstreckte, aber das war der unvermeidliche Nebeneffekt meines Wühlens auf der Rückbank. Ich konnte das Fax nirgends finden.

»Es muss im Kofferraum liegen«, sagte Gary voller Zuversicht, und so hielten wir mit dem Auto knapp außerhalb von Armagh an und durchwühlten gemeinsam den Kofferraum.

Kein Fax.

»Hast du unter dem Kühlschrank nachgesehen?«, fragte Gary.

»Nein, hab ich nicht, aber ...«

»Schau unter dem Kühlschrank nach. Ich wette, das verfluchte Fax ist unter dem verfluchten Kühlschrank.«

Wir schauten nach, und es war nicht da. Es war nirgends, weil der Mann, der nur dreieinhalb Stunden Schlaf brauchte, vergessen hatte, es in das verfluchte Auto zu packen. Er tat, als sei er unbesorgt.

»Ist schon in Ordnung, ich erinnere mich daran, dass Antoinette gesagt hat, der Treffpunkt liegt irgendwo an der Straße zwischen Armagh und Dundalk.«

Ich schaute auf die Karte.

»Aber Gary, so weit ich erkennen kann, gibt es zwei Straßen nach Dundalk: eine große Hauptstraße und die B31, die viel kleiner ist.«

»Die B31? Ich bin mir ziemlich sicher, dass sie die B31 erwähnt hat.«

Sein Gesichtsausdruck verriet eindeutig, dass er alles andere als »ziemlich sicher« war, was die Rolle der B31 in den weiteren Plänen für diesen Tag anging. Trotzdem nahmen wir diese Route, während mir langsam dämmerte, was hier vorging. Ich wurde in ein undeutlich umrissenes Gebiet Nordirlands transportiert in der vagen Hoffnung, dass wir dort zufällig auf einen Sendewagen stoßen würden, und der einzige Grund für die Annahme, dass wir vielleicht das richtige »undeutlich umrissene Gebiet« ansteuerten, waren die verschwommenen Erinnerungen eines übermüdeten Manns mit einem Kater. Es machte keinen Sinn, und ich bestand darauf, dass wir an einer Telefonzelle anhielten und das Büro von *Live At Three* anriefen.

Von einer Telefonzelle der British Telecom aus rief ich RTE in der Republik Irland an, was ein internationales Ferngespräch war, und eine nervöse Sekretärin gab mir die Adresse unseres Treffpunkts und eine Wegbeschreibung. Ich schaute auf die Uhr. Es war halb zwei. Wir hatten noch genügend Zeit, die Crew konnte nicht weit weg sein, und die Leute von RTE würden erst in einer Stunde in Panik geraten.

»Wir müssen zum Silverbridge Harp GAA Club. Dazu fahren wir auf der R177 von Armagh aus acht Kilometer Richtung Süden.«

Gary war jetzt der Hauptkartenleser, denn für seine lässigen Fahrkünste bestand im Moment kein Bedarf, da wir kein Ziel mehr hatten, das wir hätten ansteuern können. Er studierte die Karte und schüttelte frustriert den Kopf.

»Ich kann nirgends eine scheiß R117 finden.«

Ich nahm ruhig die Karte und war mir sicher, dass ich das Papier glatt streifen, auf einen bestimmten Punkt deuten und mit herablassendem Ton erklären würde: »Hier. Die R117.«

Und das hätte ich sicher auch getan, wenn ich irgendwo die scheiß R117 hätte entdecken können. Herrje, wo war sie? Den Grund dafür, dass wir diese Straße nicht finden konnten, erkannten wir erst viel später: Die Nummern und Buchstaben der Straßen ändern sich, sobald diese von der Republik Irland auf das Gebiet des Vereinigten Königreichs wechseln. Zu irgendeinem Zeitpunkt in der Vergangenheit muss eine der beiden Regierungen beschlossen haben, dass sich die kulturelle Identität einer Nation nur bewahren lässt, wenn sie ihre eigenen Nummern und Buchstaben für Straßen hat. Und gerechterweise muss man sagen, dass dieser Standpunkt verständlich ist, denn ich werde kaum britischen Stolz empfinden, wenn ich eine R117 entlangfahre, aber sobald ich auf der A29 bin, wird mich mit großer Wahrscheinlichkeit ein starkes Gefühl der Verbundenheit mit der Krone überkommen und ich werde zu einem vollkommeneren Menschen. Leider blieb Gary und mir diese Perle bürokratischer Weisheit verborgen, weshalb wir uns immer weiter verfuhren.

Einfach anzuhalten und nach dem Weg zu fragen, wäre für uns das Eingeständnis gewesen, dass wir nur über ein ungenügendes Orientierungsvermögen verfügten, und deshalb weigerten wir uns so lange wie möglich, das zu tun. Als wir bemerkten, dass wir nicht mehr auf der B31, sondern stattdessen in einem Gewerbegebiet außerhalb von Markethill waren, machten wir sowohl im konkreten wie im übertragenen Sinne kehrt: Wir wendeten, und wir änderten unsere Vorgehensweise. Wann immer ich mich mit einem Fahrzeug verirre, lande ich mit erschreckender Regelmäßigkeit in einem Gewerbegebiet. Normalerweise nehme ich den Anblick dieser bunten Fertigbauhallen zum Anlass, entweder hysterisch zu werden oder in Tränen auszubrechen. Diesmal bewies ich große Stärke und tat weder das eine noch das andere, denn ich vermutete, es könnte Garys Vertrauen untergraben, wenn ich offen weinen oder laute Schreie ausstoßen würde.

Nachdem wir der öden Welt des Gewerbes entkommen waren, suchten wir an der Stadtgrenze von Markethill Hilfe. Gary hielt am Straßenrand, und ich kurbelte das Fenster herunter, um nach dem Weg zu fragen. Ich sah mich einer Gruppe grimmig aussehender Arbeiter gegenüber, die gerade ordentlich mit ihrer Mittagspause zu tun hatten.

»Entschuldigen Sie bitte«, sagte ich und wurde mir plötzlich sehr meines englischen Akzents bewusst, »haben Sie vielleicht eine Vorstellung, wo der Silverbridge Harp GAA Club sein könnte?«

Sie sahen erst mich an, dann einander. Keiner antwortete. Gary wirkte nervös und beugte sich zu mir herüber.

»Schon gut, Jungs, tut mir Leid, dass wir euch belästigt haben.«

Er fuhr rasch weiter.

»Warum hast du das gemacht?«, fragte ich.

»Ich glaube, hier in der Gegend übernehme besser ich das Reden.«

Seine Argumentation klang ziemlich vernünftig. Seit den jüngsten Gewaltausbrüchen und der angeblichen Verwicklung britischer Truppen in diese war die Stimmung in den Wohngebieten der irischen Nationalisten äußerst gespannt, und wir befanden uns gerade mitten in einem von ihnen. Da der Silverbridge GAA Club ein gälischer Fußballverein war, dessen Fans Anhänger der irischen Einheit waren, könnte es verdächtig wirken, wenn jemand mit einem Akzent wie dem meinen dort einen Besuch machen wollte, erklärte Gary.

»Das ist eine ziemlich verschworene Gemeinschaft, und sie verfügen über die Möglichkeit, uns verfolgen zu lassen.«

Ich schluckte nicht, wollte aber gerne. Uns verfolgen? Und was dann? Würde man sich um uns »kümmern«? In einem mitleiderregenden Versuch, unbesorgt zu wirken, wechselte ich das Thema und sagte etwas, das unzweifelhaft verriet, aus welchem Land ich stammte.

»Ist es so heiß, oder bin ich das?«

»Natürlich ist es verflucht heiß, die Heizung ist voll aufgedreht, du Trottel.«

James wurde langsam wirklich arg vertraulich.

Die Sonne gewann ihre Schlacht gegen die Wolken und brannte mit einer ungewohnten Intensität auf uns herab, während Gary und ich, inzwischen potenzielle Ziele, in einer mobilen Sauna ziellos durch Banditenland kurvten. Die Reise hätte besser verlaufen können.

Ich schaute wieder auf meine Uhr. Es war 2 Uhr 25. Ich schätzte, dass sie bei RTE ungefähr jetzt in Panik ausbrachen. Ich sollte um 3 Uhr 5 als Erster in der Sendung interviewt werden. Wir waren uns nach wie vor sicher, dass dies kein Problem sein würde, vorausgesetzt, wir fänden die B78. Ich schaute auf die Karte.

»Ich bin mir ziemlich sicher, dass die B78 rechts von der Straße abzweigt, auf der wir jetzt sind«, erklärte ich mit der ganzen Zuversicht eines längst Verurteilten.

»Wie weit ist es noch bis zur Abzweigung?«

»Ungefähr zehn Kilometer.«

»Gut. Zeit, ein bisschen auf die Tube zu drücken.«

Diese erneute und erschreckende Entschlossenheit Garys bewirkte, dass mir vor Angst übel wurde und wir wertvolle Zeit verloren, denn als wir einen Ulster Bus ungefähr mit Tempo 160 überholten, meinte ich, rechts gerade noch einen Blick auf die B78 erhascht zu haben.

»Den Bus haben wir zum Frühstück vernascht«, prahlte Gary. Nicht nur die Heizung verströmte heiße Luft.

»Ja, ausgezeichnet. Es ist nur so, dass wir, glaub ich, beim Überholen an der B78 vorbeigefahren sind.«

»Scheiße! Bist du sicher?«

»Ich bin mir ziemlich sicher, dass ich ein Schild gesehen habe.«

Gary trat auf die Bremse, und wir kamen mit quietschenden Reifen zum Stehen. Wir mussten wenden, aber der Bus, den wir gerade überholt hatten, hatte inzwischen angehalten, damit Fahrgäste zusteigen konnten, und die Autos überholten ihn schnell. Auch ein Wahnsinniger wie Gary wusste, dass es selbstmörderisch wäre, ein Wendemanöver zu wagen, bevor der Bus weitergefahren und der Blick auf die Straße wieder frei war.

Es scheint einen gewissen Zusammenhang zu geben zwischen der Gemächlichkeit, mit der andere Leute eine Sache erledigen, und der Eile, in der man sich selbst befindet. Dieses Phänomen (bei dem es sich um eine Variante von Murphy's Law handelt) war ganz deutlich bei der Haltestelle hinter uns zu beobachten. Nicht nur hatte kein einziger der Fahrgäste Wechselgeld, sie waren anscheinend auch noch alle mit dem Fahrer verwandt, der sich verpflichtet fühlte, sie auf den neuesten Stand zu bringen, was die Familienangelegenheiten während der letzten sechs Monate anging. Ich habe keine so langsame Schlange mehr gesehen, seit … nun, seit dem letzten Mal, als ich es eilig hatte. Gary und ich knirschten vor Wut mit den Zähnen, fluchten, und mindestens einer von uns schlug mit der Faust auf die Regler der Wagenheizung und schrie: »Verflucht noch mal, spar dir endlich diese scheiß Hitze, ja?«

Eines musste man dem Bauern lassen, es schien fast so, als hätte er auf der Lauer gelegen und sich gedacht: »Naja, es macht keinen Sinn, die Kühe jetzt über die B78 zu treiben. Besser warte ich noch ein paar Stunden, bis jemand vorbeikommt, der es so richtig eilig hat.« Sein Timing war tadellos oder katastrophal, je nachdem, ob man ein Fernsehinterview geben wollte oder nicht.

Und so saßen wir dann da, nachdem wir gerade einen kleinen Sieg errungen und den Bus umschifft hatten, und sahen zu, wie die trägen Kühe unter den Augen eines bösartigen, selbstzufrieden grinsenden Bauern über die Straße bummelten. Mit einem Stock gab er seinen Kühen Zeichen, als wollte er sagen: »Lasst euch nur Zeit, Mädels, denn die beiden Typen hier scheinen es wirklich eilig zu haben.« Die Zeit verrann. Es war zwanzig vor drei.

»Antoinette wird mich umbringen«, behauptete Gary, als gerade die letzte Kuh vorbeitrottete.

»Wir haben noch viel Zeit. Kein Grund zur Panik«, sagte ich und brach in Panik aus.

Eigentlich hatte es natürlich keinen Grund für Panik gegeben. Gerade unsere Panik hatte dieser Ableitung von Murphy's Law zufolge für die Verspätungen gesorgt, und erst, als wir uns mit der Tatsache abfanden, dass wir es vermutlich nicht mehr schaffen würden, begannen die Dinge, wieder einen einigermaßen normalen Gang zu nehmen. Wie sich herausstellte, hatten wir noch viel Zeit, als wir ankamen. Aus unserer Warte waren fünf Minuten bis zum Beginn der Sendung eine Menge Zeit. Antoinette war nicht ganz derselben Meinung.

»Herrje, wo in Gottes Namen habt ihr gesteckt? Wir haben uns gerade überlegt, wie wir sieben Minuten Sendezeit füllen können.«

Sie musterte mich von oben bis unten.

»Hallo. Du musst Tony sein, der Verrückte mit dem Kühlschrank. Wir werden uns während der Sendung näher kennen lernen müssen, weil wir schon in fünf Minuten dran sind.«

Warum die Produzentin ausgerechnet diesen Ort für ein Interview am Straßenrand ausgewählt hatte, war mir ein Rätsel. Ganz abgesehen davon, dass wir uns in einem anderen Land befanden, als dem, durch das ich trampte, handelte es sich um den vermutlich lautesten Straßenabschnitt im Umkreis von Meilen. Die Produzentin hatte ohne Zweifel ihre Gründe gehabt, aber sie waren ohne Zweifel Mist.

Die Zuschauer von *Live At Three* müssen sich gefragt haben, warum die Leute von der Maske der Meinung waren, dass ich in grellem Rot am besten aussähe. Die ganze Hektik und Aufregung der Fahrt und der ständige Strom heißer Luft hatten dafür gesorgt, dass ich einer reifen Tomate ähnelte. Ich sah bestimmt nicht besonders gut aus, und es war unwahrscheinlich, dass ich das amouröse Interesse der achtzigjährigen Damen wecken würde, die diese Sendung als Nachmittagsunterhaltung wählten. Eine weitere vertane Chance. Ich plauderte aber ganz nett, denn in meinen Unterhaltungen mit Gerry Ryan hatte ich die zur Erklärung meiner Person und meines Vorhabens nötigen Phrasen schon üben können, und das Interview ging problemlos über die Bühne. Ich stand mit meinem Kühlschrank am Straßenrand, und Antoinette bombardierte mich mit Fragen, während ich zu trampen versuchte. Es hätte kaum besser laufen können. Okay, ab und zu donnerte ein Sattelschlepper vorbei und übertönte, was gesagt wurde, aber das schien die Produzentin, die ausgesprochen zufrieden wirkte, nicht zu bekümmern. Gary stand daneben mit einem stolzen Lächeln, das ungefähr ausdrückte: »Allen Widrigkeiten zum Trotz habe ich diesen Kerl hierher gebracht.«

Am Ende des Interviews schenkte mir Antoinette drei wasserfeste Filzstifte, mit denen die, die mich mitnahmen, auf meinem Kühlschrank unterschreiben sollten. Was für eine gute Idee! Dann verkündete ich wie geplant, dass ich mir einen besseren Platz zum Trampen suchen würde, und schleppte meinen Kühlschrank hinter mir her von der Kamera weg die Straße entlang, was Antoinette Gelegenheit zu einer Schlussbemerkung gab. Als wir die Aufnahme beendeten, blieb ich stehen und schaute zu einem Verkehrsschild hoch, das sich jetzt direkt über mir befand. Ein Mann mit einer Strumpfmaske war darauf zu sehen, und darunter standen die Worte:

Vorsicht, Scharfschützen!

Danke, RTE! Sie hatten mich zu einem der gefährlichsten Orte in ganz Irland gebracht und mich gebeten, dort mit meinem Kühlschrank herumzulaufen. Das alles war vermutlich von den Spähtrupps der IRA beobachtet worden, die, während wir Showbusiness-Typen uns noch herzlich voneinander verabschiedeten, mit einem eher schwierigen Bericht zu kämpfen hatten.

»Wir haben herausgefunden, warum diese Fernsehmannschaft hier war.«

»Ja, warum denn?«

»Sie haben sich mit einem Kerl unterhalten, der mit einem Kühlschrank am Straßenrand steht und ihn dann ein bisschen auf einem Wägelchen hinter sich herzieht.«

»Eamonn?«

»Ja.«

»Wie lange warst du eigentlich nicht mehr im Urlaub?«

10

Surf City

»Das ist fantastisch! Vielen Dank!«, sagte ich zu Antoinette, als wir Richtung Sligo fuhren.

»Dank nicht mir, sondern Kara, meiner Produzentin! Sie dachte, es wäre eine gute Idee, wenn die Leute dich erreichen könnten, deshalb hat sie einen Kumpel bei Eircell angerufen, und die haben das Ding zur Verfügung gestellt. Das Telefon gehört dir, vorausgesetzt, du erwähnst sie ein paarmal im Radio und lässt dich mit dem Telefon und dem Kühlschrank fotografieren, wenn du nach Dublin kommst.«

Das war toll: ein Mobiltelefon! Ich stieg allmählich auf.

»Sie geben es mir für die ganze Reise?«

»Natürlich.«

»Wieso?«

»Weil ihnen die Idee, dass einer mit einem Kühlschrank rund um Irland trampt, ziemlich gut gefallen hat.«

Ich ließ das auf mich wirken. Dann sagte ich: »Ich liebe dieses Land.«

Antoinette war der neue James. Sie hatte Garys Posten als mein persönlicher Chauffeur übernommen. Der beträchtlichen Verbesserung, was die Fahrweise anbetraf, stand ein Rückschritt in der Qualität des Autos gegenüber. Die Republik Irland verlangt von Autobesitzern nicht, dass sie sich um so etwas wie eine TÜV-Plakette bemühen, und Antoinettes Wagen war ein Beleg dafür, wie unklug diese Politik ist. Es eine Todesfalle zu nennen, wäre ein Kompliment gewesen.

Eine Falle ist normalerweise etwas, aus dem man nicht mehr herauskommt, aber die Türen und Fenster dieses Autos drohten ständig, sich einfach zu öffnen, wodurch der ängstliche Passagier von den nackten Sprungfedern des Beifahrersitzes gefegt worden wäre.

»Du musst das Auto entschuldigen«, sagte Antoinette, »es ist ein ziemliches Krisengebiet. Das Einzige, was richtig funktioniert, ist die Heizung.«

Nun, das war eine Erleichterung.

Antoinette war charmant, intelligent und Mutter. Sie sah nicht alt genug aus, um einen 14-jährigen Sohn zu haben, aber sie versicherte mir, dass dies der Fall sei. Das Ziel Sligo gefiel ihr, weil sie dort Freunde hatte, bei denen sie übernachten konnte, nachdem sie mich abgesetzt hatte. Wir stimmten darin überein, dass ich diesen Ort mit großer Wahrscheinlichkeit innerhalb eines Tages von Bunbeg aus per Anhalter erreicht hätte. Dass man mich zu genau so einem Punkt bringen würde, war Teil der Abmachung gewesen, die ich für meinen Fernsehauftritt getroffen hatte. Das Mobiltelefon war so etwas wie ein Bonus.

Die Fahrt durch Monaghan, Fermanagh und County Leitrim war schön, und obwohl ich so was allmählich gewöhnt war, musste ich während des letzten Abschnitts, als der Glencar Lake auf der einen Seite lag und die imposanten Dartry Mountains uns auf der anderen weit überragten, doch tief Luft holen. Wir waren im Yeats-Land, das so hieß, weil W. B. und seine berühmte Familie früher hier gewohnt hatten. Sie waren ein ziemlich talentierter Haufen gewesen, diese Yeats: Sowohl sein Bruder als auch sein Vater galten als gute Maler. W. B. Yeats selbst bekannte, sich der Landschaft seiner Kindheit zutiefst verbunden zu fühlen, und schrieb: »In gewisser Weise ist Sligo immer mein Zuhause gewesen.« In welchem Sinn? In dem Sinn, dass er sich entschied, fast überall sonst zu wohnen? Dichter können sich wirklich fast alles erlauben, bloß weil sie gut im Formulieren sind. Na gut, er hat sich hier beerdigen lassen, aber ich fand schon immer, dass es für einen Ort ein größeres Kompliment ist, dort Zeit zu verbringen, solange man noch lebt. Wie Yeats würde ich auch mich dafür entscheiden, meine letzten Tage an der französischen Riviera zu verbringen. Anders als ihm ist es mir allerdings völlig egal, wo man mich begräbt.

Antoinette fragte sich besorgt, wo ich übernachten würde.

»Hast du irgendwo was reserviert?«

»Nö.«

»Hast du eine Broschüre mit Hotels?«

»Nö. Es wird sich schon was finden.«

»Tony, du bist einfach zu sorglos!«

»Ich bin nicht sorglos. Ich habe einfach Vertrauen.«

»Vertrauen worauf?«

Eine Pause.

»Das ist das Einzige, worüber ich mir nicht sicher bin.«

Als wir Sligo – mit einer Bevölkerung von 15 000 die größte Stadt des Nordwestens – erreicht hatten, parkten wir in der Hauptstraße, und ich latschte ein bisschen herum. Ich konnte nichts finden, wo ich gerne übernachtet hätte, und ich war mir nicht sicher, ob ich überhaupt Freitagnacht in einem Stadtzentrum verbringen wollte. Antoinette führte mich in ein Feinkostgeschäft, wo sie eine Art Seegras namens Dilisk kaufen wollte, aber leider gab es keins mehr. Egal, der alte Mann in dem Laden hatte eine angenehme Art, die mir gefiel, und auf der Theke lag ein riesiges Ei, das sofort meine Aufmerksamkeit fesselte.

»Was ist das?«, fragte ich ihn.

»Ein Entenei.«

»Was kostest es?«

»Wozu brauchen Sie ein Entenei?«

»Ich weiß nicht. Ich mag einfach sein Aussehen. Wie viel kostet es?«

»Seien Sie nicht albern, Sie wollen gar kein Entenei.«

»Doch, ich will Ihnen dieses Entenei abkaufen.«

»Nein, kommen Sie schon, was wollen Sie denn mit einem Entenei?«

Was ist aus den aggressiven Verkaufsstatistiken früherer Tage geworden? Ich konnte dieses verdammte Entenei erst kaufen, wenn ich bewies, dass ich wirklich eins brauchte. Und das konnte ich nicht, weshalb das Entenei in dem Feinkostgeschäft blieb, bis es ein passenderes Zuhause fand.

Das einzige Hotel, in dem ich nachfragte, war voll, aber es gefiel mir sowieso nicht. Nach der langen Fahrt brauchten wir allerdings eine Erfrischung, und Antoinette und ich tranken daher schnell was in der schmuddeligen Bar, wo ich ein Schild bemerkte, auf dem stand:

Singen strengstens verboten!

Dave, der Betrunkene vom Abend zuvor, musste vor kurzem dort gewesen sein. Ich hatte noch nie so ein Schild gesehen, und es kam mir ziemlich streng vor. Ich meine, man hätte genauso gut gleich aufs Ganze gehen und ein Schild anbringen können, auf dem stand:

Sich amüsieren strengstens verboten!

Dass dieses Schild nötig war, verwies auf einen bewundernswerten irischen Charakterzug: Wenn die Iren sich betrinken, fangen sie an zu singen. Ich hatte das schon im Hudi-Beags beobachten können, und obwohl das keine sehr angenehme Erfahrung war, hatte ich es als erträglich empfunden. Singen ist besser als Prügeln, was vermutlich der Grund ist, weshalb sich Frank Sinatras *Greatest Hits* wesentlich besser verkaufen als die Audioaufzeichnung des Kampfs Ali gegen Foreman. Es wäre sicher ein Schritt in die richtige Richtung, wenn einen die Betrunkenen eines englischen Pubs in eine Ecke drängten und Elton Johns »Saturday Night's all Right For Fighting« vorsingen würden, anstatt den Text dieses Liedes als Handlungsanweisung zu begreifen. Gesang, und mag er noch so schlecht sein, ist immer besser als Prügel. (Die einzige Ausnahme ist vielleicht Chris de Burgh.)

Es war Antoinette nicht entgangen, dass ich hier in Sligo noch nicht richtig Fuß gefasst hatte.

»Also, dein ›Vertrauen‹ hat dir noch nicht so sonderlich viele Übernachtungsmöglichkeiten verschafft.«

»Noch nicht, nein.«

»Vielleicht würde es was nützen, wenn du wüsstest, worauf du vertraust.«

»Oh, ich will mich nicht mit unnötigen Details rumplagen.«

Antoinette war skeptisch, aber es blieb noch Zeit, sie zu bekehren.

»Weißt du, ich glaube, ich weiß sogar, auf was ich vertraue. Ich vertraue auf den Kühlschrank.«

Ich klang wie ein Mann kurz vor dem Delirium. Vielleicht war ich das auch. Vielleicht hatten die Exzesse und surrealen Ereignisse der letzten Tage ihren Tribut gefordert.

»Auch du kannst an den Kühlschrank glauben«, erklärte ich und näherte mich mit jedem Wort der Einlieferung in eine Heilanstalt. Ich war kein beeindruckender Prediger, aber man muss einer sein, wenn man jemanden auffordert, an einen Kühlschrank zu glauben. Während der Autofahrt hatte ich die Theorie entwickelt, dass einem überall, wo man hinkommt, gute Dinge passieren, solange man nur wirklich daran glaubt, dass es so sein wird. Als wir in diesem drittklassigen Etablissement saßen, wo nicht einmal ein natürlicher Ausdruck menschlicher Freude wie das Singen erlaubt war, schien die Gültigkeit meiner Philosophie fraglich zu werden. Dann hatte ich eine Idee.

»Wir fragen den Mann im Feinkostgeschäft.«

»Was?«

»Komm schon, trink aus! Wir gehen und fragen den Mann im Feinkostgeschäft.«

Ich strapazierte die Toleranz des armen Mädchens bis zum Äußersten, aber ihr Protest war nicht laut genug, um eine Rückkehr in das Feinkostgeschäft zu verhindern, wo ich den Inhaber fragte: »Wo würden Sie in der Gegend von Sligo übernachten, wenn Sie die Wahl hätten?«

Er war nicht im Geringsten erstaunt. Ich hatte gedacht, er würde einen weiteren Versuch erwarten, das Entenei zu kaufen.

»Teuer oder nicht teuer?«

»Spielt keine Rolle.«

»Haben Sie ein Auto?«

»Ja.«

Ich ging von der ziemlich gewagten Annahme aus, dass Antoinette meines extravaganten Verhaltens noch nicht überdrüssig war und mich und den Kühlschrank nicht einfach auf den Straßen von Sligo sitzen lassen würde.

»Nun, Strandhill ist sehr hübsch.«

»Dort würden Sie übernachten, wenn Sie die Wahl hätten?«

Er dachte einen Moment lang nach. »Ja, ich glaube schon. Sie können es im Ocean View Hotel versuchen. Aber es gibt auch ein paar Bed & Breakfasts unten am Wasser.«

Und auch die waren sehr hübsch und hatten einen Blick auf den weiten Sandstrand und die Abendsonne, die im Atlantik versank. Ich beschloss, dass dies der richtige Ort für mich war, wobei das Vorhandensein eines nett aussehenden Pubs in unmittelbarer Nähe keinerlei Einfluss auf meine Entscheidung hatte. Beide Pensionen hatten Zimmer frei, und ich nahm die, die Zimmer mit Bad hatte, was meiner Meinung nach die zwei Pfund extra wert war, auch wenn damit nur den anderen Gästen der Anblick eines halbnackten Betrunkenen erspart bleiben würde, der sich mitten in der Nacht zur Toilette durchkämpft.

Als Anne Marie, die Dame des Hauses, mich als Gast in ihrem Anwesen empfangen hatte, war sie schon ziemlich freundlich gewesen, nachdem ich aber meinen Kühlschrank den Gartenweg hochgerollt und meine wahre Identität offenbart hatte, überschlug sie sich geradezu vor Eifer.

»Mein Gott, Sie sind das! Auf North West Radio haben sie den Leuten gesagt, dass sie nach Ihnen Ausschau halten sollen. Gut gemacht. Sie haben es also bis Sligo geschafft!«

Offensichtlich.

»Kommen Sie und trinken Sie eine Tasse Tee mit mir!«

Ich lächelte Antoinette zu, die resigniert meinen Blick erwiderte.

»Okay, ich glaube an den Kühlschrank«, erklärte sie großmütig.

Wir drei tranken Tee im Esszimmer, und ich reagierte auf die Reihe von Fragen, mit denen mich Anne Marie bombardierte, mit kenntnisreichen Antworten. Warum tun Sie das? Wann haben Sie die Reise begonnen? Ist es schwer, mitgenommen zu werden? Als Anne Marie ging, um mehr Kekse zu holen, bewies Antoinette, die jetzt eine Glaubensanhängerin war, ihren gerade erst geweckten Eifer.

»Wirst du heute Abend mit dem Kühlschrank ausgehen?«

»Was?«

»Es ist Freitagabend. Du kannst ihn schlecht zu Hause lassen.«

»Du meinst, ich soll ihn mit in den Pub nehmen?«

»Genau. Das muss ich einfach sehen.«

»Musst du nicht zu deinen Freunden?«

»Die können warten. Man hat nicht jeden Tag Gelegenheit zu beobachten, wie ein Mann in einen Pub geht, der einen Kühlschrank hinter sich herzieht.«

Ich für meine Person konnte schlecht das Gleiche behaupten.

Antoinettes Freunde mussten also warten, weil ihr abwesender Gast damit befasst war, einen Mann auszulachen, der seine Reisebegleitung zu einem Pub namens *Strand* schleppte. In manchen Teilen der Welt wäre ein Mann, der an einem Freitagabend einen Kühlschrank auf einem Wägelchen in eine Bar zieht, sicher Anlass zu einer ordentlichen Schlägerei, aber hier schien es mir wahrscheinlicher, dass man allenfalls seine Scherze mit mir treiben würde.

Antoinette öffnete die Tür, und ich marschierte stolz in den Pub, woraufhin sich die Köpfe an der Theke synchron mir zuwandten, als würden sie den Flug eines Tennisballs in Wimbledon verfolgen. Ein bärtiger Mann, der mit seiner Freundin einen ruhigen Drink zu sich nahm, schaute runter auf den Kühlschrank. Sein Gesicht begann zu strahlen, und seine Augen leuchteten wie die eines Kindes an Weihnachten.

»Wenn das nicht der Mann mit dem Kühlschrank ist!«

Er hielt mir die Hand hin, und ich schüttelte sie brav und sagte »Hallo, mein Name ist Tony. Das hier ist Antoinette.«

Er nickte und wandte sich an seine Begleiterin. »Mary, hast du von diesem Typ gehört? Er zerrt einen Kühlschrank rund um Irland.«

»Mein Gott, was für ein Idiot. Was will er trinken?«

Es war wirklich denkbar einfach. Meine neuen »Freunde« Willy und Mary nahmen uns unter ihre Fittiche und stellten uns jedem im Pub vor, den sie kannten. Mit erschreckender Vorhersehbarkeit wurde ich in eine weitere »Session« verwickelt, bei der Getränke, Gespräche und Gastfreundschaft über alle Ufer traten. In der enthusiastischen Versammlung, die mich jetzt umgab, bemerkte ich einen dicken Mann mit blondem, zu einem Pferdeschwanz zusammengebundenen Haar, der mich interessiert beobachtete. Er wartete, bis sich der anfängliche Tumult gelegt hatte, und näherte sich mir dann mit einem vollen Humpen Lager, den er stolz vor sich her trug.

»Ich habe gehört, was du vorhast, und ich wollte dir einfach gratulieren.«

»Oh, danke.« Ich dachte einen Moment lang nach. »Wofür?«

»Schau dich um! Alle amüsieren sich prächtig über dich und deinen Kühlschrank. Du weißt es vielleicht nicht, aber du verbreitest Freude.«

Ich befand mich in Gesellschaft von Peter, dessen weite Kleidung in einem vorwiegend rötlichen Pink-Ton mich zu der Vermutung veranlasste, dass er so was wie ein Buddhist war. Wir unterhielten uns, lachten und spendierten einander Biere. Bald war klar, dass wir das Leben von genau demselben Standpunkt aus betrachteten. Ich verstand von seinem Glauben genauso wenig wie von meinem eigenen, er aber wusste ganz genau, worum es bei der Reise mit dem Kühlschrank ging, und schrieb ihr Eigenschaften zu, auf die ich nie und nimmer gekommen wäre. Es war nett, von jemandem, der ein volles Glas Bier und eine brennende Zigarette in der Hand hielt, zu hören, dass man »die materielle Welt« überwinden müsse.

Antoinette gesellte sich zu uns. Entweder amüsierte sie sich großartig oder sie versuchte, den Besuch bei ihren »Freunden« so lange wie möglich aufzuschieben.

»Es ist großartig«, rief sie und beantwortete damit diese Frage sofort. »Ich habe gerade Bingo getroffen. Er ist der Manager der Bar, und du wirst es nicht glauben, aber ich habe ihn 1988 für eine Fernsehsendung interviewt, nachdem sie hier oben diese Stürme hatten. Du wirst ihn gleich kennen lernen. Er besteht darauf, dass wir auf Kosten des Hauses was essen, und wird gleich mit der Speisekarte kommen.«

Bingo. Ein toller Name, und einer, den man in meiner gegenwärtigen Situation ruhig laut hätte schreien können. Ich hatte eindeutig einen Volltreffer gelandet.

Antoinette geriet in Peters Bann.

»Er ist weise, nicht?«, flüsterte ich ihr zu, und gerade als ich dies tat, demonstrierte er seine Weisheit, indem er die Toilette aufsuchte, um Platz für mehr Bier zu schaffen.

»Er hat ohne Zweifel was Ruhiges an sich«, antwortete Antoinette. »Und es gibt da noch ein paar Fragen zu seiner Philosophie, die ich ihm stellen möchte.«

»Aber was ist mit deinen Freunden?«

Es war zu spät, sie war das Opfer eines heimlichen Vorstoßes von Michael geworden und begann jetzt zu lächeln und zu nicken, wie es ein Gespräch mit ihm erforderte. Michael war *beinahe* der Haus-Betrunkene des Pubs, denn er erfüllte alle notwendigen Kriterien, war aber mobil. Obwohl er bereits schwankte, konnte er sich frei durch den Pub bewegen und unschuldige Trinker umgarnen, denen er langatmige, kaum verständliche und wenig fundierte Stellungnahmen zu wirklich jedem Thema aufdrängte. Antoinettes Augen wurden glasig, und ich verdrückte mich grinsend mit einem lobenswerten Mangel an Loyalität.

Ich wartete, bis es nicht mehr so aussah, als kopiere ich Peters Idee, und machte mich auf den Weg zur Toilette. Es vergingen gut vierzig Minuten, bis ich es zurückschaffte, denn das Interesse an meinem Kühlschrankabenteuer hatte offenbar die ganze Klientel des Pubs erfasst, und ich fühlte mich verpflichtet, auf jeden Gratulanten ein wenig Zeit zu verwenden. Es wäre flegelhaft gewesen, dies nicht zu tun, und ich merkte, dass ich von Prinz Charles gelernt hatte, dessen Beispiel ich zu folgen versuchte, allerdings mit weniger Händeschütteln. Als ich wieder bei Antoinette ankam, war Michael irgendwie verdrängt worden und Peter voll in Fahrt.

»Weißt du, das Leben ist kaum mehr als ein Traum, die Welt ist keine physikalische Realität, sondern eine dreidimensionale Illusion. Unsere linke Gehirnhälfte weiß das, aber die rechte hängt einer materialistischen Weltsicht an. Die linke Seite weiß, dass das Leben ein frei gewähltes Abenteuer im Bewusstsein ist. Wir sind bewusste Wesen, die sich aus freien Stücken entschieden haben, physisch real zu werden. Das Bewusstsein ist nicht aus der Materie entstanden, sondern die Materie aus dem Bewusstsein.«

An diesem Punkt wurde die Wirksamkeit seiner weisen Rede von jemandem geschmälert, der ihn fragte, ob er ein Glas Bier wolle. Er nickte und formte mit dem Mund das Wort Carlsberg. Wahrscheinlich. Dann fuhr er fort: »Weißt du, alles ist miteinander verbunden, jede Energie, jedes Bewusstsein. Es gibt keine ›getrennten‹ Objekte oder ›getrennten‹ Wesen. Zeit, Raum und Individualität sind Illusionen. Nichts existiert wirklich.«

Als er das sagte, wurde ihm ein Glas Lager gereicht, über dessen Anblick er sich, wenn man bedachte, dass es gar nicht existierte, eigentlich viel zu sehr freute.

»Mein Kühlschrank existiert«, erklärte ich trotzig.

»Nun gut, das will ich nicht bestreiten.«

Wir blickten alle zu ihm hinüber, wie er brav neben der Tür stand. Er hatte inzwischen gelernt, die Exzesse seines Herrchens zu tolerieren. Heute Abend würde seine Geduld aufs Äußerste strapaziert werden.

»Und du willst uns unter keinen Umständen dafür zahlen lassen, Bingo?«

»Unter keinen Umständen. Ich hoffe, es hat euch geschmeckt.«

»O ja, ausgezeichnet.«

Bingo war ein gut aussehender Mann, vermutlich Anfang dreißig, der verantwortungsbewusst und geduldig wirkte. Vielleicht sah er so aus, weil er in einem Umfeld arbeitete, in dem fast alle anderen beschwipst waren. Er stellte zwei Likörgläser mit einer schwarzen Flüssigkeit, auf der winzige Schaumkronen schwammen, vor uns hin.

»Die schauen wie ein kleines Glas Guinness aus«, erklärte ich.

»Fast. Wir nennen es ein Baby-Guinness«, antwortete Bingo. »Es ist eine Mischung aus Tia Maria und Baileys. Probier mal!«

Ich kostete einen Schluck. »Mmmmmm. Lecker!«

»Tony trinkt meins besser auch noch«, sagte Antoinette und schob mir ihr Glas zu. »Wenn ich noch fahren soll, darf ich nichts mehr trinken. Ich mach mich jetzt besser auf den Weg. Meine Freunde erwarten mich seit Stunden.«

»Ich habe schon daran zu zweifeln begonnen, dass diese Freunde überhaupt existieren«, meinte ich.

»Laut Peter tun sie das auch nicht. Trotzdem geh ich jetzt besser. Nur für alle Fälle. Ich seh dich dann morgen.«

»Tatsache?«

»Ja, Peter will morgen meine Reflexzonen massieren. Ich werd dich so um elf kurz in deinem Bed & Breakfast besuchen, um zu sehen, wie es dir geht. Trink nicht zu viel!«

Das hatte ich längst, und während Antoinette sich durch den jetzt vollen Pub zum Ausgang vorkämpfte, tauchte von irgendwoher ein weiteres Glas Bier auf. Ich hatte jetzt drei Drinks vor mir. Und Michael.

»Weißt du, was mein Rezept gegen einen Kater ist?«, fragte er, den offensichtlich die Getränke, die ich in nächster Zeit zu bewältigen hatte, auf dieses Thema gebracht hatten.

»Nein.«

»Nun, dann verrat ich's dir.«

Na gut. Ich hatte nichts anderes erwartet. Was würde es sein? Ein Glas Wasser, bevor man ins Bett ging? Zwei Aspirin, sobald man nach Hause kam? Natürlich nicht. Ich war auf der völlig falschen Fährte.

»Ein Drambuie auf dem Weg zur Tür.«

»Was?«

»Ein Drambuie kurz bevor du nach Hause gehst.«

Ich schüttelte ungläubig den Kopf. Um die schlimmen Folgen exzessiven Alkoholgenusses zu bekämpfen, empfahl dieser Mann allen Ernstes, einen weiteren alkoholischen Drink zu sich zu nehmen.

»Das ist ein interessanter Vorschlag.«

»Funktioniert immer.«

»Das werd ich mir merken.«

Der Pub machte ungefähr um eins zu, aber niemand machte Anstalten, mich zu entfernen. Ich hatte einen willkürlichen Selektionsprozess überstanden und war einer der Trinker, die in den Genuss kamen, Teil des »lock in« zu sein, bei dem die Eingangstür abgesperrt wurde, um keine neuen Gäste hereinzulassen. Das Netz war ziemlich weit ausgeworfen worden, denn ungefähr die Hälfte der vorherigen Gäste war geblieben und verspürte wie Golfer, die den Cut geschafft haben, das Verlangen, diese Tatsache zu feiern. Unter dem Überlebenden befanden sich auch Michael – selbstverständlich – und Peter, der von seinen vorherigen metaphysischen Spekulationen dazu übergegangen war, mit Bingo über das Surfen zu diskutieren.

»Ich bin noch nie gesurft. Geht das hier in Strandhill?«, fragte ich.

»Die Bucht von Strandhill ist großartig zum Surfen«, erklärte Peter. »Bingo ist ein hervorragender Surfer. Wenn du ihn nett fragst, nimmt er dich morgen zum Surfen mit.«

Bingo brauchte gar nicht erst nett gefragt zu werden.

»Na klar, Tony, wir besorgen dir einen Surfanzug, und innerhalb einer Stunde stehst du auf einem Brett.«

»Wirklich?«

»Das garantier ich dir.«

Michael hatte das alles mit einigem Interesse verfolgt. Jetzt war der Moment für seinen Beitrag gekommen.

»Du musst natürlich den Kühlschrank mitnehmen.«

Wir sahen ihn alle an, als könnten wir nicht glauben, was wir gerade gehört hatten. Aber nein, wir hatten uns nicht getäuscht, denn er fuhr fort: »Tony, du kannst nicht einfach Surfen gehen und es den Kühlschrank nicht auch mal versuchen lassen. Wenn du surfst, muss auch der Kühlschrank surfen. Sonst ist es nicht fair.«

Es gab eine Pause, während der wir diese Aussage auf uns wirken ließen. Dann schaute Peter zu Bingo hinüber.

»Würdest du einen Kühlschrank aufs Brett kriegen?«

Er dachte einen Moment lang nach.

»Ja, ich glaube, es ginge.«

Plötzlich diskutierten alle angeregt, wie plausibel es war, dass jemand mit einem Kühlschrank surft. Verschiedene Methoden, wie man das Ding an das Brett binden und wie man es durch die Brandung bringen könnte, wurden mit vollkommen ungerechtfertigter Ernsthaftigkeit gegeneinander abgewogen. Ich begann, mir ein bisschen seltsam vorzukommen. In meinem Kopf begann sich eine Mischung aus all dem, was ich jetzt hörte, und dem, was Peter zuvor zum Thema ›Realität‹ gesagt hatte, zu drehen. Das Ergebnis war, dass ich mir nicht mehr so sicher war, ob ich wirklich existierte. Die weitere Diskussion darüber, wie man einen Kühlschrank mittels eines Surfbretts auf den Atlantik hinausbringen könnte, ließ mich zu dem Schluss kommen, dass ich eindeutig nicht existierte.

Das Erscheinen eines weiteren Baby-Guinness diente als Beweis dafür. Ich hätte es stehen lassen sollen, weil ich bereits viel zu viel Alkohol konsumiert hatte, aber ich trank es, ohne nachzudenken. Das bewies ohne jeden Zweifel, dass ich nicht existierte. »Ich denke, also bin ich.« »Ich denke nicht, also bin ich nicht.«

Ich hätte nie und nimmer erwartet, dass ich umfallen würde. Für jeden, der existiert, wäre das sehr peinlich gewesen.

Aber glücklicherweise fiel ich nicht in diese Kategorie. Sondern auf den Teppich des Pubs.

Am Morgen entdeckte ich zu meiner Enttäuschung, dass ich doch existierte. Ich existierte eindeutig, und die pochenden Kopfschmerzen bewiesen es. Es war mein eigener Fehler: Wenn ich daran gedacht hätte, einen Drambuie zu trinken, kurz bevor ich den Pub verließ, wäre ich nicht in diesem traurigen Zustand aufgewacht. Ich lag im Bett und versuchte, mich daran zu erinnern, wie ich dort hingekommen war, schaffte es aber nicht. »Mein Gott, der Kühlschrank!«, durchzuckte es mich plötzlich, aber ich entdeckte ihn in einer Ecke meines Zimmers, wo er meinen Blick erwiderte. Beinahe tadelnd. Ich weiß, Wissenschaftler behaupten, dass Kühlschränke unfähig sind, etwas zu empfinden oder Gefühle auszudrücken, aber was wissen die schon? Dieser Kühlschrank war mit meinem Verhalten nicht einverstanden, und er wollte, das ich das wusste. Er hatte kein Recht, mir Vorwürfe zu machen. Er hätte mir viel mehr dazu gratulieren sollen, dass ich ihn überhaupt nach Hause gebracht hatte. Schließlich hatte ich am Ende des Abends kaum mich selbst, geschweige denn ein Haushaltsgerät auf einem Wägelchen irgendwohin bewegen können.

Manchmal, wenn man im Bett liegt und sich im Zimmer umschaut, verleihen das dämmrige Licht und die horizontale Perspektive den Objekten, die man sieht, eine ganz andere Gestalt. Ein Gürtel kann einer Schlange ähneln, die Falten eines Pullovers, den man auf den Boden geworfen hat, schauen vielleicht wie ein kleiner Hund aus, der sich zusammengerollt hat und schläft. An diesem Morgen entdeckte ich ein kleines außerirdisches Raumschiff, das im Flug wieder aufgetankt wurde. Je länger ich es ansah, desto verwirrter wurde ich hinsichtlich seiner tatsächlichen Identität. Was konnte es sein? Ich lag da und überlegte, was in meinem Gepäck solch ein Bild abgeben könnte, aber mir fiel nichts ein. Ich erinnerte mich an Peters Worte: »Weißt du, das Leben ist kaum mehr als ein Traum. Die Welt ist keine physikalische Realität, sondern eine dreidimensionale Illusion.«

Ich wusste, sich aufzurichten und das Licht einzuschalten, hieß, die Niederlage eingestehen, aber ich brauchte rasch eine Bestätigung dafür, dass ich nicht Teil einer dreidimensionalen Illusion war.

Als ich nicht mehr lag und die Nachttischlampe angemacht hatte, sah ich deutlich, dass ich auf ein Kabel geblickt hatte, das aus einer in halber Höhe angebrachten Steckdose kam und zu meinem neuen Mobiltelefon führte, das ich über Nacht wieder aufgeladen hatte. Natürlich. Das hatte ich komplett vergessen: mein eigenes, ganz persönliches Raumschiff, das mir für meine Entdeckungsreise zur Verfügung gestellt worden war. Ich überlegte, ob ich es benutzen sollte, um Anne Marie anzurufen und sie zu bitten, mir zum Frühstücken runterzuhelfen, aber das schien mir dann doch ein unverantwortlicher Gebrauch von Weltraumtechnologie zu sein.

Neben dem Mobiltelefon lag ein Zettel mit meinem eigenen Gekritzel: »Treffen mit Bingo um 11.00«. Natürlich, das Surfen. Letzte Nacht hatte das alles noch möglich geschienen, aber jetzt, nur ein paar Stunden später, wirkte sogar das Frühstück wie eine Herausforderung.

Als Anne Marie das Esszimmer mit Tee und Toast verschönerte, stellte sie ziemlich barsch fest: »Bei Ihnen ist es gestern spät geworden.«

»Ja, ich glaube, es war recht spät.«

»Halb vier.«

»Ich glaube nicht. Eher zwei.«

»Nein, es war halb vier, denn mein Mann und ich haben auf die Uhr geschaut.«

»O Gott, es tut mir Leid. Habe ich Sie aufgeweckt?«

»Ach nein.«

Ich tat einen Seufzer der Erleichterung, aber dann fügte sie hinzu: »Es war der Kühlschrank.«

»Was?«

»Der Kühlschrank hat uns aufgeweckt, als er von diesem Wagen gefallen ist.«

»Oh. Das tut mir Leid.«

Tee und Toast wurden vor mir abgestellt. Anne Marie ließ sich keine Spur von Wut anmerken, aber sie musste es mich einfach wissen lassen: »Mein Mann und ich haben uns gefragt, warum Sie den Kühlschrank nicht einfach unten gelassen haben. Wissen Sie, im Flur, wo er stand, bevor Sie ausgegangen sind.«

O nein! Sie dachten, ich hatte ihn mit ins Bett genommen! Dass ich ein Perverser bin, der auf Kühlschränke steht. Ich musste alle Geistesgegenwart, über die ich verfügte, einsetzen, um ein peinliches Missverständnis abzuwenden.

»Äh, na ja ... das ist eine gute Frage, Anne Marie, und ich ... nun ... ich habe darauf eigentlich keine Antwort.«

Leider verfügte ich über null Geistesgegenwart. Ich hatte Kopfschmerzen, und das war alles.

Nur der lokale Radiosender North West Radio leistete mir während des Frühstücks Gesellschaft, und um zehn Uhr wurde ich Zeuge eines Phänomens, das »Todesnachrichten« heißt. Ein Sprecher, der sein Bestes tat, um bedrückt und respektvoll zu klingen, verlas eine lange Liste von Leuten, die kürzlich verstorben waren. North West Radio war scheinbar der Ansicht, dass die Zuhörer den beginnenden Tag wesentlich leichter meistern würden, wenn man sie mit einer vollständigen Aufzählung derer versorgte, die den gestrigen nicht überstanden hatten.

»Declan O'Leary aus Sligo ist gestern Nachmittag nach langer Krankheit bei sich zu Hause gestorben. Das Begräbnis findet nächsten Dienstag statt. Margaret Mary O'Dowd aus Inishcrone ist gestern Morgen um halb sieben im Schlaf friedlich von uns gegangen. Das Begräbnis findet in der Saint-Meredith's-Kathedrale in Ballina statt. Und damit sind wir am Ende unserer Todesnachrichten angelangt. Ich möchte Sie daran erinnern, dass wir die nächsten Todesnachrichten heute Nachmittag um fünf senden. North West Radio spricht den Hinterbliebenen seine Anteilnahme aus. Mögen die Seelen der Verstorbenen in Frieden ruhen!«

Die Trauerstimmung wurde dann brutal von einem fröhlichen Werbejingle und einer aufgekratzten Stimme unterbrochen, die verkündete: »Genau jetzt ist es an der Zeit, Ihr neues Zuhause mit dem breit gefächerten Angebot an Haushaltsgeräten von McDonagh's in Ordnung zu bringen ...«

War es nur Zufall oder wurde ich Zeuge, wie McDonagh's versuchte, blitzschnell die als Kunden zu gewinnen, die gerade den Besitz der Verstorbenen geerbt hatten?

Mich faszinierten die Todesnachrichten im Programm des Radiosenders. Wie notwendig waren sie? Spielte es eine so große Rolle, ob man sich in einem Zustand seliger Unwissenheit befand, was den Tod eines Mannes anging, der einem in Drumcliff einmal ein Paar Schuhe verkauft hatte? Mit Sicherheit war man nur an den Toten wirklich interessiert, denen man einigermaßen nahe gestanden war. Hatte die innerfamiliäre Kommunikation in diesem Teil der Welt derart nachgelassen, dass das Radio solche Nachrichten übermitteln musste?

»Hallo Liebling, Großvater ist gestorben.«

»Ehrlich? Woher weißt du das?«

»Ich habe es heute Morgen bei North West Radio gehört. Die Todesnachrichten.«

»Ah ja. Wann ist die Beerdigung?«

»Ich weiß nicht. Die Jungs in der Arbeit haben sich unterhalten, und da habe ich es nicht mitbekommen.«

»Macht nichts, wir hören die Todesnachrichten ja um fünf noch mal.«

Das ist der Grund, warum es so wichtig ist, die Todesnach-

richten zweimal am Tag auszustrahlen. Außerdem werden die Zuhörer so darüber auf dem Laufenden gehalten, ob zu den Toten von zehn Uhr weitere hinzugekommen sind. So, wie ich mich fühlte, war ich versucht, North West Radio anzurufen und ihnen zu sagen, dass sie mich in die Liste für fünf Uhr Nachmittag aufnehmen sollten, wobei ich ihnen versprechen würde, sie anständigerweise rechtzeitig zu informieren, wenn ich aus irgendeinem Grund bis dahin doch nicht gestorben sein sollte.

Anne Marie brachte einen Teller, auf dem sich ein irisches Frühstück türmte. Es sah aus, als wäre es ein bisschen zu viel für meinen empfindlichen Magen.

»Sie müssen schnell essen, denn da ist jemand am Telefon für Sie. Sehr seltsam. Ich bin an den Apparat gegangen, und die Leute haben gefragt: ›Wohnt der Mann mit dem Kühlschrank bei Ihnen? Wir sind von North West Radio.‹«

»Woher wissen die, dass ich hier bin?«

»Keine Ahnung. Muss sich herumgesprochen haben.«

Anne Marie führte mich in den Flur, wo ich das Gespräch entgegennahm und einer Sekretärin zuhörte, die mir erklärte, dass der Manager von Abrakebabra in Sligo beim Sender angerufen habe und mir ein kostenloses Mittagessen spendiere, falls ich heute mit meinem Kühlschrank bei ihm im Restaurant erscheine.

»Das ist nett«, sagte ich beinahe herablassend. »Ich verrat Ihnen was, ich habe jetzt ein Mobiltelefon. Ich werd Ihnen die Nummer geben für den Fall, dass noch mehr aufregende Angebote eingehen.«

Abrakebabra. Ein wirklich schrecklicher Name für ein Restaurant. Aber trotzdem: Zack, und schon war die Theorie hinfällig, dass nur der Tod umsonst ist.

»Willst du einen Kaffee?«, fragte Bingo von seiner gewohnten Position hinter der Theke aus.

»Danke, das wäre schön.«

»Ich habe einen Surfanzug für dich gefunden.«

»Was?«

»Nun, du wirst einen Surfanzug brauchen. Das Wasser ist ziemlich kalt, weißt du.«

»Bingo, willst du damit sagen, dass wir wirklich versuchen sollen, mit dem Kühlschrank surfen zu gehen?«

»Natürlich.«

»Aber ich dachte, das wäre bloß Geblödel von Betrunkenen.«

»Du warst betrunken, ich nicht. Selbstverständlich werden wir es machen.«

Sicher nicht. Aber ich schaute Bingo an und erkannte, dass er keine Witze machte. Dann hörte ich eine weibliche Stimme hinter mir.

»Ah, da bist du!« Es war Antoinette, gut gelaunt und wach, der Inbegriff von Frische und Enthaltsamkeit. Sie betrachtete mich misstrauisch. »Tony Hawks, ich hoffe, du hast dieses Etablissement verlassen, seit ich dich das letzte Mal gesehen habe.«

»O ja, ich war für ein paar Stunden auf der anderen Straßenseite.«

»Also, was habt ihr heute Morgen vor?«

Ich sah sie an und hatte eine Frau vor mir, die in Gesellschaft von Freunden gewesen war. Normalen, vernünftigen, ausgeglichenen Individuen.

»Ich glaube, du setzt dich besser.«

Mein Gott, war das ein Kampf! Ein Neoprenanzug ist vermutlich das Letzte, was man anzuziehen versuchen sollte, wenn man einen schweren Kater hat. Vor allem, wenn der Surfanzug eine Nummer zu klein ist. Nachdem ich in Anne Maries Pension zurückgekehrt war, kämpfte ich mit ihm in meinem Zimmer, fluchte, stolperte herum, rumpelte gegen Möbel und erzeugte ganz allgemein Geräusche, die mit der Theorie vereinbar waren, dass es sich bei mir um einen Perversen handelte. Fünfzehn Minuten größter physischer Anstrengung führten dazu, dass ich beide Beine drinnen hatte, aber dann entdeckte ich zu meiner Enttäuschung, dass ich den Anzug falsch rum angezogen hatte. Ich stieß ein Heulen aus, das jeden in Hörweite vermuten ließ, dass ich, welch abartiger Praktik auch immer ich mich hingab, erfolgreich den Höhepunkt erreicht hatte. Zwanzig Minuten weiteres Ringen folgten, und schon hatte ich es geschafft, den Surfanzug anzuziehen. Es war kein angenehmes Gefühl, denn im Schritt spürte ich deutlich, dass mir der Anzug zu klein war.

Ich öffnete die Zimmertür und entdeckte Anne Marie, die mir am anderen Ende des Flurs gegenüberstand. Ich weiß nicht, warum, aber ich war ein bisschen verlegen, als ich mit einem Neoprenanzug bekleidet aus meinem Zimmer trat und den Kühlschrank hinter mir herzog. Anne Marie war nicht auffallend rotwangig, aber das bisschen Gesichtsfarbe, das sie hatte, verschwand, so dass eine blasse, gespensterhafte Gestalt vor mir stand, bei der man dringend Wiederbelebungsmaßnahmen hätte einleiten müssen. Ich habe noch nie, selbst in meinen besten Momenten, über die Geistesgegenwart verfügt, die eine solche Situation erfordert, und entschied mich daher dafür, dämlich zu grinsen, während ich den Kühlschrank behutsam den Flur entlangzog.

Als ich die Haustür hinter mir schloss, war ich mir ziemlich sicher, dass Anne Marie als Nächstes die Polizei anrufen würde. Ich machte mir deshalb allerdings keine Sorgen, denn ich wusste, bis die Garda eintraf, würde ich längst mit dem Kühlschrank surfen und die ganze Sache auch für Außenstehende wieder Sinn machen.

Antoinette und Bingo saßen auf der Strandmauer und kicherten, als ich mich ihnen näherte. Das laute Rattern und die Vibrationen des Kühlschranks verstärkten mein ohnehin schon ausgeprägtes Kopfweh noch. Es war ein Samstagmorgen, und die, die beschlossen hatten, ihn mit einem angenehmen Strandspaziergang zu verbringen, amüsierten sich verständlicherweise über den ungewöhnlichen Anblick, der sich ihnen bot.

Surfen hat eine tolle Aura. Die meisten Mädchen, denen gegenüber man diesen Sport erwähnt, geben einen seltsamen Laut von sich, der meiner Meinung nach bedeutet, dass sie kräftige, gesunde, sexy Männer vor sich sehen. Und das mit Recht. Die meisten Fernsehberichte über diesen Sport, die ich gesehen habe, zeigen kräftige, gesunde, sexy Männer im Überfluss. Aber es gibt zwei einfache Mittel, dem Surfen seine Aura zu rauben. Das erste ist, einen Surfanzug zu tragen, der einem eine Nummer zu klein ist, und das zweite ist, einen Kühlschrank mitzunehmen. Gerechterweise muss ich zugeben, dass Bingo wie ein richtiger Surfer wirkte, aber es war für ihn von Nachteil, dass er mit mir in Verbindung gebracht wurde. Es bestand kein Zweifel daran, dass er zu dem Typ gehörte, der wie ein Trottel aussah und einen Kühlschrank mit sich herumschleppte, und es ist schwierig, richtig sexy zu wirken, wenn man sich in solcher Gesellschaft befindet. Wenn Mädchen etwas sexy finden, dann finden sie das ganze Arrangement sexy, und Bingo hatte leider das Pech, Teil eines Doppelpacks zu sein, dessen eine Hälfte eindeutig Ausschussware war.

Wir machten uns auf den Weg von der Strandmauer zum Meeresstrand. Dies bedeutete, dass wir zuerst ein Stück die Promenade entlanggehen und dann über ein paar Felsen klettern mussten, bevor wir ein riesiges Stück offenen Sandstrands erreichten. Der Neoprenanzug wurde immer enger, und ich fand es immer schwieriger, die Gliedmaßen abzuwinkeln. Das hatte den Effekt, dass meine sexuelle Ausstrahlung noch weiter gemindert wurde. Ich bewegte mich wie ein Monster aus einem Horrorfilm der Dreißigerjahre. Der für Außenstehende einzige Hinweis darauf, dass ich keine solche

Kreatur war, war der strahlend weiße Kühlschrank, denn bei ihm handelte es sich eindeutig um ein neueres Modell.

Als ich beinahe hinfiel, gab mir der großherzige Bingo sein Surfbrett, nahm die Last des Kühlschranks auf sich und verlor damit endgültig jegliche Glaubwürdigkeit als Surfer. Ich konnte jetzt selbst sehen, wie lächerlich ein Mann in einem Surfanzug wirkt, der einen Kühlschrank trägt. Als wir zu klettern anfingen, bemerkte ich, dass sich bei der Strandmauer eine kleine, verwunderte Menge versammelt hatte.

Die Bedingungen waren alles andere als ideal zum Surfen, denn das Meer war viel zu ruhig, aber das war für den Kühlschrank vermutlich von Vorteil, denn er machte das alles zum ersten Mal und war schließlich nicht für derartige Aktivitäten entworfen worden.

»Wie sieht denn unser Plan aus?«, fragte ich Bingo, als wir in das Meer hinauszuwaten begannen.

»Ich glaube, wir stellen den Kühlschrank auf das Brett, und dann werde ich versuchen, aufzuspringen und mit ihm auf einer Welle zu reiten.«

Kaum zu glauben, dass ich ihn am Abend vorher noch für vernünftig gehalten hatte.

»Großartige Idee«, log ich und hielt das Brett fest, während er den Kühlschrank daraufstellte.

Das Ganze wirkte überraschend stabil, denn der Schwerpunkt ist eine der Stärken eines Kühlschranks. Die Fähigkeit, diesen im Angesicht einer Welle zu verlagern, ist es jedoch nicht, und unglücklicherweise war die erste Welle, die auf ihn zurollte, von ziemlich großer Statur. Trotz seiner Geschicklichkeit auf dem Gebiet des Surfens verfügte Bingo über keinerlei Erfahrung darin, wie man einen Kühlschrank auf einem Surfbrett im Gleichgewicht hält, und als die Welle das Brett plötzlich nach oben drückte, rutschte ihm der Kühlschrank aus der Hand und fiel seitwärts ins Meer. Glücklicherweise schwamm er gerade so lange oben, dass Bingo und ich zu ihm hechten und ihn wieder auf das Brett hieven konnten. Das war knapp gewesen. Wenn er wieder reinfiel und wir ihn nicht schnell genug rausholten, würde er sich vielleicht mit Wasser füllen und sinken, und das Gewicht des Wassers würde es dann schwierig, wenn nicht unmöglich machen, ihn ohne professionelles Bergegerät zu heben. Dummerweise hatte ich kein professionelles Bergegerät mitgebracht.

Sollte ich den Kühlschrank auf solche Weise verlieren, würde es mir schwer fallen, zu erklären, warum ich die Wette nicht gewonnen hatte: »Nun, es lief eigentlich alles glatt, bis ich nach Strandhill kam. Es war ein bisschen Pech, dass der Kühlschrank dicht vor der Küste sank, und dann haben wir es leider auch nicht geschafft, ihn zu bergen.«

Falls der Kühlschrank sinken sollte, würde das für die Badegäste eine ziemliche Unannehmlichkeit bedeuten, denn sie müssten seine genaue Position in Erfahrung bringen, um nicht zu riskieren, sich mit den Zehen schmerzhaft an seiner rostigen Metallverkleidung zu stoßen. In Zukunft würde er vielleicht sogar auf den Seekarten dieser Gewässer erscheinen, wobei unerfahrene Navigatoren sich über den kleinen weißen Würfel wundern würden, der einen Gefahrenpunkt gleich vor der Küste markierte.

Wir stellten den Kühlschrank wieder auf das Brett. Bingo schob beide weiter ins Meer hinaus und achtete diesmal mehr auf die Wellen. Ich sah zu, wie er ein gutes Stück weit hinauswatete, und hielt meine Kamera bereit, um diesen Irrsinn auf Film festzuhalten. Er drehte sich um und beobachtete die Wellen in Erwartung des richtigen Augenblicks. Plötzlich tauchte eine größere Welle auf, und Bingo sprang zum Kühlschrank auf das Brett. Es folgte ein höchst ungewöhnlicher Anblick. Ein Mensch und ein Kühlschrank, die in vollkommener Harmonie auf einer Welle ritten. Die beiden fuhren ein paar wunderbare Meter weit mit solcher Leichtigkeit, dass es aussah, als hätte Bingo Zeit, die Kühlschranktür zu öffnen und ein erfrischendes Getränk herauszuholen. Die Zuschauer an der Uferpromenade brachen in spontanen Applaus aus, und Antoinette jubelte lauthals. Es war geschafft, der Kühlschrank hatte gesurft, und was noch wichtiger war, ich hatte den fotografischen Beweis dafür, vorausgesetzt, ich machte nicht wieder Mist mit dem Film. Nun gut, die beiden Surfer hatten nicht gerade eine weite Strecke zurückgelegt, und es hatte auch nicht lange gedauert, bis Bingo vom Brett springen musste, um den Kühlschrank vor einem weiteren Bad zu bewahren, aber trotzdem hatten einige Sekunden lang ein Mensch und ein Haushaltsgerät über die wilde, ungezähmte See triumphiert.

»Herzlichen Glückwunsch, Bingo, ich glaube, das hat es noch nie gegeben«, rief ich.

»Danke. Jetzt geht es darum, das Ding dazu zu bringen, dass es allein fährt.«

»Häh?«

»Wir müssen den Kühlschrank dazu bringen, allein zu surfen.«

Mussten wir das? Wieso? Also ehrlich, diese Leute waren nie zufrieden. Hier war ich und versuchte ganz unschuldig, mit einem Kühlschrank rund um Irland zu trampen, und stieß immer wieder auf Leute, die neue und aufregende Beschäftigungen für den Kühlschrank zu erfinden versuchten.

»So so, na gut«, sagte ich kleinlaut. »Wie machen wir das am besten?«

»Nun, ich schlage vor, dass du ungefähr hier wartest. Ich gehe noch ein bisschen weiter raus, und wenn ich eine geeignete Welle sehe, gebe ich dem Brett einen Schubs, und wenn wir Glück haben, wird der Kühlschrank mit dem Brett auf ihr reiten, bis du ihn auffängst.«

Was hätte einfacher sein können?

Die Schreie, Jauchzer und sonstigen Beifallsbekundungen, die uns vom Ufer aus zuteil wurden, waren vollkommen gerechtfertigt.

»Wir versuchen es besser nicht noch mal«, schlug ich vor. »Es würde nie mehr so gut hinhauen. Ganz bestimmt.«

Es hatte wie im Traum funktioniert. Genauso, wie Bingo geplant hatte: Der Kühlschrank ritt ganz allein auf einer Welle, und das Surfbrett fuhr wie von einer Fernbedienung gesteuert in meine ausgestreckten Arme. Was für ein Anblick! Surreal, komisch und irgendwie auch erhebend. Für eine Menge von ungefähr 15 Zuschauern, denen man zu Hause eh nicht glauben würde, hatten zwei Witzbolde kostenlos einen Trick vorgeführt, den man höchstens in einem teuren Hollywoodschinken erwarten würde. Die Euphorie sorgte auch dafür, dass ich einen klaren Kopf bekam. Verglichen mit einem Drambuie kurz vor Verlassen des Pubs war es eine außerordentlich aufwendige Kur gegen einen Kater, aber sie war ausgesprochen wirksam.

»Ihr Typen seid wirklich unglaublich«, rief Antoinette, als wir an Land kamen.

Sie hatte den Nagel auf den Kopf getroffen. Wir waren zweifellos unglaublich. Aber vermutlich eher im negativen Sinn.

11

Beiß dir in den Arsch, Michael Flatley!

»Nun, bei mir klingelt es«, verkündete Antoinette mit einer Tasse Kaffee in der einen Hand und dem Mobiltelefon in der anderen. Selbstverständlich hatte ich die Gebrauchsanweisung nicht gelesen und daher keine Fortschritte bei der Bedienung meines neuen Spielzeugs gemacht. Antoinette hatte keinerlei Probleme damit und erreichte sofort den, den sie hatte anrufen wollen.

»Hallo, Peter? ... Oh, mir geht es gut. Du errätst nie, was wir gemacht haben ... Scheiße, woher weißt du das? ... Oh ... Hör mal, bist du immer noch zu dieser Reflexzonenmassage bereit? ... Ja ... genau ... gut, ich werd's ihm sagen.«

»War das ›Peter, der Weise‹?«, fragte ich und studierte das Telefon, das Antoinette mir zurückgegeben hatte.

»Ja, er hat gesagt, er nimmt dich gleich nach mir dran. Vermutlich so um halb drei.«

»Gut.« Ich wartete einen Augenblick lang, denn ich wusste nicht, wozu ich »gut« gesagt hatte, und hoffte auf eine Erläuterung, die nicht erfolgte. »Äh ... Bei was nimmt er mich eigentlich dran?«

»Bei der Reflexzonenmassage natürlich. Er sagt, gestern Abend seist du ganz versessen darauf gewesen, dass er dir einen Termin gibt.«

»Oh, das war ich, das war ich.« Erschreckend. Ich konnte mich ehrlich in keinster Weise daran erinnern. »Es ist nur so, dass – aäh ...«

»Was?«

»Nun, es ist so, dass das Pokalfinale um drei beginnt.«

Antoinette verzog das Gesicht in einer Weise, wie es nur Mädchen machen, die die Schnauze voll haben von Jungs und Fußball.

»Tony, du wirst schlimmstenfalls die erste Viertelstunde verpassen. Du musst dich entspannen nach allem, was du durchgemacht hast. Willst du dir wirklich eine wertvolle neue Erfahrung entgehen lassen, um *Fußball* anzusehen?«

Wie war das möglich? Wie konnte man in die bloße Betonung eines Wort so viel Gift packen? *Fußball*.

Natürlich hatte sie völlig Recht: Pokalfinale kommen und gehen und sind für gewöhnlich enttäuschend, und hier bot sich mir die Möglichkeit, etwas Neues zu entdecken. Mir waren noch nie zuvor die Fußsohlen massiert worden. Und schon gar nicht von einem Kerl, den ich am Abend zuvor im Pub kennen gelernt hatte.

»Bevor ihr das alles macht, müsst ihr den Glen sehen«, erklärte Bingo. »Ihr könnt nicht von hier wegfahren, ohne den Glen gesehen zu haben.«

»Was für einen Glen?«

»Du wirst schon sehen. Ihr habt ein Auto, oder? Wir brauchen nur eine halbe Stunde.«

Und so wurde das unbarmherzige Veranstaltungsprogramm mit einem Besuch des Glens fortgesetzt. Weder Antoinette noch ich hatten die leiseste Idee, was das war, aber man hatte uns versichert, dass wir den Ort nicht verlassen dürften, ohne den Glen gesehen zu haben, und als zwei Anhänger des »Glaubens« wussten wir, es wäre falsch, sich diese Gelegenheit entgehen zu lassen.

Bingo schienen Zweifel zu kommen, als er Antoinettes Auto sah. Er sagte nichts, aber sein Gesichtsausdruck ließ vermuten, dass er dachte: »Und ihr wollt, dass ich da einsteige?«

In der Vergangenheit hatte Bingo den Feriengästen immer detaillierte Wegbeschreibungen gegeben, aber keiner von ihnen hatte es geschafft, den Glen zu finden. Er war so was wie ein geheimer Ort, in keinem Reiseführer verzeichnet und nur einigen wenigen Eingeweihten zugänglich. Nach zehn Minuten Fahrt begann die Straße, sich einen Weg um einen Hügel herum zu graben, und bot uns Ausblicke auf die schönen Aus- und Einbuchtungen der Küste zu unserer Rechten sowie auf die steilen Grashänge zur Linken.

»Gut. Halt einfach hier auf der linken Seite«, sagte Bingo.

Er führte uns über die Straße zu einem winzigen Tor, das fast ganz von wuchernden Büschen und hohem Gras verborgen wurde.

»Das ist es.«

Ein kurzer Fußmarsch einen schmalen Pfad entlang, und wir waren an einem Ort angelangt, der wirklich etwas Besonderes war. Wie drei Kinder in einem Abenteuer stiegen wir einen schmalen Durchgang am Fuß zweier riesiger Steinwände hinab. Es gab zwei Theorien, wie der riesige Raum während der letzten Eiszeit im Kalkstein entstanden sein konnte: entweder durch ein Erdbeben oder dadurch, dass die Decke eines Tunnels, den ein unterirdischer Fluss gegraben hatte, eingestürzt war. Wir waren jetzt die glücklichen Betrachter des spektakulären Ergebnisses. Die Vegetation, die auf den Felsen wuchs, und das Wasser, das von den Kalksteinstalaktiten tropfte, hatten einen Mikrokosmos geschaffen, Sligos eigenen Regenwald. Die schmalen Lichtbahnen, die durch die überhängenden Äste und Blätter drangen, das Geräusch des fließenden Wassers und das Echo unserer Stimmen verliehen dem Ort eine mystische Qualität, die uns bald dazu veranlasste, zu schweigen und einfach zuzuhören.

Ich ging weiter, setzte mich auf einen Baumstumpf und schaute die riesigen Kalksteinwände hoch, die uns schützend umgaben. Während ich dem munteren Wasser einer kleinen

Kaskade dabei zusah, wie es über einen schmalen Felsstreifen herabfloss, ließ ich mich von seinem sanften Geplätscher in einen beinahe meditativen Zustand versetzen. Ein seltener Augenblick des Friedens auf einer Reise, die zu einer hektischen und lautstarken Feier des Absurden geworden war. Ich fühlte auf einmal Dankbarkeit für alles, das mir widerfahren war, blickte auf und flüsterte leise »Danke«. Ich richtete mich damit an niemanden und nichts Bestimmtes, sondern an jeden, der zuhörte und sich angesprochen fühlte. Ich sah mich um und entdeckte, dass Bingo und Antoinette jeweils ihren eigenen Ort für einen Moment stiller Kontemplation gefunden hatten. Es kam mir vor wie eine Auszeichnung, an diesem einzigartigen spirituellen Ort sein zu dürfen.

Aber auch wenn ich hier im Glen für einen Augenblick Ausgeglichenheit, innere Ruhe und Erleuchtung erlangt hatte, so taugte meine nächste Tat doch als Beweis dafür, dass ich keine dauerhafte Bekehrung zum spirituellen Weg erfahren hatte. Ich schaute auf die Uhr und bemerkte, dass das Pokalfinale in weniger als einer Stunde angepfiffen würde.

Meine Stimme zerstörte mit der unerfreulichen, durchdringenden Schärfe einer Alarmanlage die friedliche Atmosphäre. »Wenn ich das Pokalfinale nicht verpassen soll, machen wir uns jetzt besser auf die Socken.«

Die anderen wandten sich mir zu und erschraken zuerst über diese Störung ihres einsamen Sinnens, wurden sich dann aber plötzlich bewusst, wer sie waren, wo sie waren und vor allem, in wessen Gesellschaft sie waren. Und sie hatten leider das Pech, mit einem Kerl dort zu sein, der sich das Pokalfinale ansehen wollte.

»In Ordnung, kein Problem«, sagte Bingo bereitwillig. Antoinette sagte nichts, aber das war auch nicht nötig.

Auf dem Weg zurück entdeckten wir Hinweise darauf, dass Bäume umgehackt und zu Feuerholz gemacht worden waren.

»Das hier ist ein beliebter Ort für Raveparties geworden«,

erklärte Bingo. »Leider behandeln die Leute den Glen nicht immer mit dem Respekt, den er verdient.«

»Gibt es in diesem Teil von Irland ein Drogenproblem?«, fragte ich.

»Die Polizei gibt es nicht zu, aber wir haben eins.«

Und dann erzählte er, wie ein unpopulärer Polizeichef in einem Ausspruch, den die Lokalzeitung zur Schlagzeile machte, stolz damit geprahlt hatte, dass es in Sligo keinerlei Drogen gebe:

DROGEN SIND FÜR UNS KEIN PROBLEM.

Ihm wurde ein wenig der Wind aus den Segeln genommen, als ein Opportunist die Schlagzeile ausschnitt und sie als erste Zeile auf einem Poster benutzte, das vervielfältigt und in der ganzen Stadt plakatiert wurde:

DROGEN SIND FÜR UNS KEIN PROBLEM.
WIR KRIEGEN SIE ÜBERALL.

Egal, was man von Drogen hält: Es war klar, wer diese eine Schlacht gewonnen hatte.

Die Zeit wurde knapp, aber die »Bingo-Tour« schloss noch einen kurzen Halt bei einem verfallenen alten Landsitz ein, den ein einheimischer Geschäftsmann in der früheren, extravaganten Pracht wiederherrichten ließ, um darin ein Hotel zu eröffnen. Irland ist mit Ruinen ohne Dächern übersät, die alle einen ganz bestimmten Moment in der schwierigen Geschichte dieses Lands markieren: Eine Steuer auf Dächer hatte dazu geführt, dass die Großgrundbesitzer aus England die Dächer auf ihren irischen Gütern zerstören ließen, die sie nicht länger unterhalten konnten oder die zu besuchen ihnen zu aufwendig geworden war. England hat sein eigenes, hässliches Beispiel für das menschliche Verlangen, um jeden Preis Steuern sparen zu wollen: Die Einführung einer Fenstersteuer sorgte dafür, dass viele Eigentümer großer Häuser deren Fenster zumauern ließen. Je privilegierter jemand in einer Gesellschaft ist, desto listiger und entschlossener scheinen seine Bemühungen zu werden, dieser möglichst keinen Penny abgeben zu müssen. Die Narben in der irischen Landschaft, die diese alten, dachlosen Gutshäuser darstellen, gemahnen eindeutig an die menschliche Schwäche, privaten Reichtum auf Kosten der sozialen Gerechtigkeit anhäufen zu wollen. Ausgerechnet zu einem Zeitpunkt in der irischen Geschichte, als einem Großteil der irischen Bevölkerung das grundlegende Menschenrecht auf ein ›Dach über dem Kopf‹ verwehrt war, wurden Dächer mit Absicht zerstört, nur damit auf einer Insel jenseits der Irischen See die Guthaben auf den Konten weiter anwuchsen.

Ein entscheidender Augenblick in meiner eigenen persönlichen Geschichte war das erste Klingeln meines Mobiltelefons. Die Leute von North West Radio riefen an, um mir den Namen und die Adresse einer Frau durchzugeben, die ein Bed & Breakfast in Ballina hatte und mir eine kostenlose Unterkunft anbot für den Fall, dass ich dort auftauchte. – Ein Dach über dem Kopf.

Antoinette schüttelte ungläubig den Kopf. »Wirklich, all die Türen, die sich dir öffnen! Ich werd mir einen Toaster schnappen und auch durch Irland reisen.«

»Ballina? Ist das dein nächstes Ziel?«, fragte Bingo.

»Jetzt schon.«

Ich bin nicht stolz darauf, meinen Termin für die Fußreflexzonenmassage bei Peter verpasst zu haben. Lieber ein Fußballspiel in einem lauten Pub in Sligo anschauen zu wollen, als sich von einem großen, berufenen Therapeuten massieren zu lassen, zeugte von Oberflächlichkeit und Unreife, aber ein Pokalfinale ist ein Pokalfinale, und wenn man eins verpasst hat, hinterlässt das in den persönlichen Erinnerungen eine Lücke, die sich in Zukunft als ernsthafter Nachteil bei Diskussionen im Pub erweisen kann.

Die Ehre, als Erster auf dem Kühlschrank zu unterschreiben, wurde Bingo zuteil, als wir ihn vor seinem Pub absetzten. Die mit grünem Filzstift geschriebenen Worte »Prost! Alles Gute, Bingo« leiteten die Transformation eines normalen Haushaltsgegenstands in eine Absonderlichkeit mit persönlicher Note ein.

Wegen meines irrationalen Verlangens, ein Fußballspiel anzuschauen, musste ich jetzt einen festen Termin einhalten und – eine für mich ungewöhnliche Situation – einen Schlachtplan aufstellen.

»Ich dachte, du hast keine Schlachtpläne«, sagte Antoinette, als ich ihn ihr erklärt hatte.

»Habe ich auch nicht. Aber heute ist eine Ausnahme.«

Das war es nicht wirklich. Es war genau wie am Tag zuvor, an dem ich auch um drei Uhr an einem bestimmten Ort hatte sein müssen.

Indem ich vor der Schönheit und dem Frieden des Glens floh und meinen Fußsohlen den Luxus einer guten Massage verweigerte, hatte ich mir genug Zeit verschafft, um mir vor dem Spiel noch rasch etwas zum Essen zu besorgen. Als wir das Zentrum von Sligo erreichten und ich zum letzten Mal aus Antoinettes Auto ausstieg, hatte ich vor, das Abrakebabra zu suchen, mein kostenloses Mittagessen abzuholen, den Kühlschrank dort zu lassen und dann das Spiel im nächsten Pub anzuschauen. Es war ein guter Plan, auch wenn ich der Einzige im Auto war, der so dachte.

Antoinette und ich umarmten uns und wünschten einander viel Glück.

»Danke für das surrealste Wochenende meines Lebens«, sagte sie und kehrte nach Dublin und in die relative Normalität des dortigen Lebens zurück. Im Gegensatz dazu drehte ich mich um, schulterte den Rucksack und rollte den Kühlschrank durch die Horden gehetzter Menschen, die in Sligos Stadtzentrum beim Einkaufen waren.

Abrakebabra stellte sich als ein Fast-Food-Restaurant heraus, und obwohl es nicht genau das war, was ich erwartet hatte, würde die Schnelligkeit des Service von entscheidender Wichtigkeit sein, denn die Zeit lief. Der Boss, der die großartige Marketing-Idee gehabt hatte, einer x-beliebigen Person, die einen Kühlschrank in seinen Laden schleppte, ein kostenloses Mittagessen zu spendieren, war nicht da, aber eine verwirrte Dame namens Mary hielt sich an die Vereinbarung und erlaubte mir, den Kühlschrank und den Rucksack im Hinterzimmer abzustellen.

Zwei Minuten vor drei stürmte ich mit einem Steak-Sandwich in der Hand auf die Straße und ging in den ersten Pub, den ich sah. Er war leer, und der Grund dafür wurde mir schnell klar. Man zeigte dort das Spiel nicht. Die Zeit wurde knapp. Ich lief hinaus und entdeckte keinen Pub in Sichtweite. Welche Richtung sollte ich einschlagen, links oder rechts? Ich rannte nach links.

Das war ein Fehler und führte mich in den einzigen Quadratkilometer besiedelten Gebiets im ganzen Land, der über keinen Pub verfügte, aber ich rannte mir die Lunge aus dem Leib und schaffte es tatsächlich rechtzeitig einen zu erreichen, was, wenn es sich um eine offizielle Leichtathletikveranstaltung gehandelt hätte, meine persönliche Bestleistung gewesen wäre. Vor dem Pub stand auf einer großen Tafel »Chelsea vs. Middlesborough«. Ich schaute auf meine Uhr und sah, dass es eine Minute nach drei war. Nicht schlecht. Gar nicht schlecht.

Nun, unter normalen Umständen vielleicht. Unter normalen Umständen neutralisieren sich beide Mannschaften während einer langweiligen und nervösen ersten Hälfte, und das Spiel wird erst in den fesselnden letzten zwanzig Minuten lebendig, die der ganzen Veranstaltung überhaupt ihren Reiz geben. An dem Tag, an dem ich eine Minute zu spät kam – eine lächerliche Minute zu spät! –, schoss Chelsea nach 35 Sekunden ein Tor. 35 Sekunden! Das passiert sonst nie. Zumindest nicht in einem Pokalendspiel. Ich war außer mir vor Wut. Ich brauchte dringend eine Reflexzonenmassage, um mich wieder zu beruhigen. Stattdessen wählte ich ein deutlich ungesünderes Entspannungsmittel, lehnte mich zurück, nippte gelegentlich daran und hoffte, dass der frühe Treffer zu einer offenen Partie führen und diese in ein Schützenfest verwandeln würde.

Der Pub war riesig, und es sah aus, als wären drei getrennte Räume zusammengelegt worden, um eine großzügige Wirkung zu erzielen. Die Aufmerksamkeit aller Anwesenden galt den beiden Großbildleinwänden, von denen eine an jedem Ende des Raums stand. Die Aufmerksamkeit aller Anwesenden, bis auf den Hausbetrunkenen. Eigentlich glaube ich, dass er ein Gastbetrunkener war, der von einem anderen Pub ausgeliehen worden war und über dessen Ablösesumme noch verhandelt wurde. Das Konfetti in seinem Haar und der schicke Anzug, den er trug, ließen vermuten, dass er direkt von einem Hochzeitsempfang kam. Vermutlich hatte er dort die Bar mit den kostenlosen Drinks leer gesoffen und war dadurch gezwungen worden, seine verdienstvolle Arbeit woanders fortzusetzen. Im Moment war er der betrunkenste Mann Irlands, und der Vorsprung, den er vor der Konkurrenz hatte, war beträchtlich. Er stand am einen Ende des Pubs direkt unter der Leinwand, benutzte seine Krawatte als Mikrofon und gab seine Interpretation von Bob Geldoffs »I Don't Like Mondays« zum Besten. Sein Vortrag war unmelodisch, laut und eine Qual. Für meinen Geschmack dem Original zu ähnlich. Dann begann er herumzuspringen, als hätte jemand 5000 Volt durch seinen Körper gejagt. Wäre sein Ausruf nicht gewesen, hätte keiner im Pub auch nur die leiseste Idee gehabt, was er da tat.

»Beiß dir in den Arsch, Michael Flatley!«, brüllte er, so laut er konnte.

Ah, das war es also. Er führte *River Dance* auf. Er zappelte derart herum, dass ich dachte, er würde gleich einen Herzinfarkt kriegen. Stattdessen trank er einen tiefen Schluck aus seinem Glas und verteilte jeweils gleich große Mengen Bier auf seinen Mund und seinen Anzug.

Der Mann stellte für die Mehrheit der Anwesenden, die wie ich vor allem in den Pub gekommen waren, um ein Fußballspiel anzusehen, eine enorme Ablenkung dar. Aber es gab keine feindseligen Äußerungen ihm gegenüber. Die Trinker lächelten einfach, lachten oder schüttelten gut gelaunt die Köpfe. Das war nicht meine instinktive Reaktion gewesen, aber ich erkannte bald, dass ich meiner Verärgerung am besten Herr wurde, wenn ich einfach mit den anderen mitlachte. Wenn man sie nicht schlagen oder sich ihnen anschließen kann, lacht man am besten über solche Leute.

Ich war ihm wirklich dankbar. Er war unterhaltsamer als das Fußballmatch, und seine »Lieder« halfen, die nichtssagenden Analysen des Kommentators zu übertönen. Ich konnte gerade noch das Näseln von Trevor Brooking erkennen.

»Ravanelli steht jetzt bereits zum fünften Mal im Abseits, und es war nicht einmal knapp: Er war weit im Abseits.«

Etwas, was man von Brookings nicht behaupten kann. Ich habe gehört, er verdient 20 000 Pfund in der Woche.

Chelsea hat 2 zu 0 gewonnen. Sie schossen ihr zweites Tor, als ich auf der Toilette war. Ich hatte ein bisschen Mitgefühl für Middlesborough. Schließlich hatten sie es in dieser Saison in zwei Pokalendspiele geschafft, hatten sie beide verloren und stiegen auch noch aus der Premier League ab. Was sagt ein Trainer zu seinen Spielern nach einer Reihe derartiger Pleiten? Mir ist kein befriedigender Euphemismus für »ihr seid ein Haufen Versager« bekannt.

Ich wette, es war für die Spieler nicht so schlimm wie für die Fans. Die meisten Spieler würden ohnehin innerhalb einer Woche an einen anderen Verein verkauft werden, aber die Fans würden mit ihren zerstörten Träumen weiter in Middlesborough leben. Es ist vermutlich ganz gut, dass es dort oben keine Todesnachrichten im Lokalradio gibt.

Während ich in diesem Pub in Sligo saß, vergaß ich für einen Augenblick, was ich in Irland tat, so groß war mein Mitgefühl für die Fans von Middlesborough. Ich kannte ihren Schmerz. Ich hatte ihn auch schon erfahren. Das letzte Team, das ein Pokalfinale verloren hatte und in der gleichen Saison abgestiegen war, war Brighton and Hove Albion. Ich war im Wembley Stadion gewesen und hatte gesehen, wie meine Mannschaft 4 zu 0 gegen Manchester verlor, die höchste Niederlage in einem Pokalfinale seit dem Zweiten Weltkrieg. Ehrlich gesagt war es ziemlich peinlich gewesen. Naja, wenigstens hatte ich kein Spielzeuggewehr dabei gehabt.

Als ich den Pub verließ, vergrößerte der betrunkenste Mann Irlands seinen Vorsprung auf mögliche Rivalen noch, denn er hatte gerade ein Kopf-an-Kopf-Rennen verloren, bei dem es darum gegangen war, möglichst schnell ein Glas Bier zu leeren, und verlangte jetzt von der Bedienung hinter der Theke lauthals zwei Brandys. Er hatte ohne Zweifel eine gute Kondition, aber genauso außer Frage stand, dass er sich bessern musste.

Ich holte mein Zeug im Abrakebabra ab, sagte, dass mir das Spiel gefallen habe, obwohl das nicht stimmte, und bestellte mir über das Mobiltelefon ein Taxi.

»Können Sie mich an der Straße nach Ballina absetzen«, hatte ich gefragt.

»Kein Problem«, hatte man geantwortet, aber das war eine Lüge.

Ich wartete zwanzig Minuten vor dem Abrakebabra. Schließlich näherte sich mir ein untersetzter, gut 20-jähriger Mann, der, wie ich gesehen hatte, meinen Kühlschrank mit Interesse beäugt hatte.

»Waren Sie gestern im Fernsehen?«

»Ja, war ich.«

»Dachte ich es mir doch, dass ich Sie – äh, den Kühlschrank kenne. Wo wollen Sie hin?«

»Ich warte auf ein Taxi, das mich zur Straße nach Ballina bringen soll, von wo ich per Anhalter weiterfahre.«

»Warten Sie, ich hol meinen Lieferwagen. Ich bringe Sie hin.«

Ausgezeichnet. Ich beherrschte mein Handwerk inzwischen so gut, dass man mich mitnahm, ohne dass ich den Daumen rausgehalten hatte.

Kieran lieferte Obst und Gemüse aus. (Aber in seinem dicht gedrängten Zeitplan gab es offensichtlich immer noch Raum genug, um nachmittags fernzusehen.)

»Ich war gerade auf dem Nachhauseweg, als ich Sie gesehen habe. Ich hatte mein Zeug schon aufgeräumt, da fiel mir ein, dass ich vergessen habe, sechs Gurken auszuliefern, also habe ich den Lieferwagen wieder rausgeholt.«

Das war alles Teil dieses harten Jobs. Ich verdankte die Mitfahrgelegenheit also einzig und allein sechs Gurken. Auch das konnte ich jetzt abhaken. Eine weitere Premiere.

»Es ist sehr nett von Ihnen, dass Sie mich aus der Stadt bringen.«

»Ach, es ist mir ein Vergnügen. Einen Irren wie Sie trifft man nicht alle Tage.«

Da hatte er Recht.

Ich fuhr mit Kieran fünf Kilometer weit aus Sligo raus und an der schönen Ballysadare Bay vorbei.

»Schauen Sie«, rief er. »Gottes Fernseher!«

Wir erreichten eine Straßengabelung, wo die kleinere N59 nach Ballina abzweigte, und es wurde Zeit für mich, auszusteigen und am Straßenrand meinen Posten zu beziehen. Es war kurz nach halb sechs, und ich war wieder unterwegs. Ich hatte keine Ahnung, was als Nächstes kommen würde. Mir gefiel die Unvorhersehbarkeit dieses ganzen Kühlschrank-

Abenteuers immer besser. Nur einer Sache konnte ich mir sicher sein: Es würde nicht lange dauern, bis einer der freundlichen Autofahrer dieses freundlichen Landes mich am Straßenrand auflas und weitertransportierte.

12

Roisin

Eineinhalb Stunden später wartete ich immer noch, und meine Stimmung begann zu sinken. Mit einem übersteigerten Selbstvertrauen, das an Arroganz grenzte, hatte ich gedacht, dass ich einfach aus einer Stadt wegfahren könnte, wann immer ich wollte, und mit großer Leichtigkeit eine Mitfahrgelegenheit finden würde. Aber die Wirklichkeit sah anders aus: In einer Stunde wurde es dunkel, dann musste ich aufgeben und mit dem Taxi nach Sligo zurückfahren. Verkraftete meine Leber einen weiteren Abend im »Strand«? Ich ließ mich müde und deprimiert auf dem Kühlschrank nieder.

Zwei sehr kleine Kinder, ein Junge und ein Mädchen, gingen vorbei. Der Junge betrachtete mich interessiert und fragte: »Was machst du hier?«

Das war eine Frage, die ich mir auch schon gestellt hatte.

»Ich trampe.«

Er nickte. Er schien mit der Antwort zufrieden zu sein, obwohl er eindeutig nicht wusste, was ›Trampen‹ war.

»Kommst du gerade aus der Schule?«, fragte das kleine Mädchen.

Ich schüttelte eher aus Verwunderung denn zur Beantwortung ihrer Frage den Kopf. Was für ein Kurzschluss ihres Hirns hatte sie zu dieser Frage veranlasst? Sie entbehrte jeglicher Logik. Sie würde es in diesem Land noch weit bringen.

Endlich hielt ein Auto an. Aber der Fahrer stieg aus, überquerte die Straße und ging in einen Laden.

Gemeinheit.

In den nächsten zehn Minuten waren die Fahrer ausschließlich alleinreisende Fahrerinnen, die aus naheliegenden Gründen nicht anhielten. Vor allem nicht an einem Samstagabend und wenn der Tramper einen Kühlschrank dabei hat. Ein Priester fuhr vorbei, aber er machte mit der Hand ein Zeichen und deutete nach links, was wohl hieß, dass er gleich abbiegen würde. Eine ganze Menge Fahrer hatte das gleiche Zeichen gemacht, und ich respektierte es als eine höfliche Geste, auch wenn es sich in neun von zehn Fällen um eine handfeste Lüge handelte.

Weitere zwanzig Minuten vergingen schleppend. Ich griff nach einem Strohhalm und entschied, dass mir ein Pappschild fehlte, auf dem mein Ziel stand. Bisher hatte ich mich um dieses Tramper-Accessoire nicht gekümmert, weil ich es nicht wirklich brauchte. Es spielte keine große Rolle, wo ich landete. Jedes Auto, vorausgesetzt, es fuhr ungefähr in die richtige Richtung, war gut genug für mich. Die freundliche Dame in dem Laden gab mir ein Stück Pappe, und nach ein bisschen kreativer Arbeit mit einem Filzstift machte ich mich mit frischem Mut und einem ›Ballina‹-Schild, das ich stolz hochhielt, erneut ans Trampen.

Es machte nicht den geringsten Unterschied. Obwohl, eigentlich tat es das doch, denn jetzt wussten die Fahrer, wohin sie mich nicht mitnahmen. Es war fast halb acht. Ich beschloss, noch zwanzig Minuten zu warten und dann aufzugeben und mit einem Taxi zurück zu Anne Maries Pension zu fahren. Drei unangenehm aussehende Jugendliche bogen um die Ecke und kamen auf mich zu. Zum ersten Mal auf meiner Reise war mir ein wenig unwohl zumute. Es war Samstagabend, sie sahen wie harte Burschen aus, und ich gab ein gutes Ziel für Leute ab, die auf der Suche nach einer etwas anderen Form der Unterhaltung waren. Würden sie etwas sagen? Oder schlimmer noch, würden sie mir etwas tun? Ich hielt die

Luft an und schloss die Augen, aber sie gingen ohne ein Wort zu sagen vorbei. Ob es daran lag, dass ich ein doch zu verwirrendes Opfer war, oder daran, dass sie einfach gesetzestreue, aufrechte Bürger waren, weiß ich nicht. Vielleicht ließ mich der Kühlschrank wie einen üblen Burschen aussehen.

Ich wollte schon aufgeben und hatte gerade begonnen, meine ungewöhnlichen Besitztümer zusammenzupacken, als ein Vauxhall Cavalier anhielt. Ich beobachtete ihn argwöhnisch und erwartete, dass der Fahrer aussteigen und in den Laden auf der anderen Straßenseite gehen würde, aber er blieb sitzen und sah mich über die Schulter hinweg an. Ich rannte zum Seitenfenster.

»Fahren Sie nach Ballina?«

»Das tue ich.«

Ich hatte wieder Glück gehabt.

Chris war an diesem Tag auf einem Ziegenmarkt gewesen und hatte hinterher Freunde in Sligo auf ein paar Gläschen am frühen Abend besucht. Er hatte mich auf dem Weg in die Stadt gesehen und mich als den seltsamen Kerl identifiziert, den er Anfang der Woche von seinem Kühlschrank-Abenteuer hatte erzählen hören. Es überraschte ihn nicht, dass ich immer noch am Straßenrand stand, als er die Stadt wieder verließ. Er war selbst vor vielen Jahren einmal rund um Irland getrampt, und eine der längsten Wartezeiten hatte er zu ertragen gehabt, als er versuchte, aus Sligo wegzukommen. Seiner Erfahrung nach war Limerick eine weitere Stadt, die per Anhalter zu verlassen schwierig war, und ich speicherte diese Information in meinem benebelten, erschöpften Hirn ab.

Einer der eher ermüdenden Aspekte des Reisens per Anhalter ist der Zwang, gesellig sein und sich mit den Leuten unterhalten zu müssen, die einen mitnehmen. Es wäre schlechtes Benehmen, wenn man sich auf den Beifahrersitz setzen und einfach pennen würde, bis man sein Ziel erreicht hatte. Wie sehr sehnte ich mich aber danach, genau das zu tun! Stattdessen plauderte ich fröhlich vor mich hin und büßte mit jedem Satz weitere Energie ein, bis Chris mich vor dem Haus der Dame absetzte, die mir eine kostenlose Übernachtungsmöglichkeit angeboten hatte.

Einer der eher ermüdenden Aspekte einer kostenlosen Unterkunft ist der Zwang, gesellig sein und sich mit den Leuten unterhalten zu müssen, die sie einem angeboten haben. Es wäre schlechtes Benehmen, einfach aufzutauchen, seine Sachen hinzuschmeißen, sich in sein Zimmer zu verkriechen und einen Weckanruf für früh am nächsten Morgen zu bestellen. Wie sehr sehnte ich mich aber danach, genau das zu tun! Stattdessen plauderte ich fröhlich mit Marjorie und büßte mit jedem Satz weitere Energie ein, bis der Tee ausgetrunken und der Kuchen gegessen war und ich endlich den Mut gefunden hatte, zu erwähnen, wie müde ich war. Ich entschuldigte mich und sagte, dass ich einfach ein paar Stunden Schlaf bräuchte, und Marjorie zeigte mir verständnisvoll mein Zimmer.

Es war noch dazu ein schönes Zimmer mit einem herrlichen Blick auf den Moy, denn die Pension stand oben auf einem Steilufer. Ich dankte Marjorie erneut für ihre Gastfreundschaft.

»Keine Ursache, Tony. Als ich gehört habe, was du machst, musste ich einfach bei dem Radiosender anrufen und dir ein Zimmer anbieten. Ich finde, es ist eine großartige Idee.«

Das war es natürlich. Ich hatte nie daran gezweifelt.

Es war beinahe halb neun, als ich mich hinlegte, um für ein paar Stunden ein Nickerchen zu machen.

Als ich aus tiefstem Schlaf erwachte, war es erst Viertel vor neun. Ich stand auf, um auf die Toilette zu gehen, schaute aus dem Badezimmerfenster und sah, wie die Sonne den Fluss anstrahlte. Von Osten her. Es war Morgen. Ich hatte ein zwölfeinhalb Stunden langes Nickerchen gemacht. Und fühlte mich ziemlich gut.

»Hast du gut geschlafen?«, fragte Marjorie zum Frühstück.
»Das könnte man so sagen.«

Nachdem sie meinen Frühstückswunsch notiert hatte, schlurfte Marjorie davon und ließ mich allein, damit ich den Blick auf den Fluss bewundern und mit den anderen Gästen plaudern konnte. Nachdem ich diese gemustert hatte, entschied ich, mir nicht die Mühe zu machen. Sie waren zu dritt, ein junges verheiratetes Paar und ein einzelner fetter Deutscher, und saßen zusammen an einem Tisch, was sie eindeutig nicht genossen. Sie sagten absolut nichts zueinander, und ihr Schweigen schien sie in einem schrecklichen Würgegriff zu halten. Das Geräusch des Bestecks auf ihren Tellern hallte in dem Zimmer wider und schien zehnfach verstärkt zu werden. Es wurde deutlich, dass es für sie alle mit jeder Minute, die verging, schwieriger wurde, das Essen zu unterbrechen und etwas zu sagen. Sie beugten sich voll grimmiger Entschlossenheit über ihre Teller und wussten, je schneller sie das Frühstück hinter sich brachten, desto schneller war diese ganze unangenehme Erfahrung vorbei. Ich war froh, dass man mich nicht an ihren Tisch gesetzt hatte.

Marjories Stimme wirkte ohrenbetäubend, als sie mit einem köstlichen Frühstück zu mir kam. Am Tag vorher hatte sie mir beim Tee erzählt, dass sie zwei Kochbücher geschrieben hatte, und es war unübersehbar, dass sie selbst bei einem einfachen Mahl wie dem Frühstück ihre Fähigkeiten auf kulinarischem Gebiet demonstrieren wollte. Ich hatte nichts dagegen. Geräucherter Lachs, Tomaten und herrlich lockeres Rührei waren mir sehr recht. Soweit ich es beurteilen konnte, hatte sie den Michelin-Stern, nach dem sie sich so sehnte, vollauf verdient. Aber was soll das Ganze überhaupt? Ich habe nie verstanden, warum jemand will, dass seine Kochkünste von Michelin gelobt werden. Wen kümmert es schon, was die denken? Keiner ist an Essen mit guter Kurvenhaftung interessiert.

Marjorie war eine Dame mittleren Alters, verfügte aber über die beeindruckende Lebenslust einer viel jüngeren Frau. Nachdem das junge Paar und der jetzt noch fettere Deutsche das Esszimmer verlassen und in ihren Zimmern Zuflucht gesucht hatten, erzählte sie mir, dass sie und ihr Ehemann sich getrennt hätten und sie, seit sie diesen Neuanfang gewagt habe, positiver denn je in die Zukunft sehe.

»Ich will's noch mal wissen!«, rief sie. »Und ich glaube, deshalb war ich mir sicher, mit dir Kontakt aufnehmen zu müssen, denn an dem, was du tust, sieht man, dass du es auch wissen willst.«

»Genau.«

Ich wusste, was sie meinte, aber ich hatte nicht erwartet, dass meine Kühlschrank-Reise mit einer Scheidung verglichen werden würde.

»Wirst du heute wieder weiterziehen, Tony?«

»Nun, der Sonntag ist der traditionelle Ruhetag, und ich habe das Gefühl, dass ich es ein bisschen übertrieben habe. Würde es dir was ausmachen, wenn ich noch eine Nacht hier bleibe? Die bezahle ich selbstverständlich.«

»Das wirst du nicht. Du wohnst hier kostenlos, und da gibt es keine Diskussionen. Was willst du mit dem heutigen Tag anfangen?«

»Och, ich dachte, ich lass es locker angehen, lese und schreibe ein bisschen und mache vielleicht einen Spaziergang den Fluss entlang.«

»Meine Freundin Elsie kommt um eins. Sie ist wirklich eine Nummer. Du musst sie ganz einfach kennen lernen. Ich warne dich aber, du wirst danach vielleicht ein Valium brauchen.«

Marjorie hatte nicht übertrieben. Elsie, eine überschäumende und redselige Frau, verkürzte meine Erholungszeit, indem sie eine Stunde zu früh kam und mir genau zu Mittag einen dicken, feuchten Schmatzer auf die Lippen drückte.

»Du musst mich entschuldigen, Tony, aber so bin ich nun mal«, verkündete sie, als ich schockiert zurückwankte. »Bin ich zu früh gekommen?«

Sie vielleicht, aber ich ganz bestimmt nicht.

»Nein, ist schon in Ordnung. Ich bin mit dem Lesen fast fertig.«

Elsie übte sich nicht lange in Zurückhaltung. Wir kannten uns gerade mal zwei Minuten, da zeigte sie mir ein Gedicht, das sie geschrieben hatte, und bat mich, es zu lesen. Während ich das versuchte, redete sie weiter und erzählte mir, dass sie auch Lieder schrieb und sang und bald eine CD aufnehmen würde. Leider bedeutete Elsies pausenloses Reden, dass es unmöglich war, sich auf ihr Schreiben zu konzentrieren.

»Es ist sehr gut«, sagte ich, gab ihr das Gedicht zurück und hoffte, dass sie mich nicht bitten würde, mich zu seinem Inhalt zu äußern.

Nach einem ausgezeichneten Mittagessen, dessen einziger Fehler in meinen Augen sein erschreckend kurzer zeitlicher Abstand zum Frühstück war, nahmen die beiden Damen mich auf eine Rundfahrt zu den Sehenswürdigkeiten von Ballina mit. Der Kühlschrank begleitete uns, und an jedem Halt des Wegs wurde er auf Elsies und Marjories Drängen hin den Leuten wie eine Berühmtheit präsentiert.

Wir besuchten Kilcullen's Meeresalgenbad in Enniscrone, wo Algen auf mich gepackt wurden, während ich in einer riesigen Badewanne voll heißem Meerwasser lag. Es schien eine lächerliche Angelegenheit zu sein, wirkte aber überraschend entspannend. Wir fuhren zum Belleek Castle, einem stattlichen Landsitz inmitten von tausend Hektar Wald am Ufer des River Moy, aber wir konnten uns das Schloss nicht ansehen, weil wir dazu einen Besichtigungstermin hätten vereinbaren müssen. So drücken sich doch sonst Immobilienmakler aus, oder? Wir hatten eigentlich nicht vor, das Ding zu kaufen.

Auf dem Heimweg nahmen wir einen Drink im Clubhaus

des Golfplatzes, auf dem die Damen Golfunterricht nahmen. Und auch mir sollte hier eine Lehre erteilt werden. Als ich den Kühlschrank auf dem Wägelchen in die Bar rollte, verkündete Elsie, so laut sie konnte: »Das hier ist Tony Hawks aus England! Er reist mit einem Kühlschrank rund um Irland! Sie haben ihn vermutlich schon in der *Gerry Ryan Show* gehört.«

Elsies Bekanntmachung wurde mit Schweigen aufgenommen. Die sich ausruhenden Golfer musterten mich argwöhnisch und wandten sich dann wieder ihren Gesprächen zu. Marjorie, Elsie und ich leerten unsere Gläser, ohne dass eine einzige Person herüber gekommen wäre, um mit uns zu reden oder einen Witz über den Kühlschrank zu machen. Ich war mir sicher, dass wir nicht die üblichen kühlen Umgangsformen in einem Golfclub erlebten, sondern eher ein Beispiel für »Irische Missgunst«. Ich erinnerte mich daran, dass mich jemand im Hudi-Beags mit diesem angeblich typischen Charakterzug vertraut gemacht hatte. Soweit ich verstand, bedeutete es, dass die Leute sich kaum um einen kümmerten, wenn man sich ihnen aufdrängte und ihnen die Großartigkeit der eigenen Person erklärte, anstatt ihnen Zeit und Raum zu geben, diese selbst zu entdecken. Das war eine weitere Information, die ich in meinem inzwischen überfüllten Hirn unterbringen musste, aber ich fand dafür Platz gleich neben »Aus Limerick kommt man per Anhalter schwer weg« und »England und Portugal sind die beiden einzigen Länder in der EU ohne regionale Sprachen von Minderheiten«.

Den ganzen Nachmittag lang ergoss Elsie einen Strom von Witzen und derben Bemerkungen über uns, wobei letzteren jedesmal die Entschuldigung »Es tut mir Leid, aber so bin ich nun mal« folgte.

Sie sagte diese Entschuldigung so oft, dass ich mich zu fragen begann, ob sie nicht eigentlich ganz anders war. Wie auch immer, sie war jedenfalls eine gute Freundin von Marjorie.

»Vor einiger Zeit, als es mir nicht so gut ging, habe ich Elsie achtmal am Tag angerufen«, erzählte mir Marjorie, als Elsie außer Hörweite war. »Und wenn ich zum achten Mal anrief, hat sie sich genauso benommen, wie wenn es das erste Mal gewesen wäre. Also, das ist eine wahre Freundin.«

Oder jemand mit einem sehr schlechten Gedächtnis.

Es war ein schöner Abend. Der ungefähr eineinhalb Kilometer lange Spaziergang zum Pub führte am River Moy entlang, und die sinkende Sonne ließ ihre letzten Strahlen auf das gemächlich fließende Wasser fallen. Elsie und Marjorie waren für mich eine Offenbarung gewesen. Zwei fünfzigjährige Frauen, die es noch mal wissen wollten. Marjorie mit ihren Kochbüchern und Elsie mit ihren Gedichten und Liedern. Ich hatte keine Ahnung, ob ihre Bemühungen von hoher Qualität waren, aber das schien auch gar nicht das Entscheidende zu sein. Viel wichtiger war die Freude, die diese Beschäftigungen ihnen vermittelten.

Manchmal im Leben muss man so tanzen, als würde einem niemand dabei zuschauen.

Der Pub hieß Murphy's und war eine neue und geschmackvoll renovierte Bar, vollgestopft mit jungen Leuten. Mit attraktiven jungen Leuten. Attraktiven jungen Mädchen. Ich bestellte ein Bier und ließ mich ein bisschen stimulieren. Ich lehnte mich an die Theke und suchte den Raum nach meiner Favoritin ab. Es fiel mir nicht schwer, mich zu entscheiden. Sie saß in dem leicht erhöhten Teil des Pubs an einem Tisch und unterhielt sich mit zwei Typen. Sie hatte dunkles Haar, große, funkelnde Augen und einen Mund, der meiner Meinung nach unbedingt geküsst werden musste. Ich überlegte gerade, was für eine herrliche Erfahrung das wäre, als sie aufblickte und bemerkte, dass ich sie ansah. Ich schaute nicht weg, sie schenkte mir ein halbes Lächeln und widmete sich dann wieder dem Gespräch mit ihren Freunden. Gut. Das halbe Lächeln war ein gutes Zeichen.

Vielleicht sollte ich mir an diesem Punkt einen Augenblick Zeit nehmen, um zu erklären, dass ich, was Frauen angeht, schon immer ein außergewöhnliches Talent zur Selbsttäuschung bewiesen habe. Ich konnte mir schon immer einbilden, dass ich viel besser ankomme, als es der Wirklichkeit entspricht. Völlig von mir selbst überzeugt, erhebe ich mich auf hauchzarten Flügeln in die Lüfte, setze mich über die Realität hinweg und sehe die Bruchlandung nicht voraus, die mich erwartet. Diesmal zum Beispiel hatte ich die Tatsache, dass sich das Objekt meiner Begierde in Begleitung zweier Männer befand, die sich ohne Zweifel der Küssenswertigkeit ihres Munds genauso bewusst waren wie ich, vollkommen aus meinem Bewusstsein verdrängt.

Da verließ sie plötzlich ihre Freunde (denn in meinen Augen konnte es sich nur um solche handeln), kam an die Theke, um was zu trinken zu bestellen, und stand dabei fast direkt neben mir. Hier bot sich eine Gelegenheit, die ich mir nicht entgehen lassen durfte. Ich beging jedoch den Fehler, zu lange darüber nachzudenken, wie ich sie ansprechen sollte. Das bei weitem Beste in so einer Situation ist, das zu sagen, was einem als Erstes in den Sinn kommt, denn wenn das Mädchen dein Aussehen mag, wird sie während der ersten Minuten deines Annäherungsversuchs nachsichtig sein.

Bei dieser Gelegenheit drängte sich mir leider nur die folgende Eröffnungsphrase auf: »Wusstest du, dass England und Portugal die einzigen Länder in der EU ohne Regionalsprachen von Minderheiten sind?« Wenn sie so was zu hören bekommen, werden nicht viele Frauen, ganz egal, wie sehr ihnen dein Aussehen gefällt, denken: »Hey, der klingt wie ein Typ, mit dem ich gerne noch ein bisschen Zeit verbringen würde.« Und die, die es tun, meidet man vermutlich besser.

Sie hatte ihre Transaktion an der Bar schon beinahe beendet, und ich wusste, dass ich jetzt etwas sagen musste, und zwar schnell.

»Findet heute Abend ein Pub-Quiz statt?«, stieß ich hervor und wandte die Augen von dem Schild ab, auf dem »Heute Abend Pub-Quiz« stand und das direkt vor uns beiden an der Wand hing.

»Ja«, antwortete sie freundlich. »Und du kannst in unserer Mannschaft mitmachen, wenn du möchtest.«

Innerlich jubilierte ich, während ich nach außen hin gelassen blieb und den Eindruck zu erwecken versuchte, dass mich die ganze Sache nicht besonders interessierte.

»Wenn du meinst«, sagte ich und fügte dann, weil ich fürchtete, ein wenig übertrieben zu haben, noch an: »Danke, das wäre wirklich nett.«

Sie hieß Roschien (was man, wie ich später erfuhr, »Roisin« schreibt), und sie war nicht mit den beiden Typen am Tisch hier, sondern mit ein paar Freunden, die weiter links von mir an der Theke standen. Mit einer Freundlichkeit, die normalerweise Fremden, die einem gerade eine dumme Frage gestellt haben, nicht zuteil wird, stellte sie mich ihren Freunden vor, aber ihre Namen waren nur Geräusche, die ich nicht in mich aufnahm, weil ich völlig auf sie, die Zeremonienmeisterin, fixiert war. Es war mir nur wichtig, mir ihren Namen zu merken. Roisin. Hübsche Roisin. Mit dem küssenswerten Mund.

Ärgerlicherweise begann Roisin, sich mit zwei Freundinnen zu unterhalten, und ich wurde in ein Gespräch mit Declan verwickelt. Ich hatte nichts gegen Declan, außer, dass er nicht Roisin war und deshalb einen Mund hatte, den zu küssen ich keinerlei Verlangen verspürte. Er fragte mich, was ich in Irland täte. Ich hatte gehofft, die Antwort noch eine Zeit lang hinausschieben zu können, und versuchte, mich ihrer zu entledigen, ohne den Kühlschrank zu erwähnen.

»Du reist also einen Monat lang rum, ja?«

»Ja.«

»Super.« Ein Moment Pause, dann: »Wie bist du denn auf diese Idee gekommen?«

Die Fragen gingen weiter, bis er die Wahrheit, die lächerliche Wahrheit aus mir herausgelockt hatte.

Zu meiner großen Erleichterung begann das Pub-Quiz, bevor die Nachricht vom Kühlschrank Roisin erreicht hatte. Ich schämte mich zwar nicht dessen, was ich tat, wollte ihr aber die Neuigkeit lieber selbst eröffnen. Eine Erklärung meines Vorhabens konnte albern klingen, wenn man nicht mit Fingerspitzengefühl vorging.

Bei dem Quiz ging es um Popmusik, und ich war eine nützliche Ergänzung ihrer Mannschaft. Ich wusste die Antworten auf die ersten vier Fragen, und es dauerte nicht lang, und alle drehten sich nach mir entweder wegen der Antwort und wegen der Bestätigung der Antwort von jemand anderem um. Im zweiten Teil des Quiz' spielte der Quizmaster ein paar Takte einer Platte, und wir mussten den Interpreten nennen. Auch darin war ich gut, eindeutig in Topform heute Abend, aber ich war mir bewusst, dass die Grenze zwischen beeindruckend und tragisch sehr schmal ist, wenn es um Kenntnisse auf dem Gebiet der Popmusik geht. Ich überschritt diese Grenze beim fünften Lied, als ich nach nur drei oder vier Noten verkündete »Das ist ›The Time Of Our Lives‹ von Bill Medley und Jennifer Warnes!«

Ich hatte dies aufgeregt und voller Begeisterung gerufen, und zwar so laut, dass das gegnerische Team diese Information gut verstehen konnte.

Während des ganzen Geschehens behielt ich Roisin im Auge und hoffte insgeheim, dass sie, wenn es um Pop-Ratespiele ging, eine Vorliebe für Männer hatte, die zehn von zehn möglichen Punkten kriegen. Sie hatte ein paarmal zu mir herübergeschaut und mir ein halbes Lächeln geschenkt, und ich fühlte mich dadurch ermutigt, zu ihr hinüberzugehen.

»Wie gefällt es dir?«, fragte ich einfallslos.

»Oh, es ist ziemlich schwierig. Du bist ganz gut. Ich glaube, wir werden gewinnen.«

»Was gibt es überhaupt zu gewinnen?«

»Nun, die Namen aller Leute der Siegermannschaft kommen in einen Hut, und der, der dann gezogen wird, gewinnt ein Champagner-Dinner im Restaurant im ersten Stock.«

Noch ein angedeutetes Lächeln. Mein Gott, war sie schön. Mir wurde auf einmal klar, dass ich dieses Spiel gewinnen musste, denn bei dem Glück, das ich im Moment hatte, würde mein Name aus dem Hut gezogen werden, und sie würde meine Begleiterin bei dem Champagner-Dinner sein. Der Quizmaster stellte die letzte Frage: »Wie hieß Neil Diamonds erster Hit als Songschreiber?«

Die Mannschaft wandte sich mir zu. Der Unterschied zwischen wahrem Triumph und dem zweiten Platz hing vermutlich von dieser einen Frage ab. Fantastisch. Ich wusste die Antwort.

»UB40 – ›Red Red Wine‹.«

Wir hatten es geschafft! Alle Antworten waren richtig. Jetzt mussten wir nur noch das Schicksal darüber entscheiden lassen, wer das sexy Abendessen bekam.

Zehn Minuten später (die ich zu meinem Kummer darauf verwandte, mit Declan zu plaudern) unterbrach die Lautsprecheranlage des Quizmasters unsere Gespräche rücksichtslos.

»Wir haben eine Mannschaft, die alle Fragen richtig beantwortet hat.« Dann las er die Antworten vor.

»... und das war natürlich eine der schwierigsten Fragen des Abends, und die Antwort war ... Bill Medley und Jennifer Warnes.«

Ich blickte zu Roisin hinüber. Sie lächelte zurück. Diesmal ein ganzes Lächeln, keines von diesen halben Dingern. Die hob sie sich für Verlierer auf.

»... und jetzt kommen wir zur letzten Frage des Abends. Wie hieß der erste Nummer-eins-Hit von Neil Diamond als Songschreiber? Und die Antwort lautet natürlich ›I'm A Believer‹ von den Monkees.«

Ich schaute nicht zu Roisin hinüber, entschuldigte mich aber beim Rest der Mannschaft.

»Es tut mir Leid, ich dachte, es wäre ›Red Red Wine‹ gewesen«, murmelte ich mit gesenktem Kopf.

»Ach was, wen kümmert's schon«, erklärte Declan großzügig.

Ich bin in die falsche Generation hineingeboren worden. Wie sehr hätte es mir gefallen, ein flotter junger Mann in den Dreißiger- oder Vierzigerjahren zu sein, als Kapellen und Orchester in den Tanzdielen spielten und man seine Partnerin festhalten und ihr süße Belanglosigkeiten ins Ohr flüstern konnte, während man im Takt sich drehend ihr Herz eroberte.

Ich habe Discos nie gemocht. Ich habe nie verstanden, warum es an einem Ort, an dem Leute einander kennen lernen sollen, so laut sein muss, dass der andere einen nur versteht, wenn man schreit. Schreien ist nicht attraktiv. Es ist eindeutig nicht mein Stil, und ich vermute, dass sich die wenigsten von uns dabei von ihrer besten Seite zeigen. Warum haben wir eine dämmrige Party-Welt geschaffen, die maßgeschneidert ist für Schreihälse und Demagogen wie Reverend Ian Paisley? Ich für meinen Teil habe beim Werben um eine Frau immer eine sanftere Vorgehensweise bevorzugt, und es besteht gar kein Zweifel: Ironische Bemerkungen verlieren viel, wenn man sie brüllt.

Diese Orte sind große Gleichmacher auf intellektuellem Gebiet, denn auch die schlauesten Köpfe werden auf den kleinsten gemeinsamen Nenner reduziert: Man muss sich verständlich machen.

Der Club, in dem wir jetzt waren, befand sich im Keller von Murphy's und wies all die unangenehmen Eigenschaften auf, die ich inzwischen mit diesen Orten verband: übervolle Tanzfläche, dröhnende Bässe, Stroboskoplicht und hirnlose Kommentare des DJs. Genau das Richtige, damit ich mich unwohl fühle. Ich hatte den Eindruck, mich rückwärts durch die Zeit bewegt zu haben und einen der zahllosen unbefriedigenden Abende aus meiner Teenager-Zeit zu erleben. Es war ein Alptraum, aber vor allem deshalb, weil ich Roisin verloren hatte.

Sie war hier, zumindest hatte sie gesagt, dass sie kommen würde, aber ich konnte sie nirgendwo entdecken in diesem überfüllten und überhitzten Höllenloch. Würde ich Roisin finden und mit ihr Hand in Hand zur Tanzfläche marschieren, würde mir das Ambiente selbstverständlich viel besser gefallen. Aber so musste ich mich darauf beschränken, Bier zu trinken und den Mädchen beim Tanzen zuzuschauen. Der Mann in seinem primitivsten Entwicklungsstadium.

Ich begann ein kurzes geselliges Schreiduell mit einem englischen Mädchen aus Finchley. Weil ich mir dachte, dass es schrecklich wäre, wenn Roisin plötzlich auftauchen und mich wie den Papa von irgendwem bloß herumstehen sehen würde, forderte ich das Finchley-Mädchen zum Tanzen auf.

Sie verstand »France« statt »dance« und antwortete, ja, sie sei schon in Frankreich gewesen, denn sie habe zweimal eine Brieffreundin in Lyon besucht. Ich fasste dies als Wink des Schicksals auf, erneut allein Stellung an der Theke zu beziehen und meine Rolle als einsamer Zecher wieder aufzunehmen.

Es muss so ziemlich gegen Ende des Abends gewesen sein, als ich mein Glas wegstellte, auf die Tanzfläche marschierte und mit so viel Würde wie möglich meinen kleinen Tanz hinlegte. Niemand hatte mich zum Tanzen aufgefordert, und keiner tanzte mit mir. Ich schätze, das ist einer der Vorteile einer modernen Diskothek. Hätte ich das in einer Tanzdiele der Dreißigerjahre getan, wäre ich wahrscheinlich rausgeschmissen worden. Ein Mädchen packte mich plötzlich und schleuderte mich am Arm herum. Es war nicht klar, ob sie mit mir tanzen oder mich für ein Verhör weichklopfen wollte. Wäre

ein Verhör gefolgt, hätte ich sicher alles gestanden. Sie wirbel-
te mich herum, bis ich der Erschöpfung nahe war. Es machte
mir nichts aus, aber ich hatte sie nicht einmal gefragt, ob sie
schon in Frankreich gewesen sei. Als die Platte zu Ende war,
gingen die Lichter an, und das war es dann. Der Abend war
zu Ende.

Aber natürlich hatte es keiner eilig, nach Hause zu gehen.
Warum auch? Jetzt, da die Musik nicht mehr dröhnte, hatten
die Leute endlich Gelegenheit, miteinander zu reden.

Auf dem Weg nach draußen stieß ich auf Roisin, die sich an
der Garderobe anstellte.

»Wo bist du gewesen? Ich habe dich gesucht«, sagte ich.

»Ich habe mich mit Paul unterhalten.«

»Wer ist Paul?«

»Paul ist der, mit dem ich heute hierher gekommen bin. Es
ist unser zweiter Abend.«

»Aha.« Ich spürte das während der letzten zwei Stunden
konsumierte Bier in mir aufsteigen. »Ich finde dich toll, weißt
du.«

»Wirklich? Das ist nett.« Sie schien tatsächlich geschmeichelt zu sein, obwohl sie vermutlich das Geschwätz eines betrunkenen Mannes um drei Uhr morgens als solches erkennen
konnte. Das Problem war, ich meinte es wirklich ernst.

»Magst du ihn?«, fragte ich.

»Wen?«

»Paul – den Zweiter-Abend-Mann.«

Sie zögerte und wählte wie ein Politiker ihre Worte sorgfältig. »Er wohnt viel näher als du.«

Da hatte sie nicht Unrecht.

Während der kurzen Unterhaltung, die folgte, machte ich
sie mit dem Kühlschrank-Abenteuer vertraut, das sie überraschend gefasst aufnahm. Dann schrieb ich ihre Adresse auf
und versprach, ihr am nächsten Tag Blumen zu schicken.

»Das machst du nicht. Das sagst du nur«, widersprach sie.

»Du wirst schon sehen. Du kriegst die Blumen. Du bist meine Prinzessin, und Prinzessinnen haben Blumen verdient.«

Ich weiß nicht, ob Paul diese letzten Worte gehört hatte, als er neben Roisin trat, aber er schien über mich nicht besonders erfreut zu sein. Ich zuckte entschuldigend mit den Achseln, küsste Roisins Hand und machte mich auf den langen Weg zurück zu meiner Pension. Ich fiel ins Bett, meine Ohren dröhnten, das Zimmer drehte sich, und ich fragte mich, wie lange es wohl noch dauern würde, bis ich mal wieder eine Nacht mit jemandem verbrachte. Es war, als wäre ich noch mal neunzehn.

13

Freiheit

Als Nächstes war Westport dran. Beim Frühstück hatte Marjorie gesagt, dass es eine nette kleine Stadt sei und dass ich in den Pub von Matt Malloy gehen und Mick Levell bitten solle, den »Lotto Song« zu singen. Das machte für mich absolut keinen Sinn, und schon aus diesem Grund schien Westport ein passendes Ziel zu sein.

Vor dem Blumenladen hatte Martin, der Taxifahrer, geduldig in seinem Wagen gewartet, während ich den zweiten Strauß dieser Reise kaufte. Jetzt tat er das Gleiche noch mal, und ich ging nervös den Pfad zu Roisins Haustür hoch. Obwohl ihn mein Wunsch, Blumen abzuliefern, deutlich amüsierte, hatte er mir doch darin zugestimmt, dass es das einzig Richtige sei.

»Wenn du ihr gesagt hast, dass du ihr Blumen bringst, dann bring ihr Blumen. Was kannst du damit schon falsch machen?«

Sie wohnte in einer kleinen Wohnsiedlung. Hausnummer 24. Beim Klingeln war ich nervöser, als ich es bei der Königlichen Gala gewesen war. Ich wusste nicht, was mich erwartete. Die Tür öffnete sich, und die schöne Roisin stand vor mir. Sie trug anders als am gestrigen Abend kein Make-up, sah dadurch aber irgendwie frischer aus. Ich lächelte und schwenkte die Blumen.

»Hallo, erinnerst du dich?«

Sie wirkte absolut entsetzt. Dann legte sie einen Zeigefinger an die Lippen, um mir zu zeigen, dass ich still sein solle, und tat etwas, das, wie ich gedacht hatte, nur in schlechten Komödien vorkommt. Nur, damit es jemand im Haus hören konnte, sagte sie mit gespielt lauter Stimme zu mir: »NEIN DANKE, HEUTE NICHT. WIR BRAUCHEN KEINE.«

O nein! Da drinnen war jemand, der nichts von mir wissen sollte. Panik stieg in mir auf. Mein Gott, was hatte ich getan? Vielleicht hatte die Sache zwischen ihr und Zweiter-Abend-Paul sich ein wenig beschleunigt, und er war im Haus, weil er dort übernachtet hatte. Vielleicht war er jähzornig und vorbestraft und dafür bekannt, mit gefährlicheren Dingen als Blumen herumzufuchteln. Sollte Martins Frage »Was kannst du damit schon falsch machen?« umfassend beantwortet werden?

Roisin beugte sich vor und flüsterte mir etwas zu. Selbst unter diesen ungemütlichen Umständen fühlte es sich gut an, ihr nahe zu sein. »Meine Tante ist im Haus.«

Ihre Tante? Ja und? Was war an ihrer Tante so besonders? Das war mal was Neues. Eine eifersüchtige Tante.

Roisin muss an meinem ungläubigen Gesicht abgelesen haben, dass ich eine Erklärung brauchte.

»Schau, ich habe es dir gestern Abend nicht erzählt, aber ich habe mich gerade von meinem Mann getrennt, und die Familie weiß nichts von Paul, ganz zu schweigen …«

»Von dem Idioten mit den Blumen.«

»Ja. Ich meine nein. Überhaupt nicht. Du bist kein Idiot.«

Das war ich verflucht noch mal schon. Was, wenn ihr Ehemann jetzt auftauchte? Dieser eifersüchtige, gewalttätige Psychopath von einem Ehemann.

»JA, NA GUT. VIELEN DANK. VERSUCHEN SIE ES NÄCHSTE WOCHE WIEDER«, verkündete Roisin für die Tante.

»Ich gehe jetzt besser.«

»Es tut mir Leid.«

Das war alles ziemlich enttäuschend. Ich gab ihr trotzdem die Blumen.

»Danke, Tony. Das ist nett.«

»Schau, ich habe ein Mobiltelefon. Ich gebe dir die Nummer, falls du mich mal anrufen willst.«

»Danke.«

»Obwohl du es kaum machen wirst.«

»Doch, das werd ich.« Sie blickte mir in die Augen. »Ich ruf dich an.«

Etwas in diesem Blick ließ mich glauben, dass Roisin anrufen würde. Sie war nicht für immer aus meinem Leben verschwunden. Noch nicht, wenigstens.

Ich stieg wieder in das Taxi des sanft lächelnden Martin und überließ es Roisin, ihrer Tante zu erklären, warum ihr ein Handwerker einen Strauß Blumen gebracht hatte.

»Ich habe eine Quittung für dich ausgestellt«, sagte Martin, als er mir half, mein Zeug am Straßenrand auszuladen. Er gab sie mir. Auf ihr stand:

Datum: 19. Mai
Nach: Dublin Road, Ballina
Von: Pension Marjorie's
Name des Fahrers: Martin McGurty
Betrag: 0.00 Pfund

»Danke, das ist wirklich nett von dir, Martin.«

Vor allem wenn man die Zeit bedachte, die ich im Blumenladen und mit dem Drama auf der Türschwelle zugebracht hatte.

»Ich kann doch dem Fridge Man kein Geld abknöpfen, oder?«

Ich hatte nichts dagegen einzuwenden und war äußerst dankbar dafür, dass so viele seiner Landsleute diese Ansicht teilten.

Es war ein schöner Tag, und die Sonne strahlte auf mich herab, als ich den Schicksalsdaumen einmal mehr ausstreckte.

Wie sich herausstellte, befand sich die beste Stelle zum Trampen zufälligerweise ganz in der Nähe von Roisins Haus, und ich konnte tatsächlich ihre Haustür vom Straßenrand aus sehen. Mir kam die Idee, zu beobachten, ob die Tante das Haus verließ. Falls sie es tat, könnte ich mich zum Haus zurückschleichen, und Roisin und ich würden einen herrlichen Nachmittag im Bett verbringen.

Zwanzig Minuten später wurden die Chancen dafür zunichte gemacht, denn Michael hielt mit seinem roten Toyota am Straßenrand und lud mich ein, mitzufahren.

Spielverderber.

Michael war ein selbständiger Bauunternehmer auf dem Weg nach Swinford. Er hatte von meiner Reise nichts gehört, meinte aber, dass sie nach einem lustigem Vorhaben klinge. Das Gespräch kam auf die kommenden Wahlen, und ich beging den Fehler, zu fragen, wie das Wahlsystem funktioniere. Als Michael es erklärte, wurde mir klar, dass es ziemlich kompliziert war.

»Das System, das wir haben, beruht auf der übertragbaren Stimme. Man hat nur eine Stimme, aber man kann sie jedem auf dem Stimmzettel geben.«

Schon kapierte ich nichts mehr. Er fuhr fort.

»Man nummeriert die Leute durch, die man wählen möchte, von eins bis sechs oder bis zehn, je nachdem, wie viele Leute auf dem Stimmzettel stehen. Wenn die Person, die man als Nummer eins gewählt hat, eliminiert wird, dann wird die Nummer-zwei-Stimme eine Nummer-eins-Stimme für die zweite Person, die man ausgewählt hat.«

Ah, jetzt fügte sich alles zusammen.

»... und so werden deine Stimmen für die vierte, fünfte oder sechste Auszählung verteilt, bis endlich jemand gewählt worden ist.«

Nein, jetzt verstand ich wieder Bahnhof.

»Es wirkt sehr kompliziert, ist es aber nicht.«

Komm schon, Michael, das ist es schon.

»Das System ist von den Briten entwickelt worden, damit unzählige kleine Parteien gewählt werden und es viel Streit und keinen Zusammenhalt gibt. Aber das System funktioniert in Irland trotzdem sehr gut, denn es gibt die Wünsche der Wähler ganz genau wieder.«

Während unsere Unterhaltung ihren Lauf nahm, beeindruckte Michael mich nicht nur mit seinem umfassenden Wissen, was das irische Wahlsystem angeht, sondern auch mit seiner Artikulationsfähigkeit.

»Du kennst dich gut aus«, stellte ich fest.

»Nun, ich bin interessiert. Nicht in einem parteipolitischen Sinn, sondern eher allgemein. Die Theorie vom ›Einverständnis, sich regieren zu lassen‹ interessiert mich. Hier bei uns erklären wir uns einverstanden, uns so regieren zu lassen, und dort, wo du herkommst, erklärt ihr euch mit einer anderen Form von Regierung einverstanden. Das Problem in Nordirland ist, dass es kein breites Einverständnis gibt, sich regieren zu lassen, und das entstellt die Gesellschaft.«

Ich fand, dass man hier ziemlich häufig auf Leute stieß, die wie Michael die beeindruckende Fähigkeit besaßen, sich auszudrücken. Die Leute redeten gern, und sie waren gut darin.

Er setzte mich dort ab, wo die Landstraße aus Swinford in die Schnellstraße N5 mündet, die, wie er mir sagte, mit Geld der EU gebaut worden war. Als er sich zum Rücksitz umdrehte, um seinen Namen auf den Kühlschrank zu schreiben, lachte er herzhaft, als er die Worte ›Mo Chuisneoir‹ sah, die auf der Tür klebten.

»Das heißt ›Mein Kühlschrank‹, nicht wahr?«, sagte er.

»Ja.«

»Jetzt verstehe ich.«

Fast einen Kilometer von mir entfernt sah ich einen anderen Tramper am Straßenrand stehen. Mir blieb kaum etwas anderes übrig, als mich dort aufzubauen, wo Michael mich abgesetzt hatte, aber indem ich dies tat, schob ich mich vor den anderen Kerl. Das schien nicht in Ordnung zu sein, und mir war unwohl dabei. Ohne Zweifel verspürte ich etwas von dem vererbten Zwang der Briten, beim Anstehen fair zu sein. Ich glaube, seine Wurzeln reichen in die Kolonialzeit zurück. Horden aufmüpfiger Eingeborener zu erschießen, war akzeptabel, wenn es nicht anders ging, aber unter keinen Umständen war es erlaubt, sich in einer Schlange vorzudrängeln. Die ganze Raison d'être für das gewaltige British Empire war der Wunsch, die unwissenden Völker der Welt darin zu unterrichten, wie man sich korrekt anstellt. Wir Briten sind auf der ganzen Welt führend, was das Anstehen betrifft. (Naja, wir waren es, bis sich andere Länder vordrängelten.) Und hier stand ich und verstieß gegen meine Pflicht als guter britischer Bürger, dieses grundlegende Menschenrecht zu respektieren!

Aber was konnte ich schon tun? Es war zu weit, um meinen Kühlschrank und meinen Rucksack an dem anderen Tramper vorbeizuschleppen, und daher lag es an ihm, die Situation zu bereinigen. Er muss ziemlich sauer gewesen sein, weil sich jemand vor ihn gestellt hat, zeigte aber keinerlei Anzeichen dafür, dass er herkommen und protestieren würde.

Die N5 war mit Abstand das beste Straßenstück, das ich seit meiner Ankunft in Irland gesehen hatte, aber sie war nicht unbedingt überlastet. Ungefähr jede Minute kam ein Auto oder ein Lastwagen vorbei. Das war ein frustrierendes Intervall, denn es war gerade so lang, dass ich jedes Mal das Gefühl hatte, es würde noch eine Weile bis zum nächsten Fahrzeug dauern, und mich auf dem Kühlschrank setzte, um mich auszuruhen. Doch kaum hatte ich das getan, musste ich schon wieder aufspringen und den Daumen raushalten.

Die N5 war auch in anderer Hinsicht enttäuschend. Die irischen Fahrer, denen sich hier der seltene Anblick einer relativ glatten Straßenoberfläche bot, verspürten eindeutig das Verlangen, die Höchstgeschwindigkeit des von ihnen gewählten

Transportmittels zu testen. Das bedeutete, dass man als armer Tramper erst im allerletzten Moment vom vorbeischießenden Fahrer entdeckt wurde und diesem erst zu Bewusstsein kam, wenn es schon zu spät war. Vielleicht hatte der andere Tramper deshalb nicht dagegen protestiert, dass ich mich vor ihm aufbaute: Seiner Berechnung nach war der Bremsweg eines jeden Fahrzeugs, das für mich anhalten wollte, so lang, dass es genau bei ihm zum Stehen kommen musste. Schlaues Kerlchen.

Ich schaute auf die Uhr und sah, das ich seit über einer Stunde wartete. Es machte mir überhaupt nichts aus. Ich war froh, ein paar kostbare Minuten allein zu sein. Ich hatte gedacht, dass ich als Alleinreisender viel öfter in diesen Genuss kommen würde, aber so, wie sich die Dinge entwickelten, war die Zeit, die ich mit Warten am Straßenrand verbrachte, die einzige Oase der Ruhe, die mir zuteil wurde.

Jack hielt mit quietschenden Reifen. Eine Notbremsung. Natürlich. Was blieb einem anderes übrig, wenn man den Mann mit dem Kühlschrank am Straßenrand stehen sah. Junge, war Jack aufgeregt! Er war ein großer Fan der *Gerry Ryan Show* und sagte, dass er meine Fortschritte vom ersten Tag an mitverfolgt habe. Ich kletterte in die Lastwagenkabine, die mit Schachteln vollgestopft war. Es gab gerade Platz genug, damit ich mich hineinzwängen konnte. Ich schaute die Straße hoch und bemerkte, dass der andere Tramper immer noch dastand. Er war sicher nicht allzu glücklich, tröstete sich aber vermutlich mit dem Gedanken, dass ich so anständig sein würde, den Fahrer zu bitten, auch für ihn anzuhalten. Ich hätte es getan, wenn es genug Platz gegeben hätte.

Als wir an ihm vorbeifuhren, versuchte ich, ihm zur Entschuldigung zuzuwinken, aber diese Aktion ging daneben und wirkte, als wollte ich Salz in seine Wunden streuen. Sie winkte zurück. Sie? Ich schaute noch mal hin und sah, dass es tatsächlich ein Mädchen war. O nein! Das verstieß noch mehr gegen mein ererbtes koloniales Ehrgefühl. Dafür würde ich sicher vor den Vizekönig der Radschas gebracht werden.

»Also, Hawks, wie Sie sehr wohl wissen, halten wir nicht viel von Leuten, die sich vordrängeln. Aber für jemanden, der so tief sinkt, dass er sich an einer Frau vorbeidrängelt, gibt es nur eine Strafe. Perkins! Führen Sie ihn ab, und lassen Sie ihn erschießen!«

Jack war auf dem Weg nach Westport und lieferte Feuerlöscher aus. Es war mir nicht bewusst gewesen, dass Feuerlöscher ausgeliefert wurden, aber ich kam zu dem Schluss, dass alles dorthin kam, wo es hin sollte, indem es ausgeliefert wurde. Auslieferungen hielten die Welt am Laufen. Und sie brachten ohne Zweifel auch mich voran.

»Elaine?«, sagte Jack in sein Handy. »Du wirst nie erraten, wen ich bei mir in der Kabine habe.«

Elaine erriet es nicht, aber Jack sagte es ihr und reichte mir das Telefon, damit ich mit ihr plauderte. Es war eine ungewöhnliche Unterhaltung, die nicht recht in Gang kam, aber sie fand aus zwei liebenswerten Gründen statt: Jack war davon begeistert, dass er den Fridge Man in seinem Lastwagen hatte, und er war davon begeistert, dass Elaine seine Freundin war. Ich erinnerte mich daran, was Gerry Ryan über meine Reise gesagt hatte, nachdem ich an meinem ersten Morgen mit ihm gesprochen hatte: »Die Idee ist zwar völlig sinnlos, aber verdammt gut.«

Das Gleiche konnte man von diesem Telefongespräch behaupten.

Jack setzte mich an der Hauptstraße von Westport ab. Ich rief einem Mädchen in einer Drogerie zu: »Weißt du, wo Matt Molloys Pub ist?«

»Hinter dir«, antwortete sie.

Ich drehte mich um, und da war er: eine einfache, rot und schwarz gestrichene Doppelhaushälfte. Es war eine seltsame Vorstellung, dass Marjories Erwähnung dieses netten kleinen

Pubs der Grund für meine Fahrt nach Westport gewesen war, aber das war eben der Stil meiner Reise. Ich vertraute meiner Intuition. Ich beschloss, auf ein schnelles Bier hineinzuschauen und dann die Touristeninformation aufzusuchen, um mir ein Nachtquartier zu besorgen.

Es war mitten am Nachmittag, und es waren nur sechs oder sieben Gäste im Pub. Es dauerte jedoch nicht lange, bis die auffällige Kombination von Rucksack und Kühlschrank alle Anwesenden dazu veranlasste, die Vor- und Nachteile dieser Art des Reisens zu diskutieren.

»Um wie viel hast du gewettet?«, fragte Niamh, der den Sommer über hinter der Theke arbeitete.

»Hundert Pfund.«

»Und was hat der Kühlschrank gekostet?«, fragte ein interessierter Zuhörer namens John.

»Hundertdreißig Pfund.«

»Herrje, bist du ein Trottel«, fügte Seamus, der Manager des Pubs, an.

»Niamh, gib diesem Mann ein Bier«, befahl Geraldine, die Chefin, die die Frau jenes Matts war, von dem der Pub seinen Namen hatte, und außerdem noch die Mutter von Niamh.

Ich begann allmählich zu verstehen, wie die irische Mentalität funktionierte. Je närrischer, unlogischer und surrealer die Taten von jemandem zu sein schienen (und meine Reise fiel ohne Zweifel in eine dieser Kategorien), desto gastfreundlicher wurde er aufgenommen. Ich war jetzt von neugierigen Gästen und Mitarbeitern umgeben. Brendan tauchte von hinter der Bar auf, wo er Flaschen gestapelt hatte.

»Hat der Kühlschrank einen Namen?«

»Äh, nein.«

»Nun, du musst dem Kühlschrank einen Namen geben. Du kannst doch nicht mit einem namenlosen Kühlschrank herumreisen.«

Brendans Meinung fand allgemeine Zustimmung.

»Was für ein Geschlecht hat er?«

Die Dinge entwickelten sich zu schnell für mich.

»Darüber habe ich noch nicht nachgedacht.«

»Man muss es irgendwie feststellen.«

Es wurde eine Reihe abwegiger Methoden vorgeschlagen, von denen Johns die meiste Zustimmung fand.

»Man muss ihn zwischen einen Esel und eine Eselin stellen und dann beobachten, welches Tier einen Annäherungsversuch unternimmt.«

Ich akzeptierte das gerne als eine Methode, um das Geschlecht des Kühlschranks festzustellen, aber ein offensichtlicher Mangel an Eseln verwehrte uns weiteren Fortschritt auf diesem wissenschaftlichen Weg.

»Warum gibst du ihm keinen Namen, der für beide Geschlechter passt?«, fragte Geraldine. »Du weißt schon, so was wie Kim, Lesley oder Val.«

»Das ist eine gute Idee«, stimmte Brendan ihr zu. »Aber du kannst einen Scheißkühlschrank nicht Val nennen.«

Ich war derselben Meinung. Keiner meiner Kühlschränke würde je Val heißen.

»Wie wäre es mit Saiorse?«, schlug Seamus vor.

»Sierscha?«

»Ja, Saiorse. Das kann ein Mädchen- oder Jungenname sein, und es heißt ›Freiheit‹ auf Gäli‹sch. Du wirst nicht viele Kühlschränke finden, die so viel Freiheit genießen wie dieser!«

Da hatte er Recht.

»Der vollständige Name ist Saiorse Molloy«, erklärte Geraldine.

»Klingt gut«, rief ich unter dem Jubel der Gruppe. »Ich taufe diesen Kühlschrank hiermit Sierscha Molloy.«

Geraldine war von diesem Familienzuwachs eindeutig gerührt, denn sie fragte: »Wo übernachtest du, Tony?«

»Ach, das habe ich noch nicht geklärt. Ich wollte mir ein Bed & Breakfast suchen.«

»Du kannst in der Wohnung über dem Pub übernachten, wenn du möchtest.«

»Ehrlich?«

»Niamh, hol die Schlüssel. Wir bringen ihn und Saiorse oben unter.«

»Bist du dir sicher? Das ist wirklich sehr freundlich.«

Einen guten Teil meiner Reise verbrachte ich damit, Leuten für ihre Freundlichkeit zu danken.

Ich hatte nicht erwartet, dass eine kurze Erwähnung der Surf-Aktivitäten des Kühlschranks für solche Furore sorgen würde. Die Reaktion erfolgte unmittelbar, und zwar so, als wäre ihnen der Fehdehandschuh hingeworfen worden. Meine neuen Freunde wollten sich der Herausforderung stellen und versuchen, eine ebenso verrückte Beschäftigung für mich und den Kühlschrank zu finden. Der Vorschlag, dass Seamus ihn zum Wasserskifahren mitnehmen sollte, fand immer mehr Unterstützung. Aber Seamus, offenbar ein praktisch denkender Mensch, schien sich mit dieser Idee nicht anfreunden zu können, obwohl der Rest von uns nicht verstand, wo das Problem lag. Man musste nur eine Schnur festmachen, das Boot starten, und Saiorse würde den Rest erledigen.

Geraldine stellte mich Tony und Nora vor, Freunden von ihr und Matt, die für ein verlängertes Wochenende zu Besuch waren.

»Falls es dich je nach Ennistymon verschlagen sollte, nehmen wir Saiorse mit zum Tauchen«, erklärte Tony und drückte mir ein Stück Papier in die Hand. »Hier ist unsere Adresse. Du brauchst dich nicht um ein Hotel oder so was zu kümmern. Du kommst einfach und übernachtest bei uns.«

»Bist du dir sicher, dass du mich nicht bloß einlädst, weil du was getrunken hast?«, fragte ich im Scherz.

»Ich trinke nicht«, sagte er und hielt stolz sein Glas Orangensaft hoch.

Diese Reise steckte voller Überraschungen.

Erst gegen Abend fand ich Gelegenheit, mich in Westport umzusehen. Es wäre eine Schande gewesen, wenn das Innere von
Matt Molloys Pub das Einzige geblieben wäre, was ich von
dem Ort zu sehen bekam. Westport, ursprünglich die Siedlung eines wohlhabenden Großgrundbesitzers, wurde im
18. Jahrhundert von dem Architekten James Wyatt entworfen. Ich brauchte nur ungefähr zehn Minuten für einen Rundgang und entdeckte dabei, dass die Straßen sternförmig auf
das Zentrum, das »Octagon«, zuliefen. Hier stand ein Denk-
mal von St. Patrick, der nach dem Ende der britischen Herrschaft stolz den Platz eines britischen Würdenträgers eingenommen hatte. Die Worte zu seinen Füßen waren eine interessante Lektüre:

ICH BIN PATRICK
EIN HÖCHST UNGEBILDETER SÜNDER
DER UNWÜRDIGSTE ALLER GLÄUBIGEN
UND VON ALLEN ZUTIEFST VERACHTET

Also, meiner Ansicht nach hatte der Kerl ein Problem mit seinem Selbstwertgefühl, da gab es überhaupt keinen Zweifel.
Ich sah ein Schild, auf dem Westport Quay stand, und da
es ein schöner Abend war, beschloss ich, einen Spaziergang
dorthin zu machen. Wie sich herausstellte, war der Marsch
weiter, als ich gedacht hatte, aber er war es wert. Ich hatte das
Glück, ein Wetter zu erleben, das für die Westküste Irlands
nicht gerade typisch ist. Über der Clew Bay stand die unter-
gehende Sonne am hellblauen Himmel, als ich mich auf einem
staubigen Weg einem großartigen Haus näherte, das ich schon
von weitem gesehen hatte. Es war wirklich beeindruckend und
hatte eine wunderbare Lage mit herrlichem Blick über die
Bucht. Es war eindeutig das Haus des Gutsbesitzers, um das
herum für die Landarbeiter die Stadt Westport errichtet worden war. Ich kletterte durch ein Loch in dem Zaun, der das

Gelände umgab, und unternahm verbotenerweise einen Ausflug auf das Privatgrundstück. Es war einfach ein zu außergewöhnliches Haus, und es verdiente, aus der Nähe betrachtet zu werden. Später erfuhr ich, dass es Westport House hieß und ab dem darauffolgenden Monat eine kommerzialisierte Touristenfalle sein würde, aber damals war es der Öffentlichkeit noch nicht zugänglich. Ich hatte das Gefühl, exklusiven Einblick in die Pracht des Palasts gewährt zu bekommen, der dem »Pöbel« verwehrt blieb.

Auf dem Weg zurück nach Westport tauchten aus dem Nichts Gewitterwolken auf, und die Schleusen des Himmels öffneten sich. Ich versuchte zu trampen, aber ironischerweise machte jetzt, da ich meinen Kühlschrank nicht dabei hatte, niemand auch nur die geringsten Anstalten anzuhalten. Als ich beim Pub ankam, war ich völlig durchnässt. Vom nachmittäglichen Namensfindungs-Komitee war niemand mehr da, und ich nutzte die Gelegenheit, schlich nach oben, trocknete mich ab und ging früh schlafen.

Als ich im Bett lag, erinnerten mich die Geräusche des Pubs unter mir daran, wie ich als Kind manchmal einzuschlafen versuchte, während meine Eltern Gäste hatten. Es schien unten sogar jemanden zu geben, der das gleiche dröhnende Lachen wie mein Vater hatte, aber die heiseren Heiterkeitsausbrüche dieses Mannes galten vermutlich den Witzen anderer und nicht den eigenen. Als ich eingeschlafen war, konnte mich nicht einmal die irische Volksmusik, die durch die Dielenbretter drang, an acht Stunden tiefem, festem und gesundem Schlaf hindern.

Roisin hatte nicht angerufen.

14

Eine Taufe
und ein Segen

Ich stand auf, wusch mich, beschloss, mir ein Frühstück zu machen und fand mich bald in der Küche von fremden Leuten wieder. – Ein schrecklicher Ort, vor allem, wenn man sich diverser Geräte bedienen muss. Alles ist schwierig, und sogar etwa so Einfaches, wie ich es vorhatte – eine Kanne Tee kochen und ein paar Scheiben Brot toasten –, wird zu einer gewaltigen Aufgabe und einer harten Geduldsprobe.

Ich begann gut. Ich entdeckte den Wasserkessel und fand sogar heraus, wie man ihn einschaltete. Die Jagd nach den Teebeuteln verlief nicht ganz nach Plan, aber nachdem ich zwei oder drei ziemlich ärgerliche Minuten mit dem Öffnen und Schließen von Schranktüren zugebracht hatte, stieß ich links gleich unterhalb der Spüle auf sie. Ein idiotischer Ort für Teebeutel, aber ich ließ mich davon nicht beeindrucken. Zu diesem Zeitpunkt war ich noch relativ ruhig. Die Suche nach der Teekanne war sinnlos. Schon der Gedanke, sie vielleicht finden zu können, war naiv gewesen. Diejenigen unter Ihnen, die mit den Küchen anderer Leute Erfahrung haben, wissen, dass Teekannen immer an den seltsamsten Plätzen aufbewahrt werden, die nur dem engsten Familienkreis bekannt sind und deren Geheimnis von Generation zu Generation mündlich weitergegeben wird.

Es kam noch schlimmer. Es gab keine Becher. Wie konnte jemand eine Küche ohne Becher haben? Das war mir noch nie untergekommen. Ich suchte überall. Ich ließ keinen Quadratzentimeter der Schränke aus, aber es gab nirgends einen Becher. Auch nicht in der Spülmaschine. Fünfzehn Minuten später war ich kurz davor, etwas sehr Dummes mit einem scharfen Küchenmesser anzustellen.

Glücklicherweise konnte ich keins finden.

»Es war sehr gut, danke«, sagte ich zu der Kellnerin, die meinen Teller mit den kargen Resten eines echt irischen Frühstücks abräumte.

Ich war gerade auf dem Weg aus dem Café, als sich mir eine ältere grauhaarige Dame näherte.

»Entschuldigung, aber Sie sind nicht von der Fensterreinigungsfirma, oder?«

»Nein.«

»Wissen Sie, ich treffe jemanden von der Fensterreinigungsfirma hier drinnen, und ich kenne ihn nicht.«

Ich zuckte mit den Achseln, verließ das Café und beneidete sie nicht im Geringsten um den Vormittag, der vor ihr lag: Sie würde immer wieder Fremde ansprechen müssen, um herauszufinden, ob sie von der Fensterreinigungsfirma waren. Warum dieses Treffen ausgerechnet in einem Café und nicht an einem passenderen Ort stattfand und warum die kleine alte Dame sich überhaupt mit dem Vertreter einer Fensterreinigungsfirma treffen musste, erschloss sich mir nicht. Es spielte keine Rolle. Eigentlich passte es sogar ganz gut zum lächerlichen Lauf der Dinge.

Mittags war ich wieder in der Bar. Ich hatte Westports Waschsalon besucht und war bereit, mich zu verabschieden.

»Bist du sicher, dass du schon heute fahren musst, Tony?«, fragte Geraldine.

»Na ja, ich glaube, es ist ganz gut, wenn ich in Bewegung bleibe.«

»Das ist schade, denn mein Mann Matt kommt erst morgen aus Dublin zurück. Ich habe mit ihm telefoniert, und er möchte dich unbedingt kennen lernen.«

»Ein andermal, Geraldine, ein andermal.«

»Mh, willst du vielleicht noch ein schnelles Bier, bevor du gehst?«

Das war gefährlich. An diesem Punkt hatte ich schon mal gestanden. Ich musste vorsichtig sein.

»Na gut.« Ich gab nach. Bedingungslose Kapitulation an der Willensfront.

»Frank dürfte jeden Augenblick hier sein«, erklärte Niamh.

»Frank?«

»Ja, Frank. Von der Lokalzeitung *The Mayo News*.«

»Lokalzeitung? Wozu?«

»Er wird ein paar Fotos von der Taufe machen.«

»Oh, davon wusste ich nichts.«

Brendans Kopf tauchte hinter der Theke auf.

»Gestern haben wir Saiorses Namen ausgesucht«, erklärte er, »und heute taufen wir sie.«

Das alles war eindeutig in meiner Abwesenheit entschieden worden, aber ich konnte mich schlecht einer Gruppe von Leuten in den Weg stellen, die darauf aus waren, meinen Kühlschrank zu taufen.

Gerade als Geraldine mir ein Glas von dem schwarzen Zeug servierte, kam ein junger Mann namens Brian in den Pub und beklagte sich über einen gewaltigen Kater, der ihm von einem maßlosen Besäufnis am Vortag geblieben war. Er sah blass aus und war ausgesprochen wackelig auf den Beinen, und seine Hände zitterten, als er nach seinem Glas Bier griff. Kurz nachdem er mir vorgestellt worden war, verkündete ich der Gruppe: »Ich gehe nur schnell nach oben und hole mein Zeug, und dann können wir den Kühlschrank taufen.«

Brian sah mich an und konnte nicht glauben, was er eben gehört hatte. Er blickte zu den anderen und wurde noch verblüffter, denn ihre Gesichter zeigten keinerlei Anzeichen dafür, dass sie gerade etwas vollkommen Ungewöhnliches zu Ohren bekommen hatten. Er wandte sich wieder mir zu.

»Du fragst besser gar nicht erst«, sagte ich zu ihm.

Er nickte gehorsam. Er war noch nicht bereit. Wir alle wussten, dass er zuerst noch dieses Glas Bier trinken musste.

Die Taufe fand auf dem Gehweg direkt vor dem Pub statt. Es war eine bescheidene Zeremonie. Geraldine, Niamh, Brendan, Etain, Brian (der jetzt eingeweiht war) und ich versammelten uns würdevoll um den Kühlschrank. Brendan hielt eine kleine Flasche Kindersekt in der Hand, die anstelle von richtigem Sekt benutzt werden sollte, und der Rest von uns stand herum und fragte sich, was genau wir eigentlich tun sollten, während Frank begeistert Fotos machte. Allmählich kamen immer mehr Gratulanten. Manche blieben aus Neugier stehen, aber die meisten, weil sie, wie ich vermutete, einfach nichts Besseres zu tun hatten.

Plötzlich ergriff ich die Initiative. Ich räusperte mich, trat vor und erklärte: »Wir taufen diesen Kühlschrank hiermit Saiorse Molloy. Gott segne die, die ihn mitnehmen!«

Es war eine kurze, aber – was nur wenige bestreiten würden – brillante Rede. Brendan goss etwas Kindersekt auf den Kühlschrank, und alle jubelten. Eine eher unkonventionelle religiöse Zeremonie war vorüber.

Etain war gleich nach dem formellen Teil der Zeremonie verschwunden, kehrte jetzt aber mit einer großen blauen Urkunde zurück, die sie mir stolz überreichte. Auf ihr stand:

SAIORSE

Nach Saiorse, einem Wort irischen Ursprungs,
Das ›Freiheit‹ bedeutet
Stellt sich mutig allen Problemen
Wird wegen seiner Originalität bewundert, setzt sich für hehre Vorhaben ein
Ein freundlicher und großzügiger Kühlschrank

Er hält immer an seinen Prinzipien fest
Er muss nicht immer seinen Willen durchsetzen
Andere meinen, er sei ein äußerst schlauer Kühlschrank

Matt Molloys Pub
20. Mai 1997

Ich war ziemlich gerührt. Ich hatte keine Urkunde mehr bekommen, seit ich mein sechstes Jahr Klavierunterricht geschafft hatte, und diese hier bedeutete mir viel mehr.

Als ich neben der schmalen Straße gleich außerhalb von Westport stand, kam mir plötzlich zu Bewusstsein, dass ich bisher kaum zweitürige Autos gesehen hatte. Alles Viertürer. Natürlich. Einer der Vorteile eines Landes voller guter Katholiken. Mit einem Kühlschrank zu trampen ist einfacher, wenn die Leute große Familien haben und deshalb viertürige Autos kaufen. Der nette kleine Fiat Punto, der fünfzehn Minuten später vor mir anhielt, war der erste Zweitürer, den ich sah.

»Wir haben beim Frühstück von Ihnen gehört, nicht wahr, Jane?«, sagte Billy, der hinter dem Steuer saß.

»Ja, im Speisesaal des Hotels lief das Radio, und wir haben genau aufgepasst, als wir Ihren englischen Akzent hörten.«

»Als wir Ihren Kühlschrank gesehen haben, wussten wir, dass Sie es sind.«

»Das ist das erste Mal, dass wir für einen Tramper anhalten. Ich sage ihm immer, dass er anhalten soll, aber er tut's einfach nicht, was, Billy?«

»Na ja, jetzt habe ich ja angehalten.«

Es war ungewöhnlich, von einem Ehepaar mitgenommen zu werden. Vor allem von einem mit dem Akzent von Tyneside im Nordosten Englands. Na ja, fast.

»Eigentlich sind wir gar nicht aus Tyneside, sondern aus Middlesborough«, erläuterte Bill.

»Oh, das mit dem Pokalfinale tut mir Leid.«

»O Gott, Tony! Was für ein Tag. Gott sei Dank sind wir nicht zu Hause. Natürlich haben wir schon Ravanelli, Juninho und Fester verloren.«

Und so kam es, dass mein erster Vorstoß in die Wildnis von Connemara von einer detaillierten Analyse der tragischen Spielsaison des FC Middlesborough begleitet wurde. Ein wenig dämpfte das mein Vergnügen an den braunen Farnen und den sanften Violett-Tönen der Berge, aber Billy und Jane waren so nett gewesen, für mich anzuhalten und mich und meinen Kühlschrank mitzunehmen, und sie mussten diese Fußballgeschichte endlich loswerden. Ich wusste, ich erwies ihnen einen großen Dienst, indem ich Ihrem Schmerz mein Ohr lieh.

Zwischen »Was die Mannschaft wirklich falsch gemacht hat« und »Was der Trainer in Zukunft ändern sollte« hatte ich gerade genug Zeit, um aus dem Fenster zu sehen und mir das Bild in Erinnerung zu rufen, wie mir meine neuen Freunde vom Matt Molloy's zum Abschied zuwinkten. Hey, da fiel mir ein, sie waren mehr als bloß Freunde, sie waren Verwandte. Oder besser gesagt: Verwandte meines Kühlschranks. In weniger als 24 Stunden hatten wir echte Sympathie füreinander entwickelt und dies mit unserer kindlichen Taufzeremonie unbewusst bestätigt und besiegelt. Ich fürchtete, dass ich sie vermissen würde.

Billy und Jane waren auf einer Urlaubsreise durch Westirland, und sie waren von dem Land völlig begeistert. Jane war fest davon überzeugt, dass sie umziehen und sich hier niederlassen sollten.

»Jetzt ist es großartig, aber vielleicht sollten Sie sich erst mal ansehen, wie es im Winter aussieht«, wandte ich ein und bewies lobenswerte Umsicht.

»Viel schlimmer als Middlesborough kann es nicht sein«, erklärte Bill und ließ damit erkennen, dass Jane es nicht schwer haben würde, ihn zu überzeugen.

»Was ist denn Kylemore Abbey genau, Tony?«, fragte Jane.

»Es ist ein benediktinisches Nonnenkloster.«

»Und Sie sind sich sicher, dass wir Sie dort absetzen sollen?«

»Um ehrlich zu sein, ich bin mir nicht sicher, ob ich mir irgendeiner Sache sicher bin, aber ich habe das Gefühl, dass es richtig ist, dort als Nächstes hinzufahren.«

Es gab eine Pause, dann fragte Billy: »Macht es Ihnen was aus, wenn wir fragen, wieso?«

»Überhaupt nicht. Mein Freund Brendan hat gesagt, dass ich den Kühlschrank von der Schwester Oberin segnen lassen soll.«

Es folgte eine weitere Pause. Diesmal brach Jane das Schweigen. »Das ist nur recht und billig.«

Vielleicht war es unsinnig, vielleicht wunderlich und ein bisschen unverschämt, aber es war ganz bestimmt weder ungerecht noch teuer.

Nach einer Kurve wurde das imposante, mit Türmchen geschmückte Gebäude der Abtei plötzlich zum ersten Mal auf der gegenüberliegenden Seite eines Sees sichtbar. Das Ufer war von Schilf gesäumt, und das Kloster stand am Fuß eines bewaldeten, steilen Hügels.

»Wow!«, stieß Billy hervor. Für den Anblick, der sich uns bot, konnte es keinen besseren Kommentar geben, auch wenn er nicht sehr beredt war.

Auf dem Parkplatz des Klosters beugte sich Jane über Saiorse, um auch auf ihr zu unterschreiben, und ich bemerkte, dass der Platz dafür schon ziemlich knapp geworden war. Die ganze Bande vom Matt Molloy's hatte unterschrieben und außerdem noch ein Gutteil der Gratulanten draußen vor dem Pub. Dass sie in keinerlei Beziehung zu dem Kühlschrank oder dessen Besitzer standen, hatte die Leute nicht davon abgehalten, »Gebt mir den Stift, damit ich auf dem Ding unterschreiben kann!« zu rufen.

Als ich den Kühlschrank in den Vorraum des klösterlichen Andenkenladens rollte, sah ich im Augenwinkel, wie Billy und Jane mir verwundert nachsahen. Mir kam der Gedanke, dass die Reaktionen, die ich bei den Leuten hervorrief, fast so etwas wie der Treibstoff waren, der mich am Laufen hielt. Je ungewöhnlicher mein Verhalten, desto befreiender wirkte es auf mich. Ich war mittendrin, und mein Selbstvertrauen hätte nicht größer sein können. Saiorse und ich waren jetzt nicht mehr aufzuhalten.

Das Mädchen an der Pforte wirkte verblüfft. Ratlos. Ja, eindeutig ratlos, aber sie machte ihre Sache ziemlich gut. Man darf nicht vergessen, dass sie einen guten Grund für eine derartig komplexe Reaktion hatte, denn was ich sie fragte, war bestimmt nicht Teil ihrer täglichen Routine.

»Wäre es möglich, die Schwester Oberin zu sprechen?«, hatte ich mich erkundigt. »Ich möchte, dass sie meinen Kühlschrank segnet.«

»Ich hole Schwester Magdalena«, hatte sie geantwortet.

Genau, junge Dame. Überlassen Sie doch einfach alles Schwester Magdalena, sobald die Dinge ein bisschen komplizierter werden.

Schwester Magdalena betrachtete den Kühlschrank lange und streng.

»Wandern Sie mit ihm durch Irland?«

»Ich trampe.«

»Trampen? Oh, ich verstehe.«

»Und für was sammeln Sie Spenden?«

»Für gar nichts. Ich tue es, um eine Wette zu gewinnen.«

»Ich verstehe.«

Nein, das tat sie nicht. Sie verstand überhaupt nichts. Sie fuhr fort: »Nun, Mutter Clare ist gerade beschäftigt, aber Sie können sie vielleicht vor dem Gebet sprechen.«

»Oh, das wäre toll.«

Es würde ihr auch Stoff für ihr Gebet geben.

Ich sah mich ein wenig auf dem Gelände des Klosters um und ging am Seeufer entlang, wo ich von Fuchsien und Rhododendren umgeben war. Ich gelangte zu einer kleinen Kapelle, die, wie ich später erfuhr, vom ursprünglichen Besitzer des Klosters gebaut worden war: Mitchell Henry, einem Industriellen und Großgrundbesitzer aus Manchester, der für Galway im Parlament gesessen war. Ihm muss die Kathedrale von Norwich ziemlich gut gefallen haben, denn er hatte angeordnet, dass die neugotische Kapelle eine Miniaturversion dieser Kirche werden sollte. Glücklicherweise waren die Architekten so klug gewesen, nicht alles maßstabsgerecht zu verkleinern, so dass man die Kapelle betreten konnte, ohne auf Händen und Knien durch die Tür kriechen zu müssen.

Mutter Clare war eine reizende Frau mit einem sanften, offenen Gesicht. Als Schwester Magdalena ihr erzählte, was ich tat, begann sie zu strahlen und rief aus: »Du lieber Himmel! Was haben Sie denn in dem Kühlschrank drin? Darf man das fragen?«

»Ich fürchte, da ist gerade meine schmutzige Wäsche drinnen.«

»Na ja, wenigstens wird sie nicht warm. Und Sie reisen mit dem Kühlschrank durchs Land?«

»Ja.«

»Nun, ich beglückwünsche Sie zu Ihrer Energie und Ihrem Enthusiasmus.«

»Ich wollte fragen, ob Sie vielleicht den Kühlschrank segnen und dann auf ihm unterschreiben könnten.«

»Selbstverständlich.«

Logisch. Das gehört schließlich alles zum Tagewerk einer Benediktinerin.

Sie müssen Gefallen an mir gefunden haben, diese Nonnen, denn sie luden mich ein, zum Abendessen zu bleiben. Ich fand dann aber zu meiner Enttäuschung heraus, dass ich in einem speziellen Speisesaal für Besucher sitzen musste. Ich hatte gehofft, mit den Nonnen essen und sie über ihr Leben aushorchen zu können. Dann hätte ich vielleicht sogar eine von ihnen eingeladen, mit mir auszugehen. Ich liebe Herausforderungen. Nach dem Essen wurde ich gefragt, ob ich der Chorprobe zusehen wolle. Ich sagte ja, bedauerte das aber bald. Sie probten lange, und man muss ehrlicherweise sagen, dass sie das auch nötig hatten, und für mich hatte die Sache nach eineinhalb Stunden den Reiz des Neuen eingebüßt.

Immer noch erschüttert von dieser Erfahrung wurde ich anschließend von Schwester Magdalena nach Letterfrack gefahren, ins nächstgelegene Dorf. Das war äußerst freundlich, denn zu Beginn meiner Reise hatte ich nicht damit gerechnet, einmal von einer Nonne mitgenommen zu werden. Während der Fahrt nieste ich einmal ziemlich laut.

»Gott segne Sie«, sagte meine Begleiterin daraufhin.

Es war nett, dies mal von jemand mit angemessener Erfahrung auf diesem Gebiet zu hören.

15

Die längste Nacht

Irgendeine Art von Musikfestival in der Gegend hatte zur Folge, dass es in Letterfrack kein einziges Pensionszimmer mehr gab. Schwester Magdalena setzte mich vor einem Gebäude ab, das absolut keine Ähnlichkeit mit einem alten Kloster hatte, aber The Old Monastery Hostel hieß. Eine Jugendherberge, ja? Ich hatte so meine Befürchtungen, aber zumindest der Name hatte noch etwas von dem kirchlichen Flair dieses Tages. Ich ging hinein und fand niemanden. Für die ankommenden Reisenden war eine Nachricht mit Kreide auf eine Tafel geschrieben worden: »Willkommen! Bitte macht es euch am Feuer gemütlich. Jemand wird sich bald um euch kümmern. Alles, was ihr braucht, befindet sich auf diesem Stockwerk: Küche, Wohnzimmer, Badezimmer und Toiletten. Frühstück gibt es um 9 Uhr unten im Café. Das Frühstück ist kostenlos und besteht aus warmen Bio-Scones, warmem Porridge und Bio-Kaffee oder Tee. Entspannt euch und genießt euren Aufenthalt!«

Für meinen Geschmack waren hier zu viele Sachen bio. Ich hatte das Gefühl, hier ohne Sandalen, ohne eine muffige Henna-Wolke und ohne Pferdeschwanz nicht willkommen zu sein. Ich ging nach links und fand mich in einem großen Schlafsaal wieder. Überall schienen Doppelstockbetten zu stehen. Zum ersten Mal auf meiner Reise hatte ich den Eindruck, dass ich mir zu viel zumutete. Ich wählte ein Bett oben und markierte mein Territorium, indem ich den Rucksack darauf warf. Ich rollte den Kühlschrank zum Fenster und ließ ihn dort stehen. Ich war auf dem Weg zum Schlafsaal niemandem begegnet, weswegen auch niemand wusste, dass er mir gehörte. Es bot sich mir also die Gelegenheit, mich einen Abend lang der Aufmerksamkeit zu entziehen, die ich als sein Besitzer auf mich lenkte. Außerdem, so dachte ich mir, würde es ziemlich lustig sein, wenn alle in der Jugendherberge einander argwöhnisch musterten und herauszufinden versuchten, wer von ihnen der Trottel war, der mit einem Kühlschrank herumreiste. Das könnte die Quelle einigen gesunden Unbehagens sein.

Ein chinesisch aussehender Typ kam herein. Ich sagte »Hallo«, aber er antwortete nicht. Entweder umfassten seine Englischkenntnisse »Hallo« nicht, oder er war ein Idiot. Ich sah mich in dem riesigen Schlafraum um, zählte die Rucksäcke, die auf den Betten lagen, und schloss auf ungefähr fünfzehn weitere potenzielle Idioten. Das war nicht das, was ich mir vorgestellt hatte, als ich zwei Nächte zuvor im Bett gelegen war und mich gefragt hatte, wann ich wieder mit jemandem eine Nacht verbringen würde.

Ein junges amerikanisches Paar kam herein, und mir wurde klar, dass der Schlafraum gemischt war. Dem Paar folgte eine dicke Frau, von der ich annahm, dass sie Holländerin war. Ich schloss dies allein aus ihrer Größe, was ziemlich gewagt war. Egal, welcher Nationalität sie angehörte: Ihr Englisch war besser als das des chinesischen Typs, denn als ich »Hallo« sagte, antwortete sie mit »Hallo«. Ich lächelte ihr höflich zu und wandte mich dann mit einem Blick ihm zu, der sagte: »Na, siehst du, war das so schlimm?« Er bemerkte es allerdings nicht, denn er war damit beschäftigt, Socken auf seinem Bett auszubreiten. Es machte den Eindruck, als handle es sich um einen alten Ritus, bei dem die Zukunft aus Socken gelesen wird.

Ich provozierte mindestens drei tadelnde Seufzer, als ich

mein Mobiltelefon an eine der Steckdosen anschloss, um es wiederaufzuladen.

»Tut mir Leid«, verkündete ich, denn ich erkannte, dass diese Art von Verhalten so ziemlich das genaue Gegenteil von Bio-Scones war.

Ich musste es jedoch tun, weil ich wusste, dass die *Gerry Ryan Show* am Morgen mit mir würde sprechen wollen. Außerdem hatte ich genug Strecke hinter mich gebracht, um bei Kevin in England anzurufen und ihn wissen zu lassen, dass seine hundert Pfund ziemlich gefährdet waren.

»Hallo, Kevin?«, sagte ich, als ich einen Berg im Connemara National Park halb erklommen und mich auf einen Zaun gesetzt hatte.

Es gibt nicht viel Gutes, was sich über Mobiltelefone sagen lässt, aber einer ihrer Vorteile ist, dass man mit ihnen aufregende Berglandschaften zu seinem Büro machen kann. Ein kurzer Ausflug von der Jugendherberge aus hatte mich zu einem Ort geführt, an dem ich im Norden Moore sehen konnte, hinter denen die Gebirgskette der Twelve Bens aufragte, und im Westen die tief eingeschnittene Atlantikküste mit ihren vielen kleinen und großen Buchten. Ich freute mich schon auf Kevins nächste Frage.

»Wo bist du?«, fragte er.

Ich beschrieb es ihm ziemlich ausführlich.

»Und was ist mit dem Kühlschrank? Ich vermute, den hast du schon vor Tagen weggeschmissen.«

»Nein, ich habe ihn immer noch dabei. Na ja, im Moment gerade nicht. Er ist unten in der Jugendherberge.«

»Jugendherberge? Du lebst wie ein König!«

»Meistens tue ich das wirklich.«

Leider nur wie der König von Tory.

»Jaja, bestimmt.«

»Ich wollte dich nur warnen. Es schaut so aus, als würde

Mo Chuisneoir
WHAT IS THE DIFFERENC
BETWEEN A FRIDGE
A WOMAN!
A FRIDGE DOESN
FART WHEN YOU TAK
THE MEAT OUT!
GOOD
LUCK!
BEST OF LUCK

ich es wirklich schaffen. Ich reise mit einem Kühlschrank per Anhalter rund um Irland. Du solltest also besser mit deiner Bank reden, damit sie dich dein Konto um hundert Pfund überziehen lässt.«

»Schau, du bist noch nicht einmal halb rum. Es wird bestimmt was schief gehen. Ich werd mir erst Sorgen machen, wenn du nur noch ein paar Meilen von Dublin entfernt bist. Du vergisst nämlich, dass …«

Die Leitung wurde unterbrochen, weil das Signal zu schwach war.

Zumindest dachte er das. In Wirklichkeit hatte ich auf den entsprechenden Knopf gedrückt. Ein weiterer Vorteil eines Mobiltelefons. Ich konnte im Moment gerade keine zynischen Bemerkungen gebrauchen. Ich hätte ihn nicht anrufen sollen. Ich Angeber. Ich hatte einfach nicht widerstehen können.

Als ich den Hügel zur Jugendherberge hinabging, begann ich aus irgendeinem Grund, den Johnny-Nash-Song »I can see clearly now the rain has gone, I can see all obstacles in my way« zu singen.

Ich blieb stehen und sagte mir: »Nein, kann ich nicht. Und das ist gerade das Schöne: Ich kann überhaupt keine Hindernisse sehen.«

Ich hatte das Gespräch mit Kevin gerade in dem Moment unterbrochen, als er mich auf einige der möglichen Hindernisse hinweisen wollte. Meiner Meinung nach hat jemand, der nicht ahnt, dass es Hindernisse gibt, immer dem etwas voraus, der um diese herumgehen muss, weil er von ihnen weiß. Mit dieser Philosophie würde ich entweder dorthin kommen, wo ich hinwollte, oder im Krankenhaus landen, weil ich frontal gegen etwas gestoßen war, das nur wenig nachgab.

Mir stellte sich eine einfache Frage: Entweder ging ich zum örtlichen Pub hinunter oder ich verbrachte den Abend mit den hartgesottenen Rucksacktouristen im Aufenthaltsraum. Aus gesundheitlichen Gründen entschied ich mich für Letzteres.

Der Aufenthaltsraum war ein großes Zimmer, dessen eines Ende von einem Esstisch und dessen anderes von einem großen Kaminfeuer beherrscht wurde. Der Tisch war umgeben von Menschen mit gefärbtem Haar und gepiercten Nasen, die die Köpfe in dicken Taschenbüchern vergraben hatten. Am Feuer standen ein paar Stühle, auf denen eine weniger angsteinflößende Truppe saß. Der Sessel, der am bequemsten aussah, wurde vom Herbergshund eingenommen, den zu verscheuchen sicher ein Sakrileg darstellte und einem nur wenige Freunde bescheren würde. Ein schmuddelig aussehender Stuhl jedoch war frei, und auf den setzte ich mich. Ich hatte sofort das Gefühl aufzufallen. Alle anderen schienen zu lesen, und es wirkte, als sei ich nur gekommen, um die anderen von dieser lobenswerten Beschäftigung abzuhalten. Ich entdeckte, dass man durch eine Tür direkt in die Küche gelangte, stand auf und rieb mir die Hände.

»Gut«, erklärte ich wie ein verlegener Lehrer, der sich allzu sehr darum bemüht, bei seinen Schülern anzukommen. »Will irgendwer eine Tasse Tee?«

Die meisten ignorierten mich völlig, aber manche schafften es wenigstens, von ihren Büchern aufzusehen und den Kopf zu schütteln. Die Klasse 4b war eine harte Nuss. Völlige Ablehnung. Kein guter Start.

Kurz darauf befand ich mich zum zweiten Mal an diesem Tag in einer fremden Küche. Selbstverständlich konnte ich die Teebeutel nirgends finden. Nachdem ich eine Zeit lang mit den Türen geschlagen und leise vor mich hin geflucht und die Leser im Aufenthaltsraum gegen mich aufgebracht hatte, war ich gezwungen, den Kopf wieder in den Aufenthaltsraum zu strecken und die peinliche Frage zu stellen: »Weiß irgendwer, wo die Teebeutel sind?«

Mir antworteten ein Seufzer und mindestens zwei missbilligende Zischlaute. Ein Amerikaner, der direkt am Fenster saß, schaute zu mir hoch. »Hast du keine eigenen?«

»Was?«

»Man muss seine eigenen mitbringen.«

»Ach so, ja, natürlich.«

Ich setzte mich und hoffte, dass irgendjemand es über sich bringen würde, mir einen seiner Teebeutel anzubieten. Zuerst tat es keiner, aber als ich mich darauf konzentrierte, richtig verloren auszusehen, kapitulierte die Amerikanerin zu meiner Rechten. »Du kannst einen von meinen Teebeuteln haben, wenn du möchtest. Aber es ist Zitrone mit Ingwer. Magst du Zitrone mit Ingwer?«

Ich hatte keine Ahnung. Einzeln hatte ich gegen keine von beiden Geschmacksrichtungen etwas, aber ich hatte sie noch nie zusammen erlebt. Warum hätte ich das auch tun sollen? Ich experimentierte nicht mit Drogen.

»Zitrone und Ingwer? Ja, ich glaube schon, danke, das ist sehr nett von dir«, antwortete ich, nahm den Teebeutel und verschwand wieder in der Küche, um ihn mit kochendem Wasser zu übergießen.

Als ich zurückkehrte, beobachtete das amerikanische Mädchen mit Interesse, wie ich den ersten Schluck nahm. Als der Tee mit meinen Geschmacksknospen zusammenstieß, kam ich sofort zu dem Schluss, dass der Ingwer für die Zitrone eine genauso nützliche Ergänzung war wie Fäustlinge für einen Pianisten.

»Mmmmmm, interessanter Geschmack«, keuchte ich und konnte mich gerade noch daran hindern, meinem ursprünglichen Drang nachzugeben und das Ganze gleich wieder auszuspucken. »Interessant.« Was für ein herrlich vieldeutiges Adjektiv. Bei Einladungen zum Abendessen war es mein liebster Euphemismus für Gerichte, die ich nicht mochte.

»Interessantes Rezept … interessanter Geschmack.« Interessant, dass es Ihnen gelungen ist, so ein schreckliches, widerlich schmeckendes Gericht zusammenzupanschen.

Ich begann, mit den beiden Amerikanern zu plaudern, und

konnte nicht feststellen, ob sie nur gute Freunde waren, die zusammen reisten, oder ob ihre Beziehung noch weiter ging. Ich wollte heute Nacht auf keinen Fall von Geräuschen wach gehalten werden, die diese Frage klärten. Es gab noch zwei Mädchen am Kamin. Das eine war eine Schwedin, das sich an meiner Unterhaltung mit den Amerikanern beteiligte und einen großen Knutschfleck am Hals hatte, der hoffentlich nicht das Ergebnis einer Nacht in dieser Jugendherberge war. Das andere Mitglied des Kamin-Teams war ein Mädchen, das ich ziemlich hübsch fand und neben das ich mich gesetzt hätte, wenn der Herbergshund nicht schneller gewesen wäre. Es sagte nichts, sondern las. Bei einigermaßen amüsanten Äußerungen in unserem Gespräch lächelte es jedoch, was in mir den Verdacht aufsteigen ließ, dass es gar nicht wirklich las, sondern einer Unterhaltung lauschte, an der es sich nicht beteiligen wollte.

»Und was treibst du hier in Irland?«, fragte mich der Amerikaner schließlich.

Ich versuchte, so wenig wie möglich zu verraten, aber meine Ausflüchte machten ihn nur noch neugieriger, und im Verlaufe der Befragung beging ich zuletzt den Fehler zu offenbaren, dass ich wegen einer Wette in Irland war. Selbstverständlich wollte er wissen, worum es in der Wette ging. Ich senkte die Stimme und erzählte es ihm. Plötzlich sah das lesende Mädchen von seinem Buch auf.

»Du bist der Kerl mit dem Kühlschrank?«, fragte es.

»Ja.«

»Du hast mir gestern den Lastwagen weggenommen.«

»Was?«

»Du hast mir den Lastwagen weggenommen.«

Bis zu diesem Augenblick waren die Zufälle in meinem Leben nicht allzu beeindruckend gewesen. Meine bisherige Bestleistung auf diesem Gebiet war, am Flughafen Leuten zu begegnen, die ich kannte. Die Tatsache, dass ich in dem gleichen Schlafsaal übernachten würde wie das Mädchen, vor das ich mich beim Trampen gedrängelt hatte, würde da vermutlich die Führung übernehmen. Ich musste mich bei ihr entschuldigen.

»Tut mir Leid«, erklärte ich.

»Ist schon in Ordnung.«

»Ich hätte den Fahrer gebeten, für dich anzuhalten, aber es gab einfach keinen Platz mehr.«

»Wegen des Kühlschranks, oder?«

»Äh, ja.«

»Ich habe zweieinhalb Stunden gewartet, weißt du.«

Schon gut, mach die Sache nur noch schlimmer! Ich hatte sowieso schon ein ganz schlechtes Gewissen.

Tina trampte durch Irland, bevor sie in das heimatliche Dänemark zurückkehrte, um Psychologie zu studieren. Wie so viele Leute aus ihrem Teil der Welt verfügte sie über die verblüffende Fähigkeit, problemlos an einer Unterhaltung auf Englisch teilnehmen zu können, ohne dass die anderen auf die Tatsache, dass dies nicht ihre Muttersprache war, auch nur die geringste Rücksicht zu nehmen brauchten. Sie war ausgesprochen nett, und ich machte mir schlimmste Vorwürfe wegen der Sache beim Trampen. Wären wir in einem Hotel gewesen, hätte ich aufstehen und sagen können, dass das Wenigste, was ich ihr schulde, ein Drink sei, und ich hätte vielleicht sogar eine Flasche Sekt bestellt, aber unter den gegenwärtigen Umständen waren mir so ziemlich die Hände gebunden. Ich konnte ihr höchstens eine Tasse Zitronen-Ingwer-Tee anbieten, und auch das nur, wenn meine amerikanische Lieferantin mich nicht im Stich ließ. Ich schrieb schließlich ihre Adresse in Dänemark auf und versprach ihr, ein Wiedergutmachungsgeschenk zu schicken. Sie lächelte höflich und ging ins Bett. Als sie die Tür erreichte, verspürte ich das entsetzliche Verlangen, ihr hinterher zu rufen »Ich komme auch gleich, Liebling«, aber ich erkannte rechtzeitig, dass dies für eine solche Bemerkung nicht das richtige Publikum war, und riss mich zusammen.

Als die Unterhaltung zu verebben begann, sagte ich Gute Nacht und machte mich auf den Weg in den Schlafsaal. Es war dunkel, und ich war mir nicht sicher, welches Bett meins war. Ich dachte daran, wie schrecklich peinlich es wäre, wenn ich in das falsche Bett kriechen würde. Die riesige Holländerin, Tina und der unfreundliche Chinese waren potenzielle Opfer meiner Desorientierung, und ihre Reaktionen auf einen Besucher, der zu ihnen unter die Decke kroch, konnten von einer freudigen Umarmung über einen Kung-Fu-Tritt in die Lende bis zu dem geschrienen Einwand, dass dies die falsche Art von Wiedergutmachungsgeschenk sei, reichen. Ich konnte jedoch gerade noch die deutlichen Umrisse des Kühlschranks ausmachen, der beim Fenster stand, und ich wusste, wenn ich ihn erreichte, würde ich mich orientieren können und den Weg zu meinem Bett finden. Das war eine weitere Premiere: ein Kühlschrank, der zu Navigationszwecken benutzt wurde.

Ich versuchte, mich so leise wie möglich auszuziehen, aber je mehr ich mich anstrengte, desto ungeschickter wurde ich. Ich warf Sachen von meinem Bett und wäre fast hingefallen, als ich aus meiner Jeans schlüpfte und mit einem Fuß hängen blieb. Jeder Laut, den ich verursachte, wirkte ohrenbetäubend. Ich entwickelte eine gesteigerte Empfindlichkeit, was Geräusche anging, die sich wenig später, als ich versuchte einzuschlafen, nicht eben als Vorteil erweisen sollte.

Zuerst lief es ganz gut, denn ich fand rasch eine bequeme Position. Aber mir wurde bald klar, dass ich den gleichen Fehler beging, wie wenn ich in Flugzeugen einzuschlafen versuche: Ich denke zu viel über die ganze Sache nach. Während ich mich auf dem unpassend proportionierten Flugzeugsitz erneut zusammenrolle, denke ich mir: »Ja, so müsste es gehen ... das ist eine bequeme Position ... noch fünf Minuten, und ich bin weg.«

Natürlich dauert es nur wenige Sekunden, bis ich irgendwo

in meinem Körper einen leichten Schmerz verspüre und erkenne, dass diese Position nicht das Tor zu ungestörtem Schlummer ist, wie ich gehofft hatte.

Ich bin kein unruhiger Schläfer und habe auf diesem Gebiet normalerweise keine Probleme. Eigentlich bin ich richtig gut im Schlafen. Ich schlafe ausgezeichnet. Ich mache kaum Fehler. Gäbe es die olympische Disziplin »Schlafen«, hätte ich gute Chancen, in die britische Mannschaft aufgenommen zu werden. Ich finde, dass es »Schlafen« bei den Olympischen Spielen geben sollte. Es würde sich hervorragend als Freiluftwettkampf eignen, denn die Athleten (mir fällt kein besserer Begriff ein) könnten sich knapp außerhalb der Reichweite der Speere in ihre Betten legen, und der Erste, der einschläft und drei Stunden lang nicht aufwacht, würde Gold gewinnen. Ich zumindest wüsste gerne, welcher Charaktertyp am besten geeignet ist, um unter Wettkampfbedingungen zu schlafen. Und was für Aussichten! Ein Kommentator, der ganz aufgeregt feststellt, dass einer der Wettkämpfer »fast eingenickt« ist, und seine Enttäuschung über einen jungen Briten äußert, der tragischerweise von einer Starterpistole geweckt worden ist, als nur fünf weitere Minuten in Schlummerland genügt hätten, um ihm die Bronzemedaille zu bescheren. (Und wer würde schon die Wiederholungen in Zeitlupe verpassen wollen?)

Ich schaute auf meine Uhr. Halb zwei. Es war ja nicht so, dass ich nicht nahe dran gewesen wäre. Ich war schon zweimal beinahe eingeschlafen. Beide Male war mein allmähliches Abgleiten in diesen friedlichen Zustand durch eine kleine Explosion unterbrochen worden. Das war die Zentralheizung der Jugendherberge, die gemeinerweise so konstruiert war, dass sie alle vierzig Minuten ansprang. Das Intervall zwischen den Explosionen war lang genug, damit man richtig müde wurde, aber auch kurz genug, um einen bei der nächsten Detonation des Boilers noch so richtig aufzuschrecken.

Um zwei wurden die meisten, die das Glück gehabt hatten, es verloren zu haben, wieder zu Bewusstsein gebracht, als der Besitzer des Bettes unter mir lärmend zurückkehrte. Verräterische Anzeichen wie Rülpsen und Singen ließen vermuten, dass dieser Mann, als er mit der einfachen Frage konfrontiert worden war, was er mit diesem Abend anfangen sollte, nicht die gesunde Alternative gewählt hatte. Es entging meiner Aufmerksamkeit nicht, dass er in der gegebenen Situation die richtige Entscheidung getroffen hatte, denn kaum hatte er sich ungeschickt und lautstark seiner Kleidung entledigt und den Kopf auf das Kissen gelegt, fing er auch schon zu schnarchen an. Nun, nicht ganz. Er schnarchte fast. Die tiefen Atemzüge waren schon zu hören und auch die dazugehörigen Schnarchlaute, aber nur sehr leise. Unüberhörbar hatte dieser Mann das Potenzial, sehr laut zu schnarchen, er musste dafür aber erst warm werden. Es war unbedingt ratsam einzuschlafen, bevor er seine volle Lautstärke erreicht hatte.

In dieser Hinsicht versagte ich, und eine Stunde später hatte sein Schnarchen ein Niveau erreicht, das ihm eine Medaille bei den Europameisterschaften eingebracht hätte. Alle Hinweise deuteten darauf hin, dass er in einer weiteren Viertelstunde seine volle Leistungskraft erreichen und Schnarcher von sich geben würde, die sich mit den besten der Welt messen konnten. Ich war der Einzige, dem dies Sorgen bereitete, denn an den deutlich vernehmbaren Atemrhythmen der anderen im Schlafsaal konnte ich erkennen, dass es allen außer mir gelungen war einzuschlafen.

Fremdem Schnarchen ausgesetzt zu sein war für mich keine neue Erfahrung, aber zum ersten Mal kam das Schnarchen von direkt unter mir. Irgendwie wurde es dadurch um einiges beunruhigender und vermittelte den Eindruck, als drohe eine Art geologische Katastrophe. Mitten in der Nacht gibt es kein rationales Denken, und obwohl Irland nicht für seine Erdbeben und Vulkane berühmt ist, richtete ich mich doch zweimal voll Furcht kerzengerade im Bett auf, als es unter mir heftig grollte.

Ich bin gegen die Todesstrafe. Ich glaube, es ist ein Fehler, den Menschen ausgerechnet dadurch, dass man sie umbringt, zeigen zu wollen, dass sie keine Menschen umbringen sollen. Ich bin jedoch nicht gegen das Töten von Schnarchern. Die Menschen haben schon unzählige Heilmittel gegen das Schnarchen probiert, und keines hat funktioniert. Gut, man kann die Schnarcher wecken, aber sie schlafen nur wieder ein und fangen von vorne an. Die einzig wirklich effektive Methode, jemanden am Schnarchen zu hindern, ist, ihn zu töten.

Ich lag in meinem Bett und überlegte mir, was ich für Möglichkeiten hatte. Ihn zu ersticken schien das Angemessenste zu sein, aber die Vorstellung, ihn zu erwürgen, gefiel mir auch. Ich bildete mir ein, dass es auf der ganzen Welt kein Gericht geben würde, das meine gegenwärtige Notlage nicht als mildernde Umstände gelten lassen würde. Aber dann hörte er überraschend auf. Er hörte einfach zu schnarchen auf, als sei ein Waffenstillstand vereinbart worden. Die Stille war mir kein Trost. Ich wusste, dass dies nur eine vorübergehende Einstellung der Kampfhandlungen war und dass er schon bald wieder loslegen würde. Mir war daher klar, dass die nächste Periode entscheidend war, wenn es mir gelingen sollte, einzuschlafen. Ich musste jetzt handeln. Also wälzte ich mich auf die Seite und schloss krampfhaft die Augen.

Es klappte nicht. Ganz offensichtlich verfüge ich nicht über die Voraussetzungen, die notwendig gewesen wären, um unter derartigem Druck zu schlafen.

Die Nacht schleppte sich voran.

Hier in aller Kürze die wichtigsten Ereignisse:

3.30   Der Betrunkene fängt wieder zu schnarchen an.

3.45   Auf der anderen Seite des Schlafsaals lässt sich ein

Schläfer dazu anregen, mitzuschnarchen (es kommt zum Stereoeffekt).

4.30 Stehe auf und gehe zur Toilette. Stoße mit dem Zeh gegen einen Bettpfosten.

4.33 Kehre von der Toilette zurück und stoße mit demselben Zeh gegen einen anderen Bettpfosten.

4.55 Denke ernsthaft daran, mit aller Kraft zu schreien: »HÖRT MAL ALLE HER, VERSCHWINDET AUS MEINEM ZIMMER!!«

5.05 Ziehe Selbstmord als eine ernst zu nehmende Option in Erwägung.

5.07 Verwerfe Selbstmord, der zu laut wäre und die anderen wecken würde.

5.15 Komme zu dem Schluss, dass diese Nacht die Buße für das ist, was ich Tina angetan habe, als ich ihr den Lastwagen wegnahm. Ich gebe auf und finde mich mit einer Nacht ohne Schlaf ab.

5.16 Schlafe ein.

6.30 Wache auf, als der Wecker des chinesisch aussehenden Mannes klingelt.

6.31 Entscheide, dass der Tod zu gut für den chinesisch aussehenden Mann ist. Werde die Ermordung ihm nahestehender Familienangehöriger in Auftrag geben.

8.00 Beschließe aufzustehen.

8.01 Entdecke, dass ich eine unnötige und ungerechtfertigte Erektion habe.

8.01– Warte darauf, dass sich der Schlafsaal leert.
8.30

8.32 Schlafsaal ist beinahe leer. Riskiere es, aufzustehen. Riesige Dame aus Holland sieht die auffällige Ausbeulung meiner Boxershorts und lächelt.

8.40– Frühstück, das ich damit zubringe, Blickkontakt mit
9.10 der Dame aus Holland zu vermeiden.

9.30 Verlasse das Gebäude und schwöre mir, solange ich
      lebe, in keiner Jugendherberge mehr zu übernach-
      ten.

Die längste Nacht lag hinter mir.

16

Völlig fertig in Galway

Die Nation musste über meine neuesten Abenteuer informiert werden. Während der Sendung entdeckte Gerry scharfsinnig den roten Faden, der sich durch sie alle hindurchzog.

»Tony, du scheinst die meiste Zeit in Pubs zu verbringen. Ich finde, es wäre wichtig, das jetzt zu erklären.«

»Na ja, Gerry, das Problem ist, dass ich aus ihnen nicht mehr herauskomme. Ich gehe hinein, und ich schleppe einen Kühlschrank hinter mir her, und es dauert nicht lange, bis der Ausgang verbarrikadiert ist, und das ist es dann: Ich bin gefangen.«

»Diese Ausrede muss ich auch mal ausprobieren.«

Er hatte natürlich Recht: Ich hatte die meiste Zeit in Pubs verbracht. Die Ironie daran war, dass ich ausgerechnet in der Nacht, in der ich mich einem Pub nicht einmal genähert hatte, keine zwei Stunden Schlaf abbekommen hatte.

»Passt auf, Leute«, erklärte Gerry am Ende des Interviews, »er ist jetzt in Letterfrack, und er will nach Galway. Wenn ihr also einen Typen entdeckt, der einen Kühlschrank bei sich hat, haltet bitte an und sagt ›Hallo‹, und wenn er nicht bedrohlich wirkt, nun, dann nehmt ihn bitte mit! Bon Voyage mal wieder, Tony! Wir bleiben in Kontakt.«

Ich zog den Kühlschrank zum Straßenrand. Ich war müde, wusste aber auch, dass diese Gespräche im Radio die gleiche Wirkung hatten, als ob man den Tank eines Autos mit Benzin füllt. Ich war den Fahrern im ganzen Land wieder ins Bewusstsein gebracht worden, und hatten sie erst mal den Kühlschrank entdeckt, würden sie sich glücklich schätzen, die Beifahrertür für mich aufstoßen zu dürfen.

Es gab allerdings ein Problem. Nur ein Platz eignete sich zum Trampen, und dort stand schon ein Anhalter. Darauf war ich nicht vorbereitet. Dabei hätte ich es sein sollen. 18 Jahre konservative Regierung in der Heimat hatten mich mit dem Konzept des Konkurrenzkampfs vertraut gemacht.

»Oh, hallo«, sagte ich nervös zu meinem Kollegen. »Ich gehe einfach zwanzig Meter weiter, ja?«

»Nein, nein. Du kannst hier bleiben. Ich habe es nicht eilig.«

»Was?«

»Mir macht es überhaupt nichts aus. Nur zu.«

»Aber du bist zuerst hier gewesen.«

»Ich weiß, aber ich bin nicht der Fridge Man, oder? Ehrlich, ich hab's nicht eilig. Nur zu! Viel Glück! Wo willst du hin?«

»Clifden, dann Galway, glaub ich.«

»Ah, du wirst kein Problem haben. Nicht mit dem Ding da.«

Padrig, ein Schüler an der Schule für Holzbearbeitung direkt hinter uns, setzte sich auf eine Mauer in der Nähe und plauderte mit mir, während ich den Daumen raushielt. Einige Autos fuhren vorbei, aber die Fahrer zeigten mir, dass sie bald abbiegen würden, indem sie nach links wiesen.

»Ich hasse es, wenn sie das machen«, sagte Padrig. »Zwischen hier und Clifden kann man gar nicht links abbiegen.«

Ich musste ihn für seine Pedanterie bewundern.

Ein junger Lieferwagenfahrer, der Padrig ziemlich gut kannte, hielt an, aber er hatte nur Platz für eine Person und einen Kühlschrank. Es war also ein Fall von »wer zuletzt kommt, mahlt zuerst«, und Padrig blieb, wo er war. Es machte ihm überhaupt nichts aus, und er winkte begeistert, als Brian mit mir nach Clifden davonfuhr. Brian teilte die inzwischen allgemeine Begeisterung für mein Vorhaben und hielt bei einem Laden für handgewebte Stoffe, in dem er arbeitete. Ich bekam eine Tasse Tee und einen Sandwich und wurde aufgefordert, mich ins Gästebuch einzutragen.

Um eins war ich bereits durch das hübsche Clifden, die Kleinstadt, die als Verwaltungszentrum von Connemara dient, gebummelt und baute mich an der einzigen Hauptstraße auf, die aus der Stadt hinausführte. Ich konnte vor Müdigkeit kaum die Augen offen halten, als ich auf meinem Kühlschrank niedersank und wieder den Daumen rausstreckte. Der Fahrer eines Lastwagens von der Baustelle gegenüber sah mich an und rief: »Ist das eine Waschmaschine?«

– Wie nett, eine Variation des schon bekannten Themas.

»Nein, ein Kühlschrank«, antwortete ich.

»Oh, gut. Ich hoffe, Sie haben Glück. Ich habe schon Tramper gesehen, die sind hier sehr lange gestanden.«

Na ja, aber die hatten vermutlich keinen Kühlschrank dabei, dachte ich mir.

Eine halbe Stunde später, als meine fortgesetzte Anwesenheit am Straßenrand die Richtigkeit seiner Worte bestätigte, kehrte der Lastwagenfahrer mit seiner Ladung zurück und zuckte zum Zeichen des Mitgefühls mit den Achseln, als er mich sah. Ich erwiderte sein Schulterzucken. Es war eine bedeutungslose Geste, aber seltsamerweise hob sich meine Stimmung, was ich zu jenem Zeitpunkt dringend brauchte. Mit den Schultern zu zucken ist gut, stellte ich fest. Die Menschen sollten öfter mit den Schultern zucken. Man sieht nie einen Politiker mit den Schultern zucken (sie halten es wohl für ein Zeichen der Schwäche), aber einer der Gründe für die fortdauernden Probleme in Nordirland ist sicher, dass die Politiker auf beiden Seiten nie mit den Schultern zucken. Es gibt keine andere Geste, die als Verkörperung der Kühlschrank-Philosophie besser geeignet wäre: ruhig hinnehmen, was geschehen ist, und eine gesunde Unbekümmertheit hinsichtlich dessen, was noch kommt, an den Tag legen.

Zwei spanisch aussehende Typen fuhren auf Fahrrädern vorbei, entdeckten den Kühlschrank und wären fast gestürzt. Als sie schon vorbei waren, drehte sich der eine von ihnen noch mal um und rief: »Hey, viel Glück, Mann!«

Das war nett von ihm. Es verbesserte meine Stimmung weiter: ein spanisch aussehender Radfahrer, der positiv auf einen Kühlschrank reagiert. Vielleicht würde ich die Sache nächstes Jahr in Spanien probieren.

Der Wunsch des Radfahrers ging in Erfüllung, und die Erlösung nahte in Form von Matt, dessen Job es war, in Mayo und Galway herumzufahren und Kassen, Schneidemaschinen und Waagen zu reparieren. Matt wollte in drei Monaten heiraten.

»Es ist allerdings ein bisschen peinlich«, erzählte er, »denn wenn man kirchlich heiratet, muss man vorher einen Ehekurs besuchen.«

»Und wer veranstaltet den?«

»Die katholische Kirche. Die Priester.«

»Und wie lange dauert der Kurs?«

»Zwei Tage.«

Großartige Idee. Zwei Tage voller Ratschläge, wie man mit dem Eheleben fertig werden soll, erteilt von Leuten, die nie verheiratet gewesen sind und in keiner Weise sexuell aktiv sind. (Nein, lachen Sie nicht, es stimmt: Sie sind es nicht.)

»Und was passiert am Ende des Kurses?«

»Man kriegt ein Zeugnis. Ohne kann man nicht kirchlich heiraten.«

»Der Kurs ist also Pflicht?«

»Nein, er ist nicht Pflicht, aber man muss hin.«

Matt setzte mich auf dem Parkplatz eines großen Einkaufszentrums in den Außenbezirken Galways ab, wozu er einen Umweg von ungefähr siebzig Kilometer gemacht hatte. Nachdem ich mich überschwänglich bei ihm bedankt hatte, begann ich, meine Besitztümer in Richtung Stadtzentrum zu ziehen.

Das Wägelchen, das bisher meine Erwartungen bei weitem übertroffen hatte, beharrte aus irgendeinem Grund darauf, ungefähr alle dreißig Meter seine Ladung abzuwerfen. Ein weniger übermüdeter Mensch als ich wäre damit wohl besser fertig geworden. Es war ein langer Weg bis ins Zentrum, und ich kam auf dem Weg dorthin an keinen Hotels oder Pensionen vorbei. Wäre nicht gelegentlich zu meiner Unterstützung gehupt oder mir von einem freundlichen Menschen beim Einkaufsbummel eine Aufmunterung zugerufen worden, hätte ich den Kühlschrank vielleicht auf die nächste Mülltonne gestellt und die ganze Sache abgebrochen.

Ich hatte beschlossen, mich heute Nacht mit einem schönen Hotel zu belohnen, ganz egal, was es kosten würde, aber zu meinem großen Kummer erfuhr ich, dass sie alle voll waren. Oder vielleicht sagte man mir das nur. Ich muss mit dem Rucksack auf dem Rücken und dem Kühlschrank auf dem ausgesprochen wackeligen Wägelchen einen heruntergekommenen Eindruck gemacht haben, wenn ich in die Rezeption stolperte, und stellte vermutlich nicht die erlesene Kundschaft dar, um die man sich dort bemühte. Der letzte Hotelangestellte, der mich abwies, gab mir immerhin eine Liste mit Telefonnummern von Pensionen.

Auf der Straße brachte ich das Mobiltelefon zum Einsatz. Eine Frau antwortete.

»Hallo, hier ist Stella.«

»Hallo Stella, mein Name ist Tony. Haben Sie ein freies Zimmer?«

»Habe ich, Tony. Für wie viele denn?«

»Einen.«

Sie gab mir die Adresse und begann, mir den Weg zu beschreiben. Ich unterbrach sie. »Nein, ist schon gut, ich nehme sowieso ein Taxi.«

»Wo sind Sie?«

»Quay Street.«

»Oh, da brauchen Sie kein Taxi, Sie sind ganz in der Nähe.«

»Sind Sie sicher? Ich bin nämlich schon ein ganzes Stück gelaufen, und ich habe einen Kühlschrank dabei.«

Es wäre nicht nötig gewesen, ihn zu erwähnen, aber meine bisherige Erfahrung hatte mich gelehrt, dass die Einstellung der Leute mir gegenüber sich dramatisch änderte, sobald sie von meinem Abenteuer erfuhren. Stella war leider eindeutig nicht eingeweiht.

»Einen was?«

»Einen Kühlschrank. Ich reise mit einem Kühlschrank.«

»Ach so. Nun, wie auch immer, die Mühe mit dem Taxi können Sie sich sparen, es ist nicht weit.«

Es war aber weit. Es war sehr weit, und was noch schwerer wog: Stellas Wegbeschreibung ergab keinen Sinn. Eine halbe Stunde und drei Anrufe mit dem Mobiltelefon später erreichte ich schließlich die Pension in einer Vorstadt von Galway. Stella, eine lächelnde Frau mittleren Alters mit verdächtig schwarzem Haar, öffnete die Tür.

Sie musterte den Kühlschrank. »Oh, Sie haben also keinen Witz gemacht. Mit dem Ding hätten Sie sich ein Taxi nehmen sollen.«

Bei einer Tasse Tee erfuhr ich zwei wichtige Informationen: *Pet Rescue* war Stellas Lieblingssendung im Fernsehen, und ihr Namensgedächtnis entsprach ungefähr ihrer Fähigkeit, eine genaue Wegbeschreibung zu geben.

»Von wo in England sind Sie denn, Chris?«, fragte sie.

»London.«

Ich wollte ihr schon sagen, dass ich nicht Chris hieß, hielt mich dann aber doch zurück, weil Chris genannt zu werden eine angenehme Abwechslung war.

»Oh, London, das ist aber ein Zufall, Chris, denn es ist gerade ein anderer Bursche aus London angekommen, vor ungefähr einer halben Stunde. Er ist oben, du wirst ihn vielleicht später noch kennen lernen.«

Das tat ich nicht, aber Stella erzählte mir, dass sie, als er ankam, wegen seines englischen Akzents angenommen hatte, er wäre ich, und ihn gefragt hatte, wo denn sein Kühlschrank sei. Sie verriet mir nicht, was seine Reaktion gewesen war, und wir können nur Vermutungen anstellen, aber ich war beeindruckt, dass er trotzdem bereit gewesen war, in ihrem Haus zu übernachten. Vor allem, weil er mit einem Motorrad unterwegs war.

Stella kochte ein einfaches Abendessen für mich und Owen, den Studenten aus Kildare, der bei ihr wohnte und dem ich mich sorgloserweise als Tony vorgestellt hatte.

»Willst du noch etwas Nachtisch, Chris?«, fragte Stella mich.

Owen schaute sich im Zimmer nach einem Chris um.

»Ja, bitte«, antwortete ich, was die einzige sinnvolle Antwort auf diese Frage war.

Owen zuckte mit den Schultern. Braver Kerl.

Gerry Ryan hatte Galway in höchsten Tönen gepriesen:

»Du wirst in Galway sehr willkommen sein, das kann ich dir sagen. Es gibt ein paar gute Hotels, und die Bevölkerung ist sehr gebildet und kultiviert.«

Aber meine Erschöpfung hatte zur Folge, dass meine Eindrücke von Galway sich auf einen Abend mit Owen vor dem Fernseher in Stellas Wohnzimmer beschränken sollten, wo wir uns das Fußballspiel Irland gegen Liechtenstein ansahen. Und sogar dafür musste ich meine letzten Energiereserven mobilisieren. Mit gefiel das Spiel ganz gut, und zwar vor allem deshalb, weil die Mikrofone am Spielfeld so aufgebaut waren, dass einige der Kommentare des Publikums deutlich zu verstehen waren. »Komm schon, Kennedy! Beweg deinen Arsch!«, verlangte ein alter Zuschauer hilfreich.

Es wirkte, Kennedy bewegte seinen Arsch und Irland gewann 5 zu 0. Owen war ziemlich glücklich, und als ich »gute Nacht« sagte, gratulierte ich ihm zu der Leistung seines Teams.

Es wäre kleinlich gewesen, darauf hinzuweisen, dass Liechtenstein nicht gerade ein Gigant in der Welt des Fußballs ist.

Am Morgen wurde ich vom Klingeln meines Mobiltelefons geweckt. Es war der Sender Galway Bay FM. Man wollte mich interviewen. Meine Nummer wurde offensichtlich herumgereicht. Sie sagten, sie würden mich in zwanzig Minuten wieder anrufen, und während ich wartete, stellte ich im Radio ihren Sender ein, um einen Eindruck von ihm zu gewinnen. Ich hörte Werbung. Ein Spot fiel mir ganz besonders auf. Eine begeisterte Stimme verkündete mit Nachdruck: »An diesem Samstag, dem 24. Mai, laden wir Sie zwischen 10 und 18 Uhr in Ballingary, County Tipperary, zu einem einmaligen Erlebnis ein: Schaf 97!«

Das gefiel mir. Der vor Begeisterung ganz aufgeregte Mann fuhr fort: »Zu den geplanten Veranstaltungen gehören unter anderem der Wettbewerb des nationalen Schafzüchterverbands, Wettkämpfe im Schafscheren und die Prämierung von Lämmern und Wolle. Es wird eine Vorführung von David Fagan geben, dem gegenwärtigen Weltmeister im Schafscheren, viele Informationen und Messestände, Gutachten und Kostenvoranschläge für Futtermittelsilos und deren Reparatur, die Präsentation diverser Maschinen und eine große Vorführung zum Thema ›Schnelles Heumachen‹! Also, rufen Sie 067 21282 für weitere Informationen an, und vergessen Sie nicht: Wenn Sie mit Schafzucht zu tun haben, dann kommen Sie zu Schaf 97!«

Ganz egal, ob man mit Schafzucht zu tun hat oder nicht, Schaf 97 war ohne Zweifel ein Muss für die ganze Familie, oder? Gibt es irgendwo einen gesunden 10-Jährigen, der nicht ganz versessen darauf wäre, sich »Gutachten oder Kostenvoranschläge für Futtermittelsilos und deren Reparatur« zu beschaffen? Und nur ein Narr würde sich eine große Vorführung zum Thema »Schnelles Heumachen« entgehen lassen. Die meisten von uns kriegen überhaupt kein Heu zu sehen, und wenn, dann entsteht es im Schneckentempo. Endlich! Eine Gelegenheit, nicht nur zu sehen, wie Heu gemacht wird, sondern sogar, wie es schnell gemacht wird! Bei dem bloßen Gedanken wurde einem schon schwindelig. Falls das Schicksal mich am Samstag irgendwo in die Nähe von Ballingary verschlagen sollte, dann konnte SCHAF 97 mit meinem Besuch rechnen. Ich könnte vielleicht Roisin mitnehmen. – Falls sie anrief. Warum hatte sie noch nicht angerufen? Ach, Geduld, Tony, Geduld! Zu meiner Freude wurde, kurz bevor Keith Finnegan sein Interview begann, die Werbung für SCHAF 97 wiederholt.

Das Interview mit Keith ähnelte stark denen mit Gerry Ryan und *Live At Three*. »Warum?« war die wichtigste und nächstliegende Frage. Nachdem ich mein Unterfangen erklärt und ihm erzählt hatte, dass ich Richtung Süden unterwegs sei, schloss sich Keith freudig all jenen an, die mir helfen wollten, und fragte über den Äther nach einem Taxifahrer, der mich zur Landstraße bringen könnte. Innerhalb weniger Sekunden meldete sich ein Fahrer von Ocean Hackneys und sagte, dass er schon auf dem Weg zu mir sei. Ich dankte Keith, hängte auf, lächelte, sah in den Spiegel und kniff mich. Nein, ich war wach. Das alles passierte wirklich.

Ich holte meine Karte hervor und suchte die Gegend südlich von Galway nach einem geeigneten Ziel ab. Ich entdeckte einen Ort namens Ennistymon und erinnerte mich daran, dass dort Tony wohnte, der Mann, der mir in Westport seine Adresse gegeben hatte und den Kühlschrank mit zum Tauchen nehmen wollte.

17

Hilfe

Ich fragte Noel, den Taxifahrer, warum er auf den Aufruf des Radiosenders reagiert hatte.

»Weil du Mut und Sinn für Humor hast.«

Noel unterschrieb schwungvoll auf dem Kühlschrank und ließ mich an einem Kreisverkehr zurück, wo ich am Rand einer viel befahrenen Schnellstraße wieder den Daumen raushielt. Das Mobiltelefon klingelte erneut. Ich hörte eine Stimme mit Cockney-Akzent. »Hallo, ist dort Tony?«

»Ja, bist du es, Andy?« Ich dachte, es wäre Andy aus Bunbeg, der anrief, um zu sehen, wie es mir ging.

»Nein, ich bin Tony. Von ›Schwanenhilfe‹.«

»Was?«

»Wenn du mir sagst, wo du bist, komme ich und hole dich ab.«

Was in aller Welt ging vor? Ein Engländer namens Tony schien mich für einen Schwan zu halten und hatte sich vorgenommen, mir zu helfen.

»Ich habe dich heute Morgen im Radio gehört«, erklärte Tony, »und ich dachte mir, ich komme vorbei und nehme dich ein Stück weit mit. Du musst mir nur sagen, wo du bist.«

Ich tat genau das, worauf er antwortete: »Bleib dort! Ich bin in zehn Minuten bei dir. Halt nach einem kleinen weißen Lieferwagen mit der Aufschrift ›Schwanenhilfe‹ Ausschau.«

Es ist schwierig, sich eine seltsamere Situation vorzustellen: Ich befand mich jetzt am Straßenrand und trampte, ohne wirklich mitgenommen werden zu wollen, und um sicher zu sein, dass das auch nicht geschah, musste ich den Kühlschrank verstecken, weil ich fürchtete, dass dessen Berühmtheit sonst jemanden veranlassen würde anzuhalten, ganz egal, ob ich den Daumen raushielt oder nicht. Ich lehnte meinen Rucksack gegen den Kühlschrank und hängte meine Jacke über ihn. Ich hatte in der Welt des Trampens eine neue Stufe erklommen: Ich nahm jetzt Vorbestellungen entgegen.

Zwanzig Minuten später war ich schon überzeugt, das Opfer des seltsamsten Scherzanrufs der Welt geworden zu sein, da tauchte tatsächlich der Lieferwagen der Schwanenhilfe auf. Es schien keine Rolle zu spielen, dass ich kein Schwan war. Das Netz war an diesem Tag weit genug ausgeworfen worden, um auch verwahrloste Tramper mit einzuschließen.

»Wie weit fährst du?«, fragte ich Tony.

»Ich fahr nirgendwo hin, aber ich bring dich nach Gort.«

»Wie meinst du das, du fährst nirgendwo hin?«

»Ich fahre nirgendwo hin. Ich bin extra gekommen, um dich dorthin zu bringen. Du weißt schon: um dir zu helfen. Ich bringe dich nach Gort, das ist ungefähr eine Stunde von hier.«

Das Verhalten der Engländer, auf die ich stieß, machte es schwer, den bizarren Erfolg meiner bisherigen Reise damit zu erklären, dass die Iren verrückt waren. Ein Engländer hatte einen ganzen Vormittag telefonisch einen Helikopter zu organisieren versucht, der mich zu einer Insel fliegen sollte, während nur ein paar Meter entfernt ein Boot ablegte, um genau dorthin zu fahren, und hier war einer, der einfach, weil er mir helfen wollte, eine zweistündige Autofahrt auf sich nahm. Sowohl Andy als auch Tony liebten jedoch den irischen Lebensstil von ganzem Herzen.

»Ich habe den größten Teil meines Lebens in Hampton Court verbracht«, erläuterte Tony, »aber mir gefällt es hier. Hier lebt man. In England existiert man.«

Ich glaube, man tut ihm kein Unrecht, wenn man sagt, dass

Tony nicht gerade unter Termindruck stand. Die Tatsache, dass er aus reiner Nächstenliebe eine solche Reise unternehmen konnte, ließ vermuten, dass es in der Gegend von Galway einfach nicht genug Schwäne gab, die Hilfe brauchten. Es schien mir ein seltsames Leben zu sein, neben dem Telefon zu sitzen und auf den Hilferuf eines Schwans in Not zu warten. Täte er nicht besser daran, sich nicht ausschließlich auf Schwäne zu konzentrieren? Ich hätte gerne gewusst, wie er reagierte, wenn er einen Anruf erhielt, bei dem es um eine verletzte Ente ging. »Oh, tut mir Leid, Sie haben die falsche Nummer gewählt. Hier ist die Schwanenhilfe. Sie brauchen die Entenhilfe. Wenn Sie einen Moment dran bleiben, gebe ich Ihnen die Nummer.«

Tony setzte mich am Ende der düsteren und spärlich besiedelten Hauptstraße von Gort an einer Ausfahrt ab. Die meisten Autos, die vorbeikamen, schienen nicht weit zu fahren, und ich begann, mir wie ein Schwan vorzukommen, der nicht gerettet, sondern vielmehr zu einem anderen, weniger erquicklichen Teich verschleppt worden war. In Gort gab es nicht viel, und was es gab, wirkte nicht unbedingt erbaulich. Gort. Es sah so aus, wie es klang. Ich richtete mich auf eine lange Wartezeit ein.

Ich war noch nicht lange dort gestanden, als ein lächelnder Betrunkener ohne Zähne auftauchte.

»Ey, du bist der Mann mit dem Kühlschrank!«, rief er.

Noch ein englischer Akzent. Er trank einen Schluck aus einer Büchse mit Apple-Cider und deutete auf eine andere, die in seinem Einkaufsnetz lag. »Willst du was zu trinken?«

»Nein, danke. Ich versuche, vor Mittag nichts zu trinken.«

»Ich auch, aber ich hab einen gebrochenen Kiefer.«

Mir fielen Gerry Ryans Worte wieder ein: ›Die Ausrede muss ich auch mal ausprobieren.‹

»Ich heiße Ian, und wie heißt du?« Seine Worte erinnerten stark an Spielplatz-Dialoge.

»Tony.«

»Wo willst du hin?«, nuschelte er.

»Ennistymon.«

Er wies bedeutungsvoll direkt hinter mich und erklärte: »Gib mir fünf Minuten.«

War dies eine weitere Voranmeldung? Falls es das war, und falls dieser Mann der Fahrer war, der bloß schnell das Auto holen ging, dann würde ich höfliche Argumente finden müssen, um das Angebot abzulehnen. Es würde nicht einfach werden, aber es musste sein.

Fünf Minuten später tauchte ein klappriges Auto aus einer schmalen Gasse hinter mir auf. Drinnen konnte ich vier Menschen erkennen, von denen einer mein zahnloser Kumpel war, der auf der Rückbank vor sich hin strahlte. Er kurbelte das Fenster herunter und rief »Spring auf! Wir können dich bis Enis mitnehmen.«

Darüber hätte ich lange und gut nachdenken müssen, aber dazu gab es keine Zeit. Ich dachte also kurz und gut nach und entschied, es zu riskieren. Beruhigend wirkte die Tatsache, dass der Fahrer keine Büchse in der Hand hielt und deutlich mehr Zähne als Ian hatte. Ich weiß, dass ein Blick auf das Gebiss nicht unbedingt eine weit verbreitete und bewährte Methode ist, um die Fahrtüchtigkeit von jemandem festzustellen, aber ich glaube, man greift gemeinhin in Notfällen auf sie zurück.

Ich landete mit Ian und einem kleinen Kind auf der Rückbank, und der Kühlschrank wurde unsanft in den Kofferraum gepackt. Wir befanden uns in einem alten Toyota Carina, der das automobile Äquivalent von Ians Gesicht war: knochig, zahnlos, aber immer noch funktionstüchtig. Verglichen damit war Antoinettes Auto funkelnagelneu gewesen.

Ich befand mich in der Gesellschaft von Reisenden. Ian war seit zwanzig Jahren unterwegs, wohingegen Neil, Vicky und ihr kleiner Sohn sich erst vor relativ kurzer Zeit für diese Lebensform entschieden hatten. Es gefiel ihnen, und sie zogen den Wohnwagen einem Reihenhaus in Sheffield vor. Wir unterhielten uns über ihr Leben, das ziemlich angenehm klang, auch wenn es auf der fundamentalen Überzeugung beruhte, dass der Rest der Gesellschaft bereit sein müsse, es zu subventionieren.

»Wie schaut es mit Geld aus?«, fragte ich.

Ich erhielt zwei Antworten gleichzeitig: »Wir kommen über die Runden« von Ian und »Frag besser nicht!« von Neil. Ich zog Ians Antwort vor, weil sie weniger sinistre Untertöne hatte. »Frag besser nicht« ließ die Möglichkeit offen, dass sie Geld verdienten, indem sie Tramper in die Sklaverei verkauften. Ich wechselte das Thema.

»Wo habt ihr im Moment euren Stützpunkt?«, fragte ich und tat ungeschickterweise so, als hätte ich es mit der Royal Air Force zu tun.

»Genau mitten im Burren«, antwortete Ian.

Der Burren – das erinnerte mich an was. Ich hatte darüber gelesen. Dreihundert Quadratkilometer grauer Kalkstein, den Gletscher, Wind und Regen plastisch geformt hatten. Ein Landvermesser von Cromwell hatte ihn in den vierziger Jahren des 17. Jahrhunderts als ein wildes Land beschrieben, »das nicht über genug Wasser verfügt, um einen Mann zu ertränken, über keinen Baum, um ihn daran zu erhängen, und über nicht genug Erde, um ihn darin zu begraben.« – Eine Charakterisierung, die den wichtigsten Zweck von Cromwells Ausflug nach Irland deutlich machte.

»Sind wir denn in der Nähe des Burren?«, fragte ich unwissend.

»Er liegt gleich im Osten von hier«, erklärte Vicky. »Du bist aus Galway gekommen, und du bist auf dem Weg nach Ennistymon, richtig?«

»Ja.«

»Nun, dann wärst du mitten durchgekommen, wenn du der Küste gefolgt wärst, anstatt nach Gort zu fahren.«

Gute alte Schwanenhilfe. Mit ihrer Hilfe hatte ich eines der geologischen Wunder dieser Erde verpasst, das die Besucher angeblich an die Mondoberfläche erinnert. Stattdessen war ich in Gort gewesen. Immerhin etwas, das man seinen Enkeln erzählen konnte.

Paddy, ein Green Keeper auf dem örtlichen Golfplatz, war an jenem Tag mein letzter Chauffeur. Als er anhielt, dachte er, ich hätte den Kühlschrank in der Stadt gekauft und wolle ihn jetzt nach Hause transportieren. Es tat gut, von Leuten mitgenommen zu werden, die nicht aus dem Radio wussten, was ich vorhatte. Es bewies, dass die Aufgabe, die ich mir gestellt hatte, auch ohne die Unterstützung der Medien zu bewältigen war. Ich fragte mich allerdings, ob es dann noch so viel Spaß machen würde. Vom Auto aus rief ich Tony und Nora an und verabredete mich mit Tony in einem Pub namens Daly's auf der Hauptstraße von Ennistymon.

In Ennistymon hatte ich das Gefühl, das unverdorbene Herz des ländlichen Irlands erreicht zu haben. Es war ein hübscher Ort mit bunten Läden und unzähligen kleinen Bars, aber man hatte nicht das Gefühl, dass das alles für die Touristen da war. Ich blickte die Hauptstraße hinauf und hinunter und zählte mehr als zwanzig Bars. Bald erfuhr ich, dass es früher mal 42 gewesen waren, die vor allem die Kunden des Viehmarkts bedient hatten, durch den sich die Bevölkerung der Stadt regelmäßig vervielfachte.

Ich fand Daly's, eine winzige Bar direkt neben zwei anderen: Davoren's und P. Begley's. Ich bemerkte, dass P. Begley's geschlossen war, und vermutete, dass der Pub Opfer des großen Konkurrenzdrucks geworden war. Ich betrat das Daly's, und wie üblich wandten sich mir zu meinem Empfang die Köpfe der erstaunten Gäste zu. Ein Gast war nicht ganz so erstaunt.

»Ah, schaut mal! Der Verrückte ist eingetroffen«, verkündete er.

Ein Bier wurde gezapft, und der Kühlschrank bekam einen Ehrenplatz auf einem Barhocker an unserer Seite. Jedem Neuankömmling im Pub musste er wie ein stinknormaler Gast vorkommen. Tony wollte noch seine Tochter von der Schule abholen, würde mir aber, sobald er zurück wäre, die Sehenswürdigkeiten der Stadt zeigen.

Ich bemerkte, dass ein Mann mit dichtem weißem Haar und dazu passendem Bart den Kühlschrank mit Interesse betrachtete, während er langsam sein Bier schlürfte. Nach ein paar Minuten trafen sich unsere Blicke. Er nickte mir zu und deutete auf den Kühlschrank: »Ah, es ist schön, mal einen außerhalb des gewöhnlichen Kontexts zu sehen.«

Ich war entzückt über das Zartgefühl dieser wohlüberlegten Worte, die in auffälligem Kontrast zu der üblichen lautstarken Reaktion standen, die der Kühlschrank hervorrief. Ich setzte mich zu ihm.

Er hieß Willy Daly, und er war der Besitzer, der sich in seinem eigenen Pub ein ruhiges Bier genehmigte. Nachdem wir uns ein paar Minuten unterhalten hatten, wusste ich, dass er sich eine Ruhepause verdient hatte, denn er betrieb einen Bauernhof, einen Pub, ein Restaurant, veranstaltete Exkursionen auf Ponies und hatte sieben Kinder.

Aber als wenn das alles noch nicht genug wäre, arbeitete er im September als Hauptehestifter auf dem Heiratsmarkt von Lisdoonvarna. Er erzählte mir, dass es dieses Festival schon seit dem letzten Jahrhundert gibt. Es hatte damit begonnen, dass die wohlhabenden Farmer der umliegenden Countys in die Stadt kamen, um sich im hiesigen Heilbad zu erholen. Dabei kamen sie auf ihre Söhne und Töchter im heiratsfähigen Alter zu sprechen, die sie zu Hause auf den Höfen gelassen hatten, und bald entstand daraus die Tradition, Leute miteinander zu verkuppeln. Vor Jahren war es im ländlichen Irland noch schwierig, jemanden zu treffen, der nicht aus einem Umkreis von ein paar Meilen stammte, und die vielen Ehen untereinander führten allmählich zu Nachkommen, deren einzige wirkliche Begabung es war, Flugzeugen zuzuwinken. Daher war jede Einrichtung, die dazu führte, dass Leute heirateten, die nicht den gleichen Nachnamen und eine ähnlich geformte Nase hatten, mehr als willkommen. Heutzutage hat das Festival sogar schon internationalen Charakter. Viele Männer und Frauen reisen aus Amerika oder von den Philippinen an, um nach einem geeigneten Lebensgefährten zu suchen. Laut Willy kommen viele Amerikanerinnen mittleren Alters, die vielleicht schon ein paarmal verheiratet gewesen und finanziell unabhängig sind. Die verliebten sich dann in ein irisches Original mit schmuddeligen Klamotten und schlechten Zähnen, das ein paar Töne auf einer Blechpfeife spielen und viel trinken kann.

»Sie suchen doch nicht ernsthaft nach einem Mann mit schlechten Zähnen?«

»Tun sie doch. Vom amerikanischen Standpunkt aus gesehen ist der größte Vorteil eines irischen Mannes, dass er schlechte Zähne hat. In Amerika werden die Männer sechzig, siebzig oder achtzig, und ihre Zähne sind zu gut für den Rest ihres Körpers. Ich habe mal eine Frau mit einem Mann zusammengebracht, der nur noch einen Zahn hatte, und sie war richtig entzückt. ›Wenigstens ist es sein eigener‹, hat sie gesagt.«

Ich wusste jetzt, wo Ian, der Reisende, seinen September verbringen sollte.

»Und viele von diesen Frauen werden glücklich«, fuhr Willy fort. »Sie finden vielleicht einen Mann, der seit vielen, vielen Jahren keinen Kontakt mehr zu einer Frau gehabt hat. Der hat dann immerhin zwanzig oder dreißig Jahre ungenutzter Liebe zu bieten.«

Was für eine interessante Hochzeitsnacht sorgen dürfte.

»Sie können meinen Kühlschrank nicht mit einem anderen Kühlschrank verkuppeln, oder?«

Er lachte. »Oh, das ist nicht mehr mein Zuständigkeitsbereich.«

Und so was nannte sich Ehestifter.

Als Tony und ich zu unserer Besichtigungstour aufbrachen, erfuhr ich, dass es zwei verschiedene Schreibweisen von Ennistymon gab und dass die örtlichen Behörden in dieser Sache bisher keine Entscheidung getroffen hatten. Wie man es schrieb, hing davon ab, ob man in die Stadt hineinfuhr oder aus ihr heraus. Bei der Ankunft empfing einen das Schild ENNISTYMON, aber beim Verlassen hatte das Schild mit einem durchgestrichenen ENNISTIMON das letzte Wort.

Die Tour umfasste die dramatischen Klippen von Moher, das Dorf Doolin, Lisdoonvarna selbst und das Burren Smoke House, wo Tonys Schwägerin arbeitete. Sie war eine temperamentvolle Frau, die darauf bestand, mir ein Video vorzuführen, das Touristen zeigt, wie Lachs geräuchert wird. Ich ließ das Ganze geduldig über mich ergehen, obwohl es mich nicht im Geringsten interessierte. Dafür wurde ich hinterher mit einem ziemlich großen Stück des Endprodukts belohnt. Die Ironie daran war, dass ich keine Möglichkeit hatte, es aufzubewahren, obwohl ich das Land mit einem Kühlschrank bereiste.

Abgesehen von der Frau hinter der Theke waren an diesem Abend nur Männer im Cooley's, und ich war mit Abstand der jüngste. In der hintersten Ecke der Bar spielte ein Kerl ziemlich gut Banjo, und ein nicht so guter Gitarrist versuchte, ihn zu begleiten. Als Tony und ich hereinkamen, rief der Hausbetrunkene: »Hey Tony, hol deine Box!«

Zuerst dachte ich, er wolle mich auffordern, den Kühlschrank zu holen, aber der andere Tony verschwand nach draußen und ging zu seinem Auto. Ich lächelte den Anwesenden zu und versuchte, den Eindruck zu vermitteln, ich wisse, was eine Box sei und wozu man sie bei einem gesellschaftlichen Anlass wie diesem brauche. Der Betrunkene, der sein

Bestes gab, um den Blick seiner blutunterlaufenen Augen auf mich zu richten, legte in einer freundschaftlichen Geste eine Hand auf meine Schulter, was ihn, wie es ein glücklicher Zufall wollte, auch daran hinderte, umzufallen. »Er holt seine Box«, erklärte er mir unnötigerweise.

Ja, dachte ich mir, und die Chancen stehen nicht schlecht, dass wir dich am Ende des Abends in sie hineinlegen.

Tony kehrte mit einem Akkordeon zurück, und aus dem Nichts tauchten weitere Musiker und Instrumente auf. Der Hausbetrunkene zog plötzlich zwei Löffel aus der Tasche und begann, mit großer Geschicklichkeit auf ihnen zu spielen. Von seiner Fähigkeit, noch etwas zu trinken zu bestellen, abgesehen, muss dies das Letzte gewesen sein, wozu er noch in der Lage war. Ich habe immer gedacht, mit Löffeln zu musizieren wäre bloß ein Trick, mit dem man für Lacher sorgt, aber in den richtigen Händen verwandeln sie sich in ein echtes Percussion-Instrument. Die Vier-Mann-Band wurde eine Fünf-Mann-Band, als Willy Daly mit einer Bodhran (diesem tambourinähnlichen Ding, auf das man mit einem Schlegel haut), hereinkam und sich zu den fröhlichen Musikanten gesellte. Er musste ein Gerät gehabt haben, das ihn automatisch dorthin lotste, wo man gerade zu musizieren begann.

Was folgte, war ein großes Vergnügen. Dies war irische Musik, wie ich sie zu sehen und zu hören bekommen gehofft hatte, spontan und von Herzen kommend, und nicht etwas, das für die Tourismus-Industrie produziert wurde. Als ich mit meinem Bier in der Hand dort saß und die Jigs und Reels genoss, bemerkte ich die Freude in den Gesichtern der Musiker und der Zuhörer um sie herum, die mit den Füßen klopften und enthusiastisch applaudierten. Es wurde nicht nach der Bezahlung gefragt, es gab keine Verpflichtung, eine bestimmte Zeit zu spielen. Sie spielten einfach, solange es ihnen Spaß machte. Das hier kam von innen heraus und war kein Auftritt. Irgendwer begann eine Melodie, die anderen Musiker hörten sie sich einmal an, um zu sehen, wie sie ging, stimmten mit ein, sobald sie es sich zutrauten, und beim letzten Durchgang wurde sie dann vom ganzen Ensemble mit Begeisterung vorgetragen. Diese Methode verlieh jedem Stück die Dynamik eines natürlichen Crescendos, das auch bewusst arrangiert hätte sein können.

Der Banjospieler stammte nicht aus der Stadt, aber durch sein Spiel wurde ihm eine Gastfreundschaft zuteil, wie sie sonst nur ein lange verloren geglaubter Sohn erfährt.

Er verstand sich gut mit Tony, dem er für sein ausgezeichnetes Akkordeonspiel Anerkennung zollte, und sie lächelten einander in gegenseitiger Bewunderung zu. Der weniger talentierte Gitarrist machte weiter und spielte genauso viele falsche wie richtige Akkorde. Obwohl er gelegentlich den Klang der Combo verdarb, wurde er nicht getadelt oder mit bösen Blicken bestraft, sondern so freundlich behandelt, als sei er ein begnadeter Musiker.

Nach ungefähr einer Stunde begann das Singen ohne Begleitung. Dabei schloss jeder Sänger die Augen und bot sein Stück einem hingebungsvollen Publikum dar, das am Ende jedes Lieds dessen Text kommentierte. Die Lieder wurden der Reihe nach vorgetragen, fast so, wie die Gäste in einem englischen Pub einander Witze erzählen. Manche warteten ungeduldig auf die Gelegenheit, ihr Talent zu demonstrieren, andere mussten zu einem Lied überredet werden.

Bezeichnenderweise sangen die, die ermuntert werden mussten, am besten, aber es war kein Wettkampf, und jedem Sänger, ob gut oder schlecht, wurde der gleiche Respekt gezollt. Ich zerfurchte mein Hirn auf der Suche nach einem Lied, das ich singen könnte, falls ich dazu aufgefordert werden sollte, aber glücklicherweise wurde mir diese Ehre nicht zuteil. Ich notierte mir in Gedanken, mir etwas für solche Gelegenheiten auszudenken, denn mir gefiel diese Art zu singen: die Augen schließen und aus voller Brust losschmettern. Es wirkte wie ein Stil, der maßgeschneidert war für Betrunkene, aber Tony bewies, dass Alkohol dafür nicht unbedingt notwendig war, denn nach vier Gläsern Orangensaft war sein Beitrag mit der gefühlvollste und ergreifendste dieses Abends.

Tony sang immer noch, als er uns mit dem Auto nach Hause fuhr. Das Lied beinhaltete die Zeile »Ich nahm einen Tramper mit, der groß war und hübsch«, und einen Moment lang dachte ich, es ginge um mich, aber ich hörte aufmerksam zu, und es wurde nirgends ein Kühlschrank erwähnt. Ich war also noch keine Volkslegende.

Am nächsten Morgen musste ich es einfach erwähnen. Ich war überrascht, dass Tony es bisher nicht getan hatte, und ich konnte nicht abreisen, ohne das Thema angeschnitten zu haben.

»Hast du noch mal daran gedacht, den Kühlschrank zum Tauchen mitzunehmen?«

»Habe ich, und mir ist klar geworden, dass wir das Ding nicht mehr heben könnten, sobald es mit Wasser vollgelaufen ist. Wir bräuchten Luftsäcke, und ich habe keine.«

Verdammt. Ich hatte auch keine.

»Macht nichts. Das hätte uns sowieso keiner geglaubt«, erklärte ich.

»Tut mir Leid. Wir könnten den Kühlschrank auf eins von Willy Dalys Ponys setzen und mit ihm einen Ausflug machen, wenn du möchtest.«

Ehrlich, obwohl er ein unbelebtes Objekt war, erhielt er mehr Angebote als ich.

»Ich denke, das Pony würde einen Schreck kriegen. Vielleicht genügt es für heute, wenn er trampt.«

Als Tony mich an der Straße von Lahinch nach Kilrush vor einer hässlichen Ferienhaus-Siedlung absetzte, hatte ich absolut keine Idee, wohin ich sollte. Bisher hatte ich wenigstens immer ein Ziel im Sinn gehabt, selbst wenn der Grund dafür so fadenscheinig war wie der Tipp, dass jemand einen netten Pub dort kannte. Aber diesmal wusste ich nichts. Ich wollte einfach abwarten, was geschah.

Keiner hätte den Abend vorhersehen können, der vor mir lag.

18

Junggeselle

Autos waren selten, und der Himmel zeigte sich so wechsel-
haft wie meine Stimmung. Ich hatte gut geschlafen, aber aus
irgendeinem Grund war ich gereizt. Es begann zu regnen, zuerst leicht, aber dann immer stärker, bis ich schließlich meinen Anorak aus dem Rucksack holen musste. Natürlich lag er
nicht griffbereit ganz oben, sondern hatte sich in den tiefsten
Tiefen ganz unten versteckt. Ich begann zu wühlen – nichts.
Der Regen war jetzt dichter, und ich wurde ziemlich nass.

Es war eine ausweglose Situation. Der einzige Weg, das zu
finden, was ich suchte, war eindeutig, alle Kleidungsstücke
nacheinander herauszuholen und auf die Straße zu legen. Der
Regen würde sie kräftig durchnässen, und dann würden sie
für den Rest des Tags im Rucksack vor sich hin schimmeln.
Wenn ich andererseits ohne Schutz blieb, lud ich Erkältung,
Grippe und Lungenentzündung geradezu ein, sich auf mich
zu stürzen. Wäre ich dreißig Jahre jünger gewesen, hätte ich
genau gewusst, was zu tun war. In Tränen ausbrechen. Mir
die Augen ausweinen. Aber ich war ja schon älter, und meine
soziale Konditionierung machte mir ein solches Verhalten unmöglich. Mit dem Alter kommen Weisheit, Umsicht, Reife
und Geschicklichkeit. Plötzlich hatte ich eine Idee. Ich trat drei
Schritte vom Rucksack zurück, rannte auf ihn zu und versetzte ihm einen mörderischen Tritt. Dann schaute ich hoch zum
Himmel und schwenkte wütend die Faust.

»Hör mal, Regen, verpiss dich!«, rief ich.

Es funktionierte. Der Regen ließ nach. 50 Meter von mir entfernt wechselte eine junge Frau auf die andere Straßenseite. Ohne Zweifel hatte sie sich daran erinnert, dass ihre Mutter sie davor gewarnt hatte, Leuten zu nahe zu kommen, die den Himmel anschreien.

Ich brauchte keinen Anorak mehr, es war nur noch ein leichter Nieselregen. Aber ein leichter Nieselregen ist trügerisch. 25 Minuten davon können einen völlig durchnässen, aber auf Autofahrer wirkt er nicht so unangenehm, dass sie mit Trampern Mitleid haben. Ich ließ mich mutlos auf dem Kühlschrank nieder. Ich hatte vergessen, dass er nass war und mit den Unterschriften derer, die mir bisher geholfen hatten, bedeckt war. Jetzt stand »Alles Gute!« in Spiegelschrift auf meinem Hintern. Für die meisten würde es wie unverständliches Gekritzel aussehen, aber die Fahrer, die mich gerade am Straßenrand hatten stehen sehen, würden es im Rückspiegel lesen können und den Eindruck gewinnen, dass ich ihnen in keiner Weise böse war.

»Liebling, das ist unglaublich. Der Kerl trampt mit einem Kühlschrank, und auf seinem Hintern steht ›Alles Gute!‹.«

»Wie süß.«

Tom, ein weiterer Lastwagenfahrer, bewahrte mich vor dem Untergang.

»Wo willst du hin?«, fragte er.

»Ich weiß es eigentlich nicht.«

»Nun, geht es uns nicht allen so?«

Tom war Lieferant von Baumaterialien und weisen Aussprüchen.

»Ich setz dich in Kilmer ab, wo du die Fähre über den Shannon nach Kerry nehmen kannst«, schlug er vor.

»The ferry to Kerry« – die Fähre nach Kerry. Das hatte was. Ich holte meine Karte hervor.

»Ja, und dann könnte ich nach Tralee runterfahren.«

»Genau«, sagte Tom. »Und suchst dir selbst eine Rose in Tralee.«

»Ja, klingt gut.«

Es war zwar schon recht spät, aber ich hatte endlich einen groben Schlachtplan. Tom setzte mich bei der Fähre ab, wo er für ein Bild mit mir, dem Kühlschrank und ein paar Mädchen vom Café posierte, die den Kühlschrank entdeckt hatten und herausgestürmt waren, um ihn zu begrüßen. Ich wurde allmählich ein bisschen sauer, dass dieser Kühlschrank so viel mehr Aufmerksamkeit auf sich zog als ich. Ich musste eine Stunde auf die Fähre warten, was für die Mädchen aus dem Café Zeit genug war, um mal wieder zu beweisen, dass nicht nur der Tod umsonst ist, sondern gelegentlich auch ein Mittagessen.

An Bord bemerkte ich, dass ich der einzige Passagier zu Fuß war und die meisten Fahrer in ihren Autos blieben, weil das Wetter immer noch unfreundlich war. Mir wurde klar, dass alle Autos weg sein würden, bevor ich mich am Straßenrand aufgebaut hatte, daher war die einzige Möglichkeit, mir für die andere Seite eine Mitfahrgelegenheit zu verschaffen, herumzugehen und zu fragen. Dies war eine ganz besonders entwürdigende Methode, denn schließlich verlangte sie, dass man an die Fenster klopfte und bettelte. Mir war nicht wohl dabei, aber es musste sein, weil die Fähre erst in einer Stunde die nächste Ladung Autos anliefern würde, und selbst dann würde es schwierig sein, einen Platz zu finden, an dem einen die Fahrer beim Verlassen des Schiffs sähen.

Entweder hatte ich besonderes Pech oder ich stellte mich ungeschickt an, aber während das südliche Ufer des Shannon immer näher kam, hatte ich immer noch niemanden gefunden, der mich mitnehmen wollte. Vielleicht hatte die Tatsache, dass ich von meinem Kühlschrank, der außer Sichtweite an der Reling stand, getrennt war, einen negativen Effekt auf mein Selbstvertrauen. Ein Busfahrer wies mich ab, weil seine

Versicherung keine Tramper abdeckte, ein Range Rover voller amerikanischer Golfer hatte einfach keinen Platz, und alle anderen behaupteten, dass sie in eine andere Richtung fahren würden.

Schließlich näherte ich mich einem klapprigen Auto, das ich mir aufgehoben hatte für den Fall, dass die Situation verzweifelt würde. Ich klopfte gegen das Fenster, und die beiden ungepflegten Gestalten in dem Wagen schauten zu mir hoch.

»Entschuldigen Sie bitte, aber Sie fahren nicht zufällig in Richtung Tralee, oder?«

»Wir fahren nach Listowel«, antwortete der Fahrer unfreundlich.

»Das liegt auf dem Weg, nicht wahr?« Mein vorheriger Blick auf die Karte erwies sich als unbezahlbar.

»Könnte man so sagen.«

»Könnten Sie mich mitnehmen? Niemand scheint in diese Richtung zu fahren, und ich hänge hier so ziemlich fest.«

Die beiden Kerle, die ich für Bauarbeiter hielt, weil sie so viel Sand, Zement und Staub auf ihren Kleidern und im Haar hatten, blickten einander an, und der ältere, der Beifahrer, nickte.

»Ja, in Ordnung. Wir nehmen dich bis Listowel mit.«

Sie hatten ziemlich lange gezögert, aber wenigstens kam ich weiter.

Als ich das Schiff entlangging, fiel mir ein, dass die beiden Typen, Pat und Michael, noch nichts vom Kühlschrank wussten. Jeder, der bisher für mich angehalten hatte, hatte zumindest gesehen, dass ich ein sperriges Gepäckstück dabeihatte. Ich fragte mich, was ihre Reaktion sein würde. Ich musste nicht lange warten, um es herauszufinden.

»Was in Gottes Namen ist denn das?«, fragte Pat.

»Ein Kühlschrank.«

»Das dachte ich mir.«

Sie betrachteten ihn beide ungläubig.

»Ist im Auto genug Platz dafür?« Ich sah höflich nach, obwohl ich wusste, dass es Platz genug gab.

»O ja. Wir tun ihn nach hinten«, antwortete Michael und kratzte sich am Kopf. »Entschuldige bitte mein Französisch, aber was soll der Scheiß mit dem Kühlschrank?«

Ich erklärte es ihnen, und Pat und Michael tauschten einen Blick, der zu sagen schien »Na, zum Glück sind wir zu zweit«.

Pat, der Fahrer und der Jüngere der beiden, begann nach ungefähr zwanzig Minuten aufzutauen und locker mit mir zu plaudern. Michael aber saß wie angefroren auf seinem Sitz und war offenbar überzeugt, dass es leichtsinnig gewesen war, einen gefährlichen Psychopathen in Reichweite eines Messers gelassen zu haben. Ich bekam den Eindruck, dass er mir nicht ein Wort von dem, was ich gesagt hatte, glaubte. Im Gegenteil, er schien davon überzeugt, dass ich im Kühlschrank die lebenswichtigen Organe meiner Opfer aufbewahrte.

Als sie mich in Listowel absetzten, stieg Pat aus und unterschrieb auf dem Kühlschrank, während Michael auf dem Beifahrersitz kleben blieb und meine Bewegungen im Rückspiegel beobachtete, für den Fall, dass ich in letzter Sekunde noch den Versuch unternähme, Pat zu überwältigen und die Autoschlüssel an mich zu bringen, um Michael zu meinem Versteck zu fahren, wo ich mit dem Foltern beginnen würde.

»Dann viel Glück«, sagte Pat und gab mir die Hand.

»Danke.«

Ich hörte gerade noch, wie Michael vorne im Auto murmelte: »Ja, viel Glück.«

Dem Menschen fiel wirklich ein Stein vom Herzen.

Ein schnelles Bier zur Feier der erfolgreichen Bewältigung eines schwierigen Streckenabschnitts war in Ordnung. Pat hatte mir eine Bar namens John B. Keane's empfohlen, die dem Autor von *The Field* gehörte, einem Buch, das mit John Hurt und Richard Harris in den Hauptrollen verfilmt worden war. Als ich die stark frequentierte Hauptstraße entlangging, kam ich an einem Schild mit einem Pfeil vorbei, auf dem LEGERER MARKT stand. Was war das? Ein Markt, um legere Kleidung zu kaufen und zu verkaufen? Würde ich um die Ecke biegen und Buden voller Jeans, T-Shirts und Turnschuhe entdecken? Oder war es ein Ort, wo der Handel selbst leger vonstatten ging? Budenbesitzer, die auf Liegestühlen herumlungerten, Bücher lasen und nur gelegentlich mal, zwischen zwei Kapiteln, den Kunden ihre Aufmerksamkeit schenkten?

Das John B. Keane's war für fünf Uhr nachmittags ziemlich voll. Nachdem ich mich umgesehen hatte, war mein erster Eindruck, dass es hier genug Hausbetrunkene für eine Hausbetrunkenen-Konferenz gab. Die Stimmung war gut, und die Ankunft eines Fremden mit Rucksack und Kühlschrank sorgte dafür, dass Lautstärke, Begeisterung und Gelächter noch zunahmen.

Val, ein dünner Kerl in den Fünfzigern mit Brille, Schnurrbart und einer spitzen blauen Kappe auf dem Kopf, war der Lauteste. Er verkündete, dass er ein Polizist in Zivil sei und mir einige Fragen zu stellen habe.

»Was ist in dem Kühlschrank?«

»Ein Paar Schuhe.«

Das stimmte wirklich. Am Morgen hatte ich Schwierigkeiten gehabt, meine Schuhe im Rucksack unterzubringen. Welch besseren Ort hätte es da für sie geben können?

»Keiner hebt Schuhe in einem Kühlschrank auf«, behauptete Val, was plausibel war.

»Ich schon.«

»Öffnen Sie ihn! Ich bin Polizist.« Dann erklärte er den Anwesenden: »Ich muss sehen, was in dem Kühlschrank ist. Es könnte eine Bombe sein.«

Seine Autorität wurde von denen, die ihn kannten, stark in Zweifel gezogen, und er wurde mit Bemerkungen bombardiert wie »Lass den armen Kerl in Ruhe!« und »Wenn Val Polizist ist, dann ist mein Arsch Präsident.«

»Nein, nein, das ist schon in Ordnung«, sagte ich. »Ich habe nichts zu verbergen. Ich weiß, dass die Polizei nur ihre Arbeit tut.«

Lautes Gelächter. Val kniete sich hin, um den Kühlschrank zu öffnen.

»Es ist völlig ausgeschlossen, dass jemand Schuhe in einem Scheißkühlschrank verstaut.«

Als er die Tür öffnete, versammelte sich eine erwartungsfrohe Menge um ihn herum. Zu Vals Entsetzen fiel ein Paar braune Schuhe auf den Teppich. Großer Jubel. Val wandte sich mir zu. »Woher kommst du?«

»London.«

»Woher in London?«

»Wimbledon.«

»Ah, Wimbledon. Du bist also der Wimbledon-Wanderer. Wie heißt du?«

»Tony.«

»Tony wie?«

»Tony Hawks.«

»Hawks. Hawks. Wie der Falke in den Lüften. Hawkeye. Du bist ein guter Mann. Jeder, der seine Schuhe im Kühlschrank verstaut, ist ein guter Mann.« Er wandte sich an das Mädchen hinter der Theke. »Elsie, gib diesem Mann ein Bier.«

Nie mehr im Leben werde ich mir auf solche Weise ein Bier verdienen.

Der Kühlschrank stand mitten im Raum auf dem Teppich, und die Trinker zogen in langer Reihe an ihm vorbei und erwiesen ihm ihre Reverenz, als wäre er eine Art Reliquie. Zwei alte Frauen, Finola und Maureen, waren von der ganzen Sache mit der Wette fasziniert und stellten mir eine Frage nach der anderen. Jede Antwort erntete Gelächter, und die Fragen wurden immer seltsamer.

»Schlafen Sie auch da drinnen?«

»Natürlich tue ich das. Da drinnen ist es wie im Tardis. Man öffnet die Tür, und schon ist man in einer Suite mit zwei Schlafzimmern. Zwei Bäder, eins direkt an das größere Schlafzimmer angeschlossen.«

Maureen, die einen doppelten Whiskey wie eine Laterne schwenkte, erzählte mir davon, dass gerade Writers' Week in Listowel sei und sie der Jury angehöre. Dann begann sie, weit ausholend von ihrem Sohn in Neuseeland zu berichten, aber ihr Akzent machte es zusammen mit ihrem Genuschel und Val, der immer wieder dazwischenrief, sie solle endlich die Klappe halten, schwer, ihr zu folgen.

»Halt die Klappe! Lass Hawkeye in Ruhe!«, forderte Val immer wieder.

Ich war erst seit einer halben Stunde in diesem Pub und hatte schon einen Spitznamen. Endlich hatte ich ein Gebiet entdeckt, auf dem die Iren wirklich schnell waren.

»Wo übernachtest du, Hawkeye?«

»Ich weiß es nicht, Val. Ich habe noch nicht einmal entschieden, ob ich hier in Listowel bleibe.«

»Nu, falls du bleibst, kannst du bei mir übernachten. Ich hab ein großes Haus oben auf dem Hügel – sehr still und friedlich. Du wirst dort im Bett der Stille ruhen.«

Mir gefiel sein Versuch einer lyrischen Umschreibung, aber der Schlafplatz, den er mir anbot, klang zu sehr nach einer letzten Ruhestätte, als dass ich sofort zugesagt hätte.

»Das ist sehr nett von dir. Wenn es dir nichts ausmacht, schaue ich erst noch, wie sich die Dinge entwickeln.«

»Schau nur, Hawkeye, schau nur! Hawkeye, der Wimbledon-Wanderer!«

Ein sehr alter Mann an der Theke, der wie das männliche Äquivalent meiner ersten Pensionswirtin in Donegal Town klang, nur dass er noch langsamer sprach, verkündete, er sei 84. Für manche alten Leute reicht das als Gesprächsbeitrag bereits, aber er hatte noch etwas hinzuzufügen. Er blickte auf den Kühlschrank hinab und erklärte: »Dieser Kühlschrank hat den ruhelosen Geist eines Nomaden.«

Es gab eindeutig keinen Unterschied zwischen den Generationen, wenn es darum ging, sich für die Idee, dass ein Kühlschrank reisen könne, zu begeistern.

Maureen bestand darauf, dass ich mich neben sie setzte, während sie mir die Adresse ihres Sohns in Neuseeland aufschrieb. Sie gab mir einen Zettel, auf dem ich nur die Zahl 7 erkennen konnte. Kein einziges Wort war leserlich. Ich versprach, ihn zu besuchen, falls es mich mal nach Neuseeland verschlagen sollte, aber ich vermutete, dass 7 Gty$a RelT Broi/9unter, GoptS-yyi eine Adresse war, die nur schwer zu finden sein würde.

Mir gegenüber saßen zwei verwahrloste Tunichtgute mit den Füßen auf dem Tisch und genossen die Show, die alle anderen für sie veranstalteten.

Einer von ihnen, der einen Schnurrbart und geringfügig weniger verdreckte Kleider als der andere trug, beugte sich zu mir vor und fragte: »Bist du Junggeselle?«

Diese Frage hatte ich nicht erwartet.

»Ja, bin ich«, antwortete ich leicht argwöhnisch.

»Natürlich ist er das«, erklärte der andere. »Du glaubst doch nicht, dass seine Frau ihn mit einem verfluchten Kühlschrank im Schlepptau rund um Irland reisen lassen würde, oder?«

Das war ein Aspekt des Ehelebens, den ich noch nicht bedacht hatte.

»Warum willst du das wissen?«, fragte ich vorsichtig.

»Na ja, heute Abend ist in Ballyduff ein Junggesellen-Festival, und wir haben uns gerade darüber unterhalten, dass es lustig wäre, wenn du mitmachen würdest. Auch der Kühlschrank könnte teilnehmen. Außer, das verdammte Ding ist verheiratet.«

Ich hatte wirklich keine Ahnung. Ich vermute, wenn ein Kühlschrank brandneu ist, ist er noch Single. Das ist die Gefahr bei gebrauchten Geräten: Man hat keine Ahnung, wie viele bittere Scheidungen sie schon hinter sich haben.

»Vielleicht ist er mit ihm verheiratet«, warf der mit dem Schnurrbart ein. »Sie reisen schließlich zusammen, oder? Vielleicht sind sie auf Hochzeitsreise.«

Die Gäste des Pubs schüttelten sich vor Lachen. Es war an der Zeit, diese Sache ein für alle Mal klarzustellen.

»Der Kühlschrank und ich sind nicht verheiratet. Wir sind nur gute Freunde, und wir haben nichts miteinander.«

Ich würde nicht gerade Anne Marie, die Pensionswirtin, die gesehen hatte, wie ich in einem Surfanzug den Kühlschrank aus dem Schlafzimmer schleppte, bitten, dies zu bezeugen.

Die beiden Witzbolde hießen Brian und Joe, verdienten sich ihren Lebensunterhalt durch das Verlegen von Parkettböden und schmierten dabei anscheinend den Großteil des Klebstoffs auf sich selbst. Beide waren verheiratet und durften daher nicht an dem Junggesellen-Festival teilnehmen, aber sie kannten den Besitzer von Low's Bar, in der die Veranstaltung stattfand, und waren sich daher sicher, dass sie mich nachmelden könnten. Im Pub war man allgemein der Meinung, dass ich mit ihnen gehen und mein Glück versuchen sollte. Obwohl ich nicht wusste, was ein Junggesellen-Festival war und was dabei von mir verlangt werden würde, klang es doch verlockender als eine Nacht bei Val.

Mit zwei ein wenig verschlagen wirkenden Typen mitzufahren, die ich erst seit 15 Minuten kannte, war das größte Risiko, das ich bisher eingegangen war. Falls ich nie mehr auftauchen sollte, würde zu Recht die Frage gestellt werden, ob ich es während dieser letzten Stunden nicht an Menschenkenntnis und Umsicht hatte fehlen lassen.

Der Kühlschrank wurde im Laderaum des Lieferwagens

verstaut, und ich kletterte in die Kabine und legte den Sicherheitsgurt an. Wir fuhren Richtung Ballyduff los.

Mein Handy klingelte. Überraschenderweise war es meine Agentin, die aus London anrief.

»Hallo, Tony, ich bin's, Mandy. Wo steckst du gerade?«

Also ehrlich, all diese unnötigen Fragen! War es denn nicht sonnenklar? Ich raste mit zwei Parkettlegern in einem Ford Transit zum Junggesellen-Festival in Ballyduff, was sonst?

»Oh, hallo Mandy. Das ist im Moment ein bisschen schwierig zu erklären. Ich bin unterwegs.«

»Aber du bist in guten Händen?«

Häh?

»Mehr oder weniger.«

»Radio Four hat angerufen und gefragt, ob du nächsten Donnerstag in *I'm Sorry I Haven't A Clue* auftreten kannst. Bist du rechtzeitig zurück?«

»Das glaube ich nicht, und selbst wenn ich es wäre, glaube ich nicht, dass mein Hirn in der Lage wäre, Schlagfertigkeit und Witz zu produzieren.«

»Was soll ich ihnen also sagen?«

»Es tut mir Leid, aber ich habe keinen Schimmer.«

Brian und Joe riefen: »Hallo, Mandy! Wie geht's?« Die Verbindung wurde unterbrochen, als wir irgendwo mitten im County Kerry um eine weitere Kurve holperten. Arme Mandy, sie verzweifelt sicher manchmal an mir.

Nachdem ich meine Karriere erfolgreich auf Eis gelegt hatte, war es an der Zeit, mich mit den wichtigeren Dingen zu beschäftigen, die vor mir lagen.

»Also, was genau muss ich denn bei diesem Junggesellen-Festival tun?«

»Och, ein kleines Interview geben und vielleicht irgendwas vormachen.«

»Und was passiert, wenn ich gewinne?«

Wieder machte ich mir was vor.

»Dann darfst du für eine Woche auf das Junggesellen-Festival in Ballybunion.«

Und ich schätzte, wenn man das gewann, wurde man zu irgendeinem anderen Festival geschickt. Kein Wunder, dass die Leute in Irland jung heiraten – einfach nur, um dieser endlosen Reihe von Junggesellen-Festivals zu entkommen.

Ich war mir nicht sicher, ob Ballyduff in den Reiseführern eine große Rolle spielte, aber es war unwahrscheinlich, dass es ein großes Angebot an Unterkunftsmöglichkeiten aufwies. Ich brauchte mir allerdings keine Sorgen zu machen, denn Brians Frau und Kinder waren auf Besuch bei Verwandten in Nordirland, und er sagte, es sei kein Problem, mich bei ihm unterzubringen.

Es war ein einstöckiges, ziemlich komfortables Heim, das vermuten ließ, dass es für ihn ein ziemlich einträgliches Geschäft war, sich den ganzen Tag mit Leim vollzuschmieren.

Vielleicht hatte die Unterhaltung mit Willy Daly über die Geschichte des Heiratsvermittlungsfestivals mich zu der Annahme verleitet, dass dieses Festival auch ein altehrwürdiges, traditionsreiches Ereignis sei, hoch angesehen bei den alleinstehenden Frauen in meilenweitem Umkreis, die es besuchten, um das Angebot zu begutachten und bei Gefallen zuzuschlagen. (Ich vermutete aber, dass es anders als Lisdoonvarna noch nicht berühmt genug war, um auch Amerikanerinnen anzulocken, weshalb ich keine Veranlassung sah, meine Zähne zu schwärzen.)

Als wir ungefähr um neun in Low's Bar ankamen, war es noch zu früh, und das einzige Anzeichen dafür, dass in dem Pub ein Junggesellen-Festival stattfinden würde, war ein kleines Schild, auf dem stand ›Heute Abend Junggesellen-Festival‹. Der Pub war nicht das alte, traditionsreiche Wirtshaus, das ich erwartet hatte, sondern ein großes, frisch renoviertes Etablissement mit Fernsehern überall, einer Tanzfläche, einem

DJ und Mitarbeitern in einheitlicher Uniform. Dieser Pub gehörte in das Stadtzentrum von Swindon und nicht in ein winziges Dorf im ländlichen Westen von Irland. Und noch etwas hatte er mit einem Pub im Stadtzentrum von Swindon gemeinsam: Er war so gut wie leer. Man sagte uns, dass es erst gegen Mitternacht losgehen würde, und wir zogen uns in einen kleinen Pub auf der anderen Straßenseite zurück, wo die Musik nicht dröhnte und wir uns unterhalten konnten, ohne unseren Stimmbändern bleibende Schäden zuzufügen.

Mehrere Biere und ein wenig anregendes Dartspiel später kehrten wir zurück und entdeckten, dass Low's Bar voll mit jungen Leuten war. Der DJ verkündete, dass das Junggesellen-Festival gleich beginnen werde. Festival? Ich blickte um mich und sah nichts, was den Gebrauch des Wortes ›Festival‹ gerechtfertigt hätte. Die Atmosphäre war genau wie in einem Nachtclub, in dem das Zuschauerinteresse vom Verlangen befeuert wird, mitzuerleben, wie sich ein paar betrunkene Freunde und Bekannte lächerlich machen. Es waren mehr Männer als Frauen zugegen, was vermuten ließ, dass die Frauen von Ballyduff entweder bereits versorgt waren oder bessere Wege kannten, um ihren Bedarf zu decken. Vielleicht lag es auch an der Größe des Teilnehmerfelds.

Wir waren zu sechst.

Der DJ eröffnete die Veranstaltung über die Lautsprecheranlage mit ein paar dröhnenden Ankündigungen und befleißigte sich dabei einer irischen Version jenes mittelatlantischen Akzents, den alle DJs benutzen. Die ersten beiden jungen Männer, die er auf die Bühne bat, waren dick und betrunken. Sie murmelten unverständlich in das Mikrofon und sangen wie winselnde Hunde. Die Anfeuerungsrufe des Publikums klangen wie rüde Beschimpfungen.

In gewisser Hinsicht war ich ermutigt: Bisher war die Konkurrenz nicht besonders stark. Der Nachteil war allerdings, dass es sich beim Publikum nicht gerade um das feinsinnigste handelte, das mir in meinem bisherigen Leben untergekommen war. Ich hatte absolut keine Vorstellung, was ich machen sollte, wenn man mich auf die Bühne rufen würde. Ich wandte mich an Joe, der wie mein persönlicher Trainer zu meiner Unterstützung neben mir stand.

»Was soll ich tun?«

»Ach, erzähl einfach ein paar Witze.«

Das hätte angesichts meines Berufs ein Gebiet sein müssen, auf dem ich gut war. Ich war ziemlich zuversichtlich, dass keiner der anderen Junggesellen auf einen Auftritt bei einer Royal Gala zurückblicken konnte (außer der König von Tory hielt eine ab), und ich wusste, dass ich dadurch ihnen gegenüber im Vorteil war, aber so sehr ich mich auch bemühte, ich konnte mich an keinen Ausschnitt meines Auftritts erinnern, der einen plärrenden Pöbel besänftigt hätte.

Ein Kerl namens John war vor mir dran. Er stellte eine deutliche Verbesserung gegenüber den beiden vorherigen Teilnehmern dar. Er war nicht betrunken, und er sang ziemlich gut. Zum ersten Mal bekam ich ein bisschen Lampenfieber. Endlich war ich dran, und der DJ stellte mich vor.

»Und jetzt haben wir eine Nachmeldung: einen jungen Mann, der mit einem Kühlschrank durchs Land reist. Ihr habt ihn vielleicht schon in der *Gerry Ryan Show* gehört: Meine Damen und Herren, hier ist Tony Hawks!«

Jubel und Pfiffe, während ich mir einen Weg auf die Bühne bahnte. Ich hatte immer noch absolut keine Idee, was ich tun oder sagen sollte. Das Mikrofon wurde mir von einem ungewöhnlich dünnen Assistenten gereicht, der mich mit einem irren Lächeln anstarrte.

»Guten Abend, Ladies und Gentlemen!«, begann ich raffinierterweise und machte mir all meine Erfahrung zunutze. »Ich bin hocherfreut, heute hier sein zu dürfen. Ich bin wirklich Junggeselle, und ich schätze, das ist keine Überraschung bei einem Mann, der sich entschlossen hat, mit einem Kühlschrank herumzureisen. Aber in meinem tiefsten Inneren habe ich schon immer das Verlangen gespürt, eine Frau aus Ballyduff zu heiraten.«

So weit so gut. Meine letzte Bemerkung wurde von den Frauen im Publikum mit Jubelgeschrei aufgenommen, und ein Mädchen irgendwo in der Dunkelheit rief eindringlich: »Komm her!« Das klang so, als hätte ich bereits genug geleistet und könne jetzt mit ihr verschwinden, um mit einem Priester die Details der Hochzeit festzulegen. Im Publikum wurden die unterschiedlichen Ansichten dazu, ob es ratsam sei, ein Mädchen aus der Gegend zu heiraten oder nicht, zum Besten gegeben. Das Stimmengewirr schien sehr lange zu dauern, legte sich aber in Wirklichkeit innerhalb von Sekunden. Ich stand dort und war für einen Augenblick wie verzaubert von den Rufen der rasenden, erwartungsvollen Menge. Ich hatte in gewisser Weise das Gefühl, den eigenen Körper verlassen zu haben, über mir zu schweben und auf mich herabzublicken. Ich fragte mich: »Wie zum Teufel bist du da rein geraten?« Eine ganz besonders durchdringende Frauenstimme holte mich in die Wirklichkeit zurück.

»Hat der Kühlschrank ein Tiefkühlfach?«, rief sie, so laut sie konnte.

Plötzlich breitete sich Stille aus. Es war beinahe so, als hätte sie einen Punkt angesprochen, der jeden interessierte.

»Ich nehme noch keine Fragen entgegen«, antwortete ich.

Man lachte. Dreißig Sekunden waren vorbei, und ich schlug mich recht wacker.

Von da an ging es bergab. Nach einer Minute schwitzte ich und nach eineinhalb war ich in ziemlichen Schwierigkeiten. Irgendwie schaffte ich es, mich an einen Teil meines Programms zu erinnern, der mich vielleicht retten würde, und präsentierte ihn mit so viel Selbstvertrauen, wie ich aufzubringen in der Lage war. Doch das rettete mich nicht. Es verschaffte mir höchstens ein paar weitere Sekunden, in denen ich mich vor einem Publikum abmühte, das mich jetzt ein klein bisschen unterstützte, das aber das Einzige, was ich auf der Bühne zu bieten hatte, niemals zu schätzen wissen würde.

»Ich weiß nicht, was ich noch tun soll«, gestand ich freimütig.

»Mach den Tony Blair – es kann eigentlich nur besser werden!«, rief eine männliche Stimme und machte mir die Sache dadurch nicht einfacher.

»Sing den Stutter Rap!«, rief eine andere und offenbarte Kenntnis meiner tragischen Vergangenheit.

Joe stand hinter mir und flüsterte eindringlich: »Reiß noch ein paar von diesen Witzen! Los, mach schon!«

Das hätte ich auch getan, wenn ich mich an irgendwas davon erinnert hätte. Die Exzesse der vergangenen Wochen hatten es vorübergehend aus meinem Gedächtnis gelöscht. Dann kam mir eine Idee.

»Ich weiß, was ich tun werde. Ich werde ein Lied singen«, verkündete ich, was mit vorsichtigem Beifall begrüßt wurde. »Ich habe inzwischen gelernt, was man dazu hier drüben machen muss: Man schließt die Augen und singt aus dem tiefsten Herzen heraus. Das hier ist kein irisches Lied, denn ich kenne keins, aber es ist ein Lied, das ich vor ein paar Jahren für mich selbst geschrieben habe. Und es geht so.«

Meine Ankündigung sorgte für die gleiche Ruhe wie die Frage nach dem Tiefkühlfach. Ich holte tief Luft, schloss die Augen und sang von Herzen:

> *Hätt ich 'nen Dollar für jede Nacht allein*
> *Während der ich nach dir mich gesehnt*
> *Wär ich kein Herumtreiber, kein Stromer*
> *Denn es waren nicht wenige.*
> *Ein Rumtreiber war ich, und während ich trieb*
> *Brach die Welt mich in Stücke.*

Und hätt ich 'nen Dollar für jede Nacht allein
Ich wär reich, traurig und einsam
Anstatt nur einsam und traurig.

Gesang nimmt in den Herzen der Iren einen ganz besonderen Platz ein. Die respektvolle Stille, mit der man meine Darbietung aufnahm, und der stürmische Applaus, den sie erntete, bewiesen dies. Ich hatte sie für mich gewonnen.

»Gute Nacht!«, rief ich und winkte wie ein Rockstar.

Ich hatte mir ohne Zweifel meinen Platz in Ballybunion gesichert. Als ich stolz die Bühne verließ und mir der Jubel noch in den Ohren klang, bemerkte ich, dass der DJ nicht da war, um den nächsten Junggesellen anzukündigen. Ich wurde von dem ungewöhnlich dünnen Assistenten abgefangen, dessen irres Lächeln inzwischen zu einer irren Grimasse geworden war. Er winkte mich wieder auf die Bühne.

»Du wirst noch ein bisschen was vortragen müssen. Callum ist auf der Toilette«, erklärte er.

»Was?«

»Du musst weitermachen, bis Callum, der DJ, von der Toilette zurück ist. Er hat gehört, dass du so eine Art Komiker bist, und dachte, du würdest ungefähr zwanzig Minuten hier oben bleiben, genug Zeit für ihn, um aufs Scheißhaus zu gehen.«

»Kann ich nicht einfach den nächsten Junggesellen vorstellen?«

»Nein, denn Callum hat die Liste mit der Reihenfolge mitgenommen.«

Wozu brauchte er die verdammte Liste auf dem Klo? Gab es kein Toilettenpapier? Der Assistent schubste mich zurück ans Mikrofon. Was folgte, machte all das Gute, das das Lied geleistet hatte, zunichte, denn mir fiel nichts mehr ein, was ich hätte vortragen können. Der Chor der wenig hilfreichen Vorschläge erklang erneut, und die ganze Zeit über flüsterte Joe hinter mir: »Erzähl noch was von dem witzigen Zeug.«

Callum ließ sich Zeit. Zum ersten Mal in meinem Leben hing mein Erfolg auf der Bühne vollkommen von der Verdauung eines DJs ab. Ich geriet ins Schwimmen. Hätte man jemandem die Bedeutung des Ausdrucks »ins Schwimmen kommen« erklären wollen, hätte man ihm einfach mich zeigen können. Ich musste gerettet werden, und Brian entwickelte die dazu notwendige Initiative. Als er erkannte, dass das, was ich da tat, nicht gerade einer der herausragenden Momente in der Geschichte des Showgeschäfts war, flitzte er nach draußen zum Lieferwagen, um etwas zu holen, von dem er annahm, dass es mir vielleicht helfen würde. Gerade, als die Äußerungen des Publikums ein solches Niveau erreicht hatten, dass ein Fremder, der von draußen hereinkam, hätte meinen können, gleich werde ein Aufruhr losbrechen, marschierte Brian mit meinem Kühlschrank auf die Tanzfläche.

»Der Kühlschrank! Das ist der Kühlschrank!!«, schrien aufgeregte Stimmen.

Brian schob ihn neben mich und stellte ihn dort ab. Er zog sich zurück und ließ uns beide, einen Engländer und seinen Kühlschrank, wie zwei Kuriositäten zurück, die nun von der Bevölkerung Ballyduffs bestaunt werden durften. Wir müssen ein ziemlich gutes Paar abgegeben haben, denn irgendjemand rief: »Hey, schaut, wie gut sie zusammenpassen! Ich vermute, er ist eigentlich gar kein Junggeselle!«

»Bin ich schon«, antwortete ich. »Aber wir sind ein Team. Wir haben noch Platz für ein weiteres Mitglied, aber uns beide gibt es nur im Doppelpack.«

Dem Publikum gefiel diese Bemerkung, und es belohnte sie mit einer Runde höflichem Applaus. Das Geräusch einer Runde höflichen Applauses muss so ungewöhnlich gewesen sein, dass es Callum, den DJ, dazu bewegte, seine Aktivitäten auf dem Klo abzubrechen und mit dem Ausdruck leichter Panik wieder auf der Bühne aufzutauchen. Er schaute mich an und zuckte mit den Schultern, wie um zu sagen: »Wie ist es dir gelungen, den Typen eine Runde höflichen Applauses zu entlocken?« Ich zuckte ebenfalls mit den Schultern. Am Ende dieser Reise würden mir sicher die Schultern wehtun vom vielen Zucken. Ich beugte mich zum Mikrofon und wollte sagen: »Ich muss jetzt gehen, meine Arbeit hier ist getan.«

Das war vielleicht doch ein bisschen zu großspurig.

»Ich überlasse euch jetzt wieder eurem DJ«, erklärte ich deshalb ausgesprochen erleichtert. »Gute Nacht! Ihr wart großartig!«

Pah! *Gute Nacht! Ihr wart großartig!* Nun, ich hatte auf meine Erfahrung im Showbusiness zurückgegriffen, um mich beim Publikum mit einer der verlogensten Phrasen aller Zeiten zu verabschieden. Es machte aber niemandem was aus, und zum zweiten Mal an diesem Abend verließ ich die Bühne unter tosendem Beifall. Eine vertraute Frauenstimme übertönte alle anderen.

»Hat der Kühlschrank ein Tiefkühlfach?«

Sie würde mal eine interessante Ehefrau abgeben.

Eine halbe Stunde später wurde der Gewinner verkündet. Brian, der die Organisatoren kannte, hatte mich schon vorab informiert.

»Nun, Tony, die gute Nachricht ist, dass du gewonnen hast. Die schlechte, dass sie dir den Preis nicht geben können, weil du nicht von hier bist.«

Das war gar keine so schlechte Nachricht. Ich war mir nicht sicher, ob ich eine ganze Woche voll solcher Abende in Ballybunion erleben wollte. Außerdem ist es nur gerecht. Der Hauptgrund für meine Popularität war, dass ich mit einem Kühlschrank herumreiste, und das ist keineswegs ein todsicheres Anzeichen dafür, dass jemand ein besonders guter Junggeselle ist.

Ich setzte mich und sah, dass der Kühlschrank am Rand der

Tanzfläche völlig von jungen Leuten umzingelt war, die alle ganz wild darauf waren, ihn mit Stiften, Malkreiden und allem, was ihnen sonst noch in die Hände fiel, vollzuschreiben. Daneben stand Paddy, der Gewinner des 97er Junggesellen-Festivals in Ballyduff. Keiner schenkte ihm auch nur die geringste Aufmerksamkeit. Ein ähnliches Schicksal wurde den übrigen Junggesellen und mir zuteil. Es schien, als würden die wenigen Frauen aus Ballyduff, die zu diesem besonderen Abend erschienen waren, ein kleines Haushaltsgerät einem Mann vorziehen. Manche würden diese Vorliebe noch weit in ihre Ehe hinein beibehalten.

Nachdem der DJ den Abend für beendet erklärt hatte, entriss ich meinen Kühlschrank seinen gestörten Fans, die ihn immer noch weiter mit Unterschriften, Botschaften und Witzen vollkritzelten. Einen Moment lang empfand ich einen richtigen Beschützerinstinkt. Ich erkannte aber auch, dass ich solche Gefühle im Interesse meiner geistigen Gesundheit nicht weiter fördern sollte. Eye-Liner, Filzstifte und eine braune, allgegenwärtige Malkreide waren benutzt worden, um den Kühlschrank in ein modernistisches *objet d'art* zu verwandeln. Als ich einen genaueren Blick darauf warf, entdeckte ich, dass die Botschaft der Mutter Oberin so gut wie ausgelöscht worden war. Ihre Worte ›Gott segne Tony und Saiorse‹ waren unter dem obszönen Gekritzel der Jugend Ballyduffs kaum mehr zu lesen. Das wirkte beinahe wie eine Metapher für den Stellenwert der Kirche in der modernen Gesellschaft.

Außer einem ganz besonders derben Witz, der jetzt die Tür des Kühlschranks zierte, fiel mir eine weitere Botschaft auf. Auf der Rückseite, gleich unterhalb von »Immer cool bleiben! Alles Gute, Chris und Jean« stand »Das Leben ist ein Geheimnis, das gelebt, und kein Problem, das gelöst werden muss.«

Eben. Selbst inmitten von völlig betrunkenem, außer Rand und Band geratenem Pöbel ist Weisheit zu finden. Brian, Joe und ich bewiesen die unsrige und gingen nach Hause.

19

I Did It Dunmanway

Ich hatte mit dem wechselhaften Wetter Glück gehabt. Bisher war ich, wenn es regnete, entweder in einem Fahrzeug oder einem Pub gewesen. Mir waren Perioden herrlichen Sonnenscheins zuteil geworden, aber die Wolken hatten immer auf der Lauer gelegen und mit dem Wetter gedroht, für das Irland berühmt ist. Heute war es anders. Klarer blauer Himmel ohne eine Spur von Cumulus oder Stratus, die dem strahlenden Sonnenschein die Herrschaft hätten streitig machen können. Die erfrischende, saubere Luft Kerrys stand reichlich zur Verfügung, und man brauchte nur die Tür aufzustoßen für einen Blick auf eine saftig grüne Landschaft, die unter den wohltuenden Strahlen einer verlockenden Sonne ausgebreitet lag. Ein wunderschöner Morgen wartete.

Leider verbrachten wir ihn in dem dunklen, schäbigen, fensterlosen Hinterzimmer eines Pubs in Tralee.

»Ohne Holz kann man kein Parkett verlegen«, hatte Brian erklärt.

Er kannte sich aus. Sein Handy war eingeschaltet, und sobald ihn die Nachricht erreichte, dass die erforderliche Holzlieferung eingetroffen war, würden wir uns nach Killarney begeben. Aber bis es so weit war: Welch bessere Art und Weise, einen Morgen wie diesen zu verbringen, konnte es geben, als endlose Darts-Partien zu spielen?

Darts. Darts-Spieler. Unwahrscheinlich, dass sie bei Frauen dieselbe Begeisterung hervorrufen wie zum Beispiel die Surfer.

Aus irgendeinem Grund wird der athletische, braungebrannte und fast nackte Wilde, der über die Wellen gleitet, den bleichen, fetten Kerl, der Bier trinkt und mit einem kleinen Pfeil ein winziges Ziel zu treffen versucht, immer knapp aussstechen. Ich sehnte mich danach, raus in die Sonne zu gehen, und diese Sehnsucht beeinträchtigte mein Spiel. Egal, welche Variante wir spielten, ich belegte immer den dritten Platz, während Brian und Joe in ihrem titanenhaften Ringen um den endgültigen Sieg abwechselnd triumphierten. Es war beinahe spannend.

»Wie weit ist es von hier nach Killarney?«, fragte ich, nachdem ich gerade mit drei Würfen 16 Punkte erzielt hatte.

»Och, ungefähr eine Stunde«, antwortete Joe und rechnete ein bisschen im Kopf. »Sechzehn, häh? Nicht schlecht. Besser als deine letzten beiden Versuche.«

Hatten wir erst mal Nachricht von der sehnsüchtig erwarteten Lieferung erhalten, würden wir das Darts-Spiel abbrechen, und Brian und Joe könnten sich mit Klebstoff vollschmieren und damit beginnen, einen Boden zu verlegen.

Als es Mittag wurde, hatten wir immer noch nichts von der Lieferung gehört, aber wir machten uns trotzdem auf den Weg nach Killarney. Ich verstand nicht, auf welcher Theorie dieser Entschluss fußte, stellte sie aber nicht in Frage, denn Killarney war die Stadt, die ich bis zum Ende des Tags erreichen wollte. Als wir dort ankamen, unternahmen Brian und Joe einen Rundgang durch die Stadt, in dessen Verlauf sie mir das Innere dreier Pubs zeigten. Glücklicherweise waren diese ohne Fenster und von einem schummrigen Licht erfüllt, das einen willkommenen Kontrast zu dem strahlenden Sonnenschein bildete, unter dem die armen Leute draußen zu leiden hatten. In einer der Bars beugte sich ein hagerer alter Mann, der aussah, als wäre er bettelarm, zu mir herüber und bot mir eine Pfund-Münze an, nachdem er erfahren hatte, dass ich der Kerl war, der mit einem Kühlschrank herumreiste.

»Hier, nimm das! Gott segne dich!«, erklärte er.

»Wofür ist das?«

»Für die gute Sache, für die du sammelst.«

»Ich tue das für keine gute Sache.«

»Doch, das tust du. Komm schon, nimm das Pfund!«

»Ehrlich, ich tue es für keine gute Sache.«

»Komm schon, warum sonst würde wohl jemand mit einem Kühlschrank durchs Land reisen? Nimm schon das Pfund, komm!«

Es dauerte volle fünf Minuten, bis ich ihn davon überzeugen konnte, dass ich keine gemeinnützige Einrichtung war und sein Pfund in keiner Weise verdient hatte.

»Na gut, wie du willst«, brummte er schließlich und gab gleich darauf den doppelten Betrag für ein Bier aus, das er mir spendierte, als ich gerade nicht hinschaute.

Brians und Joes Holzlieferung traf nie ein. Es war fast fünf Uhr, als wir uns nach einem Essen im Keller eines chinesischen Restaurants, das ganz in künstliches Licht getaucht war, voneinander verabschiedeten. Brian und Joe setzten mich vor einem Bed & Breakfast am Stadtrand ab und machten sich auf den Rückweg nach Ballyduff. Das gehörte offenbar alles zum Tagwerk eines durchschnittlichen Parkettlegers.

Ich duschte und machte einen drei Kilometer weiten Spaziergang nach Ross Castle am Ufer von Lough Leane. Auf dem Weg kamen mir Touristen in kleinen, von Ponys gezogenen Kutschen entgegen. Killarney scheint die Touristenhauptstadt Westirlands zu sein, weil es das Tor zu einer der atemberaubendsten Landschaften im ganzen Land ist.

Ross Castle war das letzte irische Widerstandsnest, das 1653 von Cromwells Truppen eingenommen wurde. Ich kam um 18.53 Uhr an, was ein perfekter Zeitpunkt war, denn das Schloss machte um 18.00 Uhr zu. Die letzten Touristenreste kehrten in ihre Hotels zurück, um sich für das Abendessen frisch zu machen, und ich durfte die Schönheit dieses Ortes in fast völliger Einsamkeit genießen. Ich kämpfte mich am Ufer des Sees entlang, kletterte über Ruderboote und kroch durch Sträucher, bis ich den idealen Platz gefunden hatte, um zum ersten Mal an diesem Tag den Sonnenschein zu genießen. Es war ein völlig abgelegener und magischer Ort – perfekt, um den Sonnenuntergang über dem Lough und den fernen Bergen, den Macgillycuddy's Reeks, die sich im Wasser spiegelten, zu betrachten. So zeigte die Natur, dass sie es wert waren, zweimal gesehen zu werden.

Als ich über das spiegelnde Wasser mit seinem beeindruckenden Hintergrund blickte, wurde ich nachdenklich. Ich begann mich zu fragen, ob man in meiner »Kühlschrank-Reise« eine Allegorie auf das Leben sehen konnte. Ich kam zu dem Schluss, dass es dafür überzeugende Gründe gab. Jeden Tag musste ich einige Entscheidungen fällen, manche fielen leichter, manche schwerer. Das Gleiche traf auch auf das Leben zu.

Ich hatte gelernt, mir keine Sorgen zu machen, meine Entscheidung zu treffen und dann die Dinge ihren Lauf nehmen zu lassen. Meistens erwies sich das Ergebnis als gut, und wenn es das nicht war – wie zum Beispiel die Höllennacht in der Jugendherberge –, dann diente es dazu, den Charakter zu stärken. Es gab keine falschen und keine richtigen Wege, denen man folgen konnte, sie waren nur alle verschieden, und wo sie hinführten, hing von der Einstellung ab, mit der man sie einschlug. Das schien mir im Leben nicht anders zu sein.

Und was sonst noch? Nun, ich kam nicht allein zurecht. Es liegt in der Natur des Trampens, vor allem, wenn es durch ein Küchengerät erschwert wird, dass man auf andere angewiesen ist. Wir erwarten es vielleicht nicht, aber in jedem Leben kann eine Zeit kommen, wo wir im konkreten oder übertragenen Sinn per Anhalter reisen müssen. Es spielt keine Rolle, wie wichtig, reich oder talentiert man ist: Wenn dein Auto irgendwo kaputtgeht und du gezwungen bist, den Daumen rauszuhalten und zu trampen, dann wird dir deine Fehlbarkeit und die Tatsache, dass du nichts Besseres als dein Mitmensch bist, sehr deutlich. Man ist auf die Güte von jemand anders angewiesen, um in Sicherheit gebracht zu werden. Und ich entdeckte allmählich, dass auf dieses Vertrauen zu bauen befreiend war und sogar Spaß machte.

Spaß. Das brachte mich zum letzten Schritt meiner dialektischen Seeufer-Betrachtungen: Meine sinnlose Reise verlief wie das Leben selbst im Kreis. Mein Ausgangsort Dublin repräsentierte den Beginn des Lebens, und während der ganzen Reise stand fest, dass es am Ende mein »Ruheort« sein würde. Da der Kühlschrank mehr als die 100 Pfund gekostet hatte, um die es in der Wette ging, hatte ich keinen ökonomischen Anreiz für die Reise, und was die großen Errungenschaften der Menschheit anging, würde sie in den Annalen vermutlich direkt neben Timothy »Bud« Budyana und seinem Rückwärtsmarathon verzeichnet werden. Angesichts dieser Sinnlosigkeit war die einzige Rechtfertigung für mein Unternehmen, dass es Spaß machte. Es war passend, dass die Iren das einzige Wort haben, das dem Geist der Sache wirklich gerecht wird: ›Craic‹. Hatten die Leute in diesem Land erst mal erkannt, dass ich das alles ›rein zum Craic‹ tat, verstanden sie völlig, worum es mir ging, und schlossen mich in ihre Herzen. Hier, wo ich die Füße in das Wasser dieses herrlichen Sees baumeln ließ, beschloss ich, in Zukunft das Leben mit derselben Einstellung anzugehen.

Die »Kühlschrank-Philosophie« nahm Gestalt an. Eins war allerdings klar. Sie würde einen anderen Namen brauchen, bevor man sie auf den Markt werfen konnte.

Ich ging diesen Abend ruhig an, ließ den Kühlschrank in meinem Zimmer zurück und hielt mich von Pubs fern. Ich spazierte auf den geschäftigen Straßen Killarneys herum und suchte ein Restaurant, das für ein ungekämmtes Individuum, das allein essen wollte, geeignet war. Ich dachte daran, mich in einem teuer wirkenden Restaurant mit einem Hummer zu verwöhnen, aber der Anblick der Hummer, die in einem Wassertank zur Schau gestellt wurden und mit zugeschnürten Scheren herumkletterten, brachte mich von der Idee ab. Auf der Speisekarte im Fenster stand:

SIE WÄHLEN IHREN HUMMER
AUS UNSEREM BECKEN SELBST AUS!

Dieser Satz gefiel mir nicht. Mein Status wäre nicht der eines bloßen Essers, sondern der einer gottgleichen Gestalt. Ich würde nicht »unschuldig« etwas auf einer Speisekarte bestellen, sondern selbst die Entscheidung treffen, welche Kreatur im Interesse meines Gaumens an diesem Abend sterben sollte.

Ich ging schließlich in ein gemütliches kleines Restaurant, wo von mir nicht verlangt wurde, dass ich Tiere für die Schlachtung bestimmte, und aß dort ein Irish Stew, das beruhigenderweise so schmeckte, als hätte eine Mutter es gekocht. Auf dem Weg nach Hause überlegte ich, ob ich am Morgen weitertrampen sollte, obwohl es Sonntag war und die Lastwagen nicht fahren würden, die sonst mein Haupttransportmittel waren. Als ich endlich die Pension erreichte, hatte ich beschlossen, dass ich am nächsten Tag zwei Stunden lang am Straßenrand mein Glück versuchen, die Sache bei ausbleibendem Erfolg jedoch abbrechen und mich wieder meinen amateurhaften philosophischen Studien am Seeufer widmen würde.

Ich setzte mich aufs Bett und betrachtete die Karte. Riesiger Stolz überkam mich, als ich sah, was für eine Strecke ich bereits zurückgelegt hatte. Ich hatte mehr als die Hälfte der Reise hinter mir. Mein nächstes Ziel war es, nach Cape Clear Island zu gelangen, und wenn ich das geschafft hatte, befände ich mich ohne Zweifel schon auf der Zielgeraden. Ich klopfte mir mental auf die Schulter. Da bemerkte ich es. Eine böse Überraschung. Heute war der 24. Mai!

Mist. Ich hatte SCHAF 97 verpasst.

Wir alle machen Fehler, und letztendlich sind die meisten verzeihlich. Aber nachdem ich fünf Stunden am Rand einer verlassenen Straße im abgelegensten West Cork gestanden hatte, fiel es mir sehr schwer, mir die Absolution zu erteilen.

Dabei war alles zunächst so gut gelaufen. In der Pension hatte ich beim Frühstück die Bekanntschaft von Chris und Jan, zwei australischen Touristen, gemacht und sie dazu überredet, in Begleitung eines Engländers mit einem Kühlschrank nach Cork zu reisen.

Es war nicht einfach gewesen, denn Chris und Jan waren nicht sonderlich gut gelaunt, wie die ersten Worte bewiesen, die wir austauschten.

»Guten Morgen«, sagte ich. »Herrlicher Tag, was?« Und das war es ohne Zweifel.

»Wird auch Zeit«, konterte Jan. »Wir hatten neun Tage Regen in Schottland.«

Chris und Jan hakten die Sehenswürdigkeiten Europas ab. Von den meisten waren sie nicht beeindruckt. Sie waren aber auch schwer zufrieden zu stellen. Ein aufschlussreiches Beispiel dafür war Chris' Meinung von Venedig.

»Venedig? Stark überschätzt, oder? Wir fanden, dass es einfach eine muffige alte Stadt ist, durch die eine Menge Wasser fließt.«

Ich glaubte, mich auch an zwei oder drei einnehmendere Eigenschaften erinnern zu können.

Wieder einmal rettete mich der Kühlschrank. Als ich ihn und die Rolle, die er auf meiner Reise spielte, erwähnte, besserte sich die Laune der Australier deutlich, was dazu führte, dass sie lächelten und mir die Mitfahrgelegenheit anboten, um die es mir von Anfang an gegangen war. Ich überredete sie sogar dazu, über Skibbereen nach Cork zu fahren, was bedeutete, dass ich dort aussteigen und nach Baltimore hinunter trampen konnte, von wo die Fähre nach Cape Clear Island ablegte.

Wir fuhren los, und ich wurde mit dem Kartenlesen betraut, denn Chris und Jan behaupteten, dass sie auf diesem Gebiet keinen Schimmer hätten. Wie schön das Seengebiet von Killarney ist, lässt sich daran erkennen, dass meine australischen Freunde ins Schwärmen gerieten und sogar das Auto anhielten, um Videoaufnahmen zu machen. Mit Touristen durch diese Gegend zu reisen, hatte den Vorteil, dass wir für Panoramablicke und besondere Sehenswürdigkeiten anhielten. Bantry House, ein imposanter Landsitz, erhielt von Chris nur mageres Lob.

»Die Toiletten sind kostenlos, und das ist eine Verbesserung gegenüber vielen Orten, die wir bisher besucht haben.«

Wir besichtigten das Gebäude nicht, da fünf Pfund fünfzig Eintritt als zu teuer erachtet wurden.

»Wir haben uns in Wien einen Haufen dieser alten Häuser angesehen«, erklärte Jan, »und mehr als eine bestimmte Menge alter Möbel verträgt man einfach nicht.«

Wo sie Recht hatte, hatte sie Recht. Ich war eigentlich auch nicht scharf darauf hineinzugehen. Die Architektur, der Garten und überhaupt die Lage waren für mich interessanter als mit Kordeln abgetrennte Räume und endlose Porträt-Reihen von irgendwelchen Ahnen. Anders als Chris war ich aber mit den Toiletten nicht ganz zufrieden. Sie waren zwar kostenlos, aber weil es nur ein Abteil für beide Geschlechter gab, musste man in der Zeit, in der man die italienisch anmutenden Gärten hätte erforschen können, in einer langen Schlange anstehen. Ich widersetzte mich meinen britischen Genen und verzichtete auf die Möglichkeit, mich anzustellen. Stattdessen suchte ich mir zwischen zwei Hecken einen geschützten Fleck, wo ich frevelhafterweise die Pflanzen kräftig goss. Dann hörte ich eine Stimme und sah eine Frau, die sich aus einem der oberen Fenster des Flügels lehnte, der offenbar die Privatgemächer von Bantry House beherbergte.

»Entschuldigen Sie bitte«, rief eine englische Aristokra-tinnenstimme. »Das ist unser Privatgarten.«

»Tut mir Leid«, antwortete ich kleinlaut wie ein ungezoge-nes Kind, das insgeheim ziemlich stolz auf sich ist.

»Also wirklich!«, entrüstete sich die Frau und schlug das Fenster zu.

Dieser Ausruf hatte einen Ton gehabt, der vermuten ließ, dass dieser Vorfall der Tropfen war, der das Fass zum Überlau-fen brachte. Sie würde jetzt zu ihrem Mann hinunterstürmen und rufen: »So, es reicht. Keine Touristen mehr! Keinen Mo-ment länger ertrage ich es, dass diese schrecklichen Menschen auf unser Land kommen.«

Ich kehrte mit gemischten Gefühlen zum Auto zurück. Ich war froh, dass ich dort uriniert hatte, war aber auch ent-täuscht, weil mir als Erwiderung auf die Rüge nur eine kläg-liche Entschuldigung eingefallen war. Ein munteres »Wenn es Ihnen nicht gefällt, dann stellen Sie doch mehr Klos auf, Sie blöde Kuh!« hätte mir viel besser gefallen. Kindisch, sicher, und vielleicht auch ungerechtfertigt, aber ich war ziemlich wütend, weil in einigen dieser großartigen alten Häuser im-mer noch Briten wohnten. Veränderungen passieren ganz of-fensichtlich nicht von heute auf morgen.

Als ich Chris und Jan die Toiletten-Geschichte erzählte, wur-de ich ihnen ausgesprochen sympathisch. Ich war jetzt beinahe ein Australier ehrenhalber, nachdem ich, zumindest metapho-risch, auf die Briten gepisst hatte. Wir begannen, uns über das Leben in Australien zu unterhalten, und achteten kaum noch auf die Straßenschilder und den Weg. Als ich ein Schild sah, auf dem stand, dass Skibbereen zwanzig Kilometer weit in der Richtung lag, aus der wir kamen, wurde ich misstrauisch. Wir hielten an, studierten gemeinsam die Karte und kamen zu dem Schluss, dass wir Skibbereen irgendwie übersehen haben muss-ten. Es war nicht sehr schlau von mir, mir eine Mitfahrgelegen-heit zu sichern, die mich genau dorthin brachte, wo ich hinwollte, und dann zuzulassen, dass wir zwanzig Kilometer zu weit fuhren. Es wäre zu viel verlangt gewesen, Chris und Jan umdrehen zu lassen, und so wurde ich am Straßenrand ausgesetzt, um mich den Konsequenzen meines Fehlers zu stellen.

Und ich zahlte den vollen Preis. Dunmanway an einem Sonntagnachmittag. Eine Geisterstadt, die die Gespenster verlassen hatten, weil sie ihnen zu ruhig war. Keine Seele weit und breit, und ungefähr ein Fahrzeug alle zehn Minuten auf einer der ödesten Straßen, auf der ich je einen Kühlschrank abgestellt hatte.

Fünf entsetzliche Stunden in Dunmanway. Es war so ... so langweilig. Keiner fuhr irgendwohin. Ich suchte nach den guten Aspekten meiner misslichen Lage. Die Sonne schien, aber das war auch schon alles. Um mich ein bisschen aufzuheitern, spielte ich Spiele mit mir selbst und gab mir Punkte, wenn ich die Farbe des nächsten Autos richtig erriet, aber die Tatsache, dass ich ganz allein war, machte es schwierig, so was wie Wettkampfatmosphäre zu erzeugen. Ich versuchte sogar eine Parodie auf Frank Sinatras *My Way* zu schreiben, als Tribut an diesen besonderen Abschnitt meiner Reise. Von Zeit zu Zeit sang ich die letzten Zeilen so laut ich konnte, um mir zu beweisen, dass ich noch am Leben war:

> Ich bin in diesem Land herumgetrampt
> Mein Kühlschrank und ich, auf verrückte Art
> Aber mehr noch, ich hab's getan
> In Dunmanway

Okay, ich gebe zu, ich habe nicht die ganzen fünf Stunden neben diesem öden Stück Straße verbracht. Irgendwann ging ich zu dieser Versammlung von Gebäuden, die vorgaben, eine Stadt zu sein, und fand eine Bar, in der ich zwei Glas Murphys trank. Dann spazierte ich auf den Hauptplatz und schlief auf einer Bank ein. Junge, Junge, ich wusste, wie man das Leben leben muss. Als ich aufwachte, beobachtete eine Frau mich und mein Gepäck nervös, und als ich lächelte und mich und den Kühlschrank zum Straßenrand schleppte und wieder mit dem Trampen begann, rannte sie in die Kirche hinter ihr. Wenigstens hatte die entsetzliche Erfahrung, die ich durchmachte, einen anderen Menschen Gott näher gebracht.

Sie muss für mich gebetet haben, diese Dame, denn nur zweieinhalb Stunden später hielt ein junger Kerl namens Kieran an und fuhr mich zehn Minuten weit die Straße hoch nach Drimoleague. Drimoleague war Dunmanway sehr ähnlich, nur weniger hektisch.

Eineinhalb Stunden später kam ich dank Barry und Moira, einem liebenswürdigen Paar aus Bandon, das mir über die letzte Etappe dieses Marathontags hinweghalf, endlich in Baltimore an. Die Fahrt durch Skibbereen war besonders bitter, weil sie fast sieben Stunden später stattfand, als nötig gewesen wäre, hätte ich mich am Vormittag nicht als so ein Trottel im Umgang mit der Karte erwiesen.

In Baltimore, einem bezaubernden kleinen Fischerhafen, stieg ich in einer Pension mit Blick auf den hübschen Hafen ab und setzte mich zusammen mit Barry und Moira vor den Pub nebenan. Ich lud die beiden ein, um ihnen dafür zu danken, dass sie mir zuliebe einen weiten Umweg gemacht hatten. Als die Sonne unterging und das Bier seine Wirkung tat, verdunsteten die Schrecken des Tags, und meine gelassene Stimmung kehrte zurück. Nachdem Barry und Moira gegangen waren, unterhielt ich mich mit einer englischen Gruppe vom Tauchclub Tunbridge Wells. Eine Zeit lang war ich verwirrt, denn ich hatte immer geglaubt, dass Tunbridge Wells wie die Schweiz ganz von Land umgeben ist. Nachdem ich diesen Typen von meinen Abenteuern erzählt hatte, erklärten sie, dass sie Luftsäcke und eine Unterwasserkamera dabei hätten und den Kühlschrank liebend gerne zum Tauchen mitnehmen würden. Ich dankte ihnen, nahm das Angebot aber nicht an. Vielleicht war es besser, wenn ich es jetzt ein bisschen langsamer angehen ließ.

Und Cape Clear Island wirkte wie der ideale Ort dafür.

20

Auf der Suche nach einer Zuflucht

Als die Fähre an der Landungsstelle angelegt hatte, die die Leute von der Insel scherzhaft den Hafen nannten, schien ich der einzige Passagier zu sein, der eine Übernachtungsmöglichkeit suchte. Cape Clear Island sollte meine Erholung vom Durcheinander der letzten zweieinhalb Wochen sein. Die Insel verfügte über alle Voraussetzungen für diesen Job, denn sie war eine Art Tory Island des Südens, nur dass sie anstelle eines Königs über Bäume und über ein freundlicheres Klima verfügte. Heute wurde die Insel von warmem Sonnenschein überflutet. Wie wir es bei meinem Anruf vom Festland aus vereinbart hatten, erwartete mich Eleanor, eine der wenigen Inselbewohner, die Zimmer vermieteten. Ihr Auto übertraf sogar das von »Toothless Ian and the Travellers«, was Verwahrlosung und Reparaturbedürftigkeit anging. Sie sagte nichts, als ich den Kühlschrank auf die Rückbank stellte, und ihr Auto mühte sich die einspurigen Straßen der Insel hinauf und hinab, bis wir ihr Haus oben auf einem Hügel erreichten.

Ich hatte vor, hier drei oder vier Tage zu bleiben, um mich auf meine letzte Woche vorzubereiten, in der ich mich bis nach Dublin durchschlagen wollte. Um vier Uhr jedoch nahm die Fähre die Tagesausflügler mit zum Festland zurück, und keiner der Wanderer, Vogelbeobachter und sonstigen Touristen blieb auf der Insel. Ich kam mir isoliert und einsam vor. Innerhalb eines Augenblicks wurde aus den geplanten drei bis vier Tagen eine einzige Nacht bei Eleanor.

Ich war in einer der Gegenden, in der die Leute keine neugierigen Fragen stellen. Während meines ganzen Aufenthalts im Haus von Eleanor und ihrer Familie stand der Kühlschrank im Flur, aber es wurde keine einzige Bemerkung über ihn gemacht. Obwohl ein Kühlschrank, der vollkommen mit Unterschriften und Glückwünschen bedeckt ist, zu Fragen Anlass geben musste, gab es nur ein kurzes Gespräch zu diesem Thema. Ich aß am Abend mit Eleanor, ihrer Familie und zwei anderen Gästen. Als wir uns über unseren Apple Crumble hermachten, beugte sich Eleanors Mann Crohuir verstohlen zu mir herüber.

»Ist das im Flur Ihr Kühlschrank?«, fragte er schüchtern.

»Ja.«

Er sammelte sich einen Augenblick lang für den nächsten Versuch.

»Er ist sehr klein, nicht wahr?«

»Ja.«

Thema beendet.

Nach dem Abendessen ging ich zum Hafen hinunter, der mir von einem der Inselbewohner ohne Ironie als Zentrum der Insel beschrieben worden war. Auf dem Weg kam ich an einem Tennisplatz vorbei, der höchst dramatisch am Rand einer Klippe gelegen war und den Atlantik überblickte. Das wäre was, dort zu spielen, dachte ich mir.

Jemand muss, bevor ich im »Zentrum« ankam, die Neonlichter ausgeschaltet, die Werbeplakate entfernt und die Horden feiernder Jet-Set-Urlauber nach Hause geschickt haben, denn alles war ruhig. Es gab zwei Pubs und sonst absolut nichts. Beide waren leer. Ich trank in einem von ihnen ein Bier, und irgendwann gesellte sich ein Engländer zu mir, der mir erzählte, dass er seine Familie jedes Jahr zum Wandern und Vögel beobachten auf die Insel brachte. Heute hatte er sie zu Hause gelassen, um allein ein bisschen von dem verrückten Nachtleben zu kosten.

»Haben Sie schon auf dem Tennisplatz gespielt?«, fragte ich ihn.

»Oh, reden Sie nicht von Tennis!«, jammerte er. »Seit wir hier sind, sind meine Kinder ganz versessen darauf, zu spielen, aber es geht nicht.«

»Warum nicht?«

»Es gibt auf der Insel keine Bälle.«

»Sie machen Witze.«

»Tue ich nicht. Keinen einzigen gibt es. In den Läden sind sie ausverkauft, und der Kerl, der ein paar vom Festland hätte mitbringen sollen, hat sie vergessen.«

Ein gutes Beispiel dafür, was es heißt, auf einer Insel zu leben.

Auf dem Heimweg war der Himmel klarer als alle Himmel, die ich je in meinem Leben gesehen hatte. Die Sterne strahlten wie die Zähne in einer aufwendigen Zahnpastawerbung, und der Leuchtturm von Fastnet erleuchtete die Insel alle sechs Sekunden beinahe wie ein Stroboskoplicht, dessen Frequenz dem Tempo des Lebens hier angepasst war. Als ich Eleanors Haus erreichte, schaute ich auf den Horizont und musste zugeben, dass dies wirklich ein einzigartiger Ort war. Er war allerdings nicht das Richtige für mich, und ich würde mit dem Neun-Uhr-Boot am nächsten Morgen wieder abfahren. Für manche sind Ruhe und Abgeschiedenheit ein Segen, aber ich wusste inzwischen, dass ich zwar Frieden und Ruhe genoss, gleichzeitig aber eine Alternative in Reichweite haben musste. Es mag verrückt klingen, aber ich bevorzuge Orte, an denen man Tennisbälle erwerben kann, wenn man will.

Überraschenderweise fuhr ich im Taxi nach Cork. Ich traf ein englisches Paar, das auf die Insel gekommen war, um dort der ersten protestantischen Hochzeit seit 100 Jahren beizuwohnen. Sie hatten mich leicht amüsiert dabei beobachtet, wie ich den Kühlschrank auf die Fähre trug, und nach einiger englischer Zurückhaltung ließen sie mich wissen, dass sie ein Taxi bestellt hatten, mit dem sie und ihre alte Tante zum Flughafen in Cork fahren würden. Ich könne mich gerne mit hineinquetschen, wenn ich wolle. Es wurde ziemlich eng, und der Taxifahrer war sich nicht ganz sicher, was er von einem Mann halten sollte, der einen Kühlschrank zu einer Hochzeit mitgenommen hatte. Er sagte aber nichts, was zum Teil daran lag, dass er völlig von der leicht exzentrischen Tante in Beschlag genommen wurde, die vorne mit ihm plauderte.

»Die Straße ist sehr sauber«, erklärte sie und deutete geradeaus.

Der Taxifahrer nickte teilnahmslos, eine Reaktion, auf die er im Verlauf der Fahrt öfter und öfter zurückgreifen sollte.

»Hat Ihnen die Hochzeit gefallen?«, fragte die Tante mich.

»Ich bin nicht dort gewesen. Ich war kein Gast. Ich reise nur im Land herum.«

»Oh. Wie schön. Sie sollten von Seattle aus die Küste hochfahren.«

Sie schien der Meinung zu sein, dass wir uns an der Westküste von Amerika befanden. Ich dankte ihr und sagte, dass ich es mir überlegen würde, sobald ich Dublin erreicht hatte.

Nachdem ich vor dem Rathaus in Cork aus dem Taxi geklettert war und zum Abschied gewunken hatte, begutachtete ich ziemlich zufrieden den dichten Verkehr und die großen Gebäude um mich herum. Es war eine Weile her, seit ich an einem Ort mit so viel Leben gewesen war. Obwohl ich nicht fand, dass Cork eine besonders schöne Stadt war, hatte ich doch ein gutes Gefühl. Ich war gerade am Überlegen, wie mein weiteres Vorgehen aussehen würde, als mich ein Schotte mittleren Alters ansprach.

»Du musst Tony sein, und das da ist dein Kühlschrank«, sagte er geradeheraus.

»Das ist er, und ich bin es. Ich meine, ich bin es und er ist es.«

Was ich sagte, machte keinen Sinn, aber das war ihm egal. Er hatte mein Vorankommen im Radio mitverfolgt und wiederholte immer wieder, welch wunderbare Idee es doch sei, mit einem Kühlschrank zu reisen. Und dann, wir kannten uns kaum zwei Minuten, folgte das Angebot.

»Wenn du noch nicht weißt, wo du bleiben sollst, kannst du bei mir und meiner Sheila übernachten. Bei uns kannst du dich ausruhen, dich duschen, deine Wäsche waschen und alles tun, was du sonst noch erledigen musst.«

»Das ist sehr nett, äh …«

»Dave. Ich heiße Dave Stewart.«

»Danke, Dave. Es ist nur so, dass ich noch gar keine Pläne habe. Ich dachte, ich gehe vielleicht erst mal in einen Pub, der Westimers heißt.«

»O ja. Kennst du jemanden dort?«

»Nicht wirklich, aber am ersten Morgen, an dem ich mit Gerry Ryan gesprochen habe, haben die Leute vom Pub angerufen und gesagt, dass sie für mich eine Kühlschrank-Party schmeißen, falls ich nach Cork komme.«

»O ja. Hab davon gehört. Gute Idee.«

Dave erklärte mir den Weg zum Westimers und schrieb mir seine Adresse und Telefonnummer auf für den Fall, dass ich sein freundliches Angebot annehmen wollte. Als ich die Straße überquerte, kam ein Student aus einem Pub gestürzt und bat mich, auf dem Kühlschrank unterschreiben zu dürfen. Ich hatte wieder die Welt der herrlich Verrückten betreten, und es gefiel mir.

Im Westimers war man sehr überrascht, dass ich auf ein Angebot reagierte, das schon drei Wochen zurücklag.

»Eric wird sich grün und blau ärgern, dass er dich verpasst hat«, sagte Alan, der Barkeeper.

Eric, der Chef, der das Angebot eigentlich gemacht hatte, war zum Fischen im County Mayo und nicht zu erreichen. Das hinderte den Rest der Mannschaft allerdings nicht daran, mich im großen Stil zu bewirten, das heißt, mir was zu trinken und das inzwischen schon traditionelle kostenlose Mittagessen zu spendieren. Das Dekor des Pubs erklärte den ziemlich seltsamen Namen Westimers. Der Wilde Westen war hier das Thema, und die Wände waren mit Sätteln, Stetsons und Cowboys, die Pistolen schwenkten, geschmückt. Vielleicht war seine Liebe für den amerikanischen Westen der Grund dafür, dass Eric meine Pioniertat so imponiert hatte.

Ich hatte gerade begonnen, mich mit einem Geschäftsmann, der an der Theke zu Mittag aß, über meinen geplanten Ausflug hinunter nach Kinsdale zu unterhalten, da wurde ich von Alan unterbrochen: »Tony, Telefon für dich.«

Das war seltsam. Niemand wusste, dass ich hier war. Niemand, bis auf einen!

»Hallo, Tony, ich bin's, Dave. Du weißt schon, der Dave, den du gerade auf der Straße kennen gelernt hast. Bleib, wo du bist, ich habe gerade mit einem Freund von mir gesprochen, der Redakteur beim *Evening Echo* ist! Geh nicht weg, denn sie schicken einen Reporter!« Die Dinge entwickelten sich schnell in Cork.

Ein Zeitungsinterview später wandte ich mich wieder meinem Bier zu und wurde bald darauf von einem jungen Mann angesprochen, der sagte, dass er mich in einer Viertelstunde nach Kinsdale mitnehmen könne. Die Dinge entwickelten sich wirklich schnell in Cork.

Alle im Westimers meinten, es sei eine gute Idee, wenn ich Cork als Ausgangspunkt für ein paar Tagesausflüge in die Umgebung nutzen würde, und das nicht zuletzt deshalb, weil ihnen das, falls Eric anriefe, Gelegenheit geben würde, ihn zu fragen, ob er mit der Kühlschrank-Party Ernst machen wolle. Die Mitarbeiter des Pubs amüsierten sich köstlich, als sie mir zusahen, wie ich den Kühlschrank als Reisetasche packte. Diese Rolle hatte er seit meiner Exkursion nach Tory Island nicht mehr spielen müssen.

Na gut, die Viertelstunde war eher eine ganze Stunde, aber wie versprochen transportierte Barry mich dann zu meinem nächsten Ziel. Es passte irgendwie zu meiner ganzen Reise, dass er sich als Vertreter der Brauerei Caffreys erweisen sollte und dass ich bei seinem Besuch im Pub Hole In The Wall in Kinsale Bier auf Kosten des Hauses trinken musste, während er seinen Geschäften nachging. Der Kühlschrank und das Bier hatten eine wahrhaft symbiotische Beziehung entwickelt, und zusammen waren sie unschlagbar.

Ein Labour-Politiker auf Stimmenfang marschierte mit seiner Gefolgschaft an dem Pub vorbei und entdeckte mich und den Kühlschrank, wie wir Hof hielten und mit ein paar faszinierten Gästen zusammensaßen. Er war offenbar der Meinung, dass wegen der Bekanntheit, die der Kühlschrank in diesem Land erlangt hatte, ein Foto mit ihm seine Chancen bei den Wahlen deutlich erhöhen würde. Seine Helfer organisierten hastig die Aufnahme, und plötzlich hatte Michael Calnan den Arm um mich gelegt, grinste gestellt und prostete dem Kühlschrank mit einem Glas Caffreys zu, das von dem genauso opportunistischen Barry zur Verfügung gestellt worden war. Kieran, der Besitzer des Pubs, war gerade dabei, uns nach links zu dirigieren, damit der Name des Pubs im Hintergrund zu lesen wäre, als Barry eine Parkwächterin bemerkte, die einen Strafzettel an seinem Auto anbringen wollte. Darauf folgte eine ungewöhnliche Szene, in der Barry versuchte, den Strafzettel annullieren zu lassen und dabei einen Labour-Politiker und einen Mann, der einen Kühlschrank hinter sich herzog, zu seiner Verteidigung aufrief. Die Parkwächterin leistete diesem furchteinflößenden Angriff tapfer Widerstand und weigerte sich, den Strafzettel zurückzunehmen. Erst als der Chor der Trinker im Garten des Pubs den Ruf »Gnade! Gnade! Er fährt den Fridge Man« erschallen ließ, kapitulierte sie schließlich. Es gab keinen Zweifel daran, dass der Politiker wenig Einfluss genommen und allein der Kühlschrank den Ausschlag gegeben hatte. Sie haben sicher schon mal vom »Druck der Straße« gehört, dem Behörden und Politiker gelegentlich ausgesetzt sind. Ich freue mich, Ihnen jetzt den »Druck des Kühlschranks« vorstellen zu dürfen. Dank seiner Hilfe hat bereits jemand seinen Strafzettel nicht bezahlen müssen – und niemand weiß, welcher verdienstvollen Angelegenheit er sich als Nächstes annehmen und welchen unterdrückten Bürger er als Nächstes gegen den übermächtigen Staat in Schutz nehmen wird.

Als der Kühlschrank und ich von unserem politischen Kampf zurückkehrten, stellten wir zu unserer Freude fest, dass auch Kieran nicht untätig gewesen war. Er hatte eine Bootsrundfahrt im Hafen von Kinsale sowie eine kostenlose Übernachtung im White House Hotel gegenüber vom Pub organisiert. Dann machte sich Barry daran, ein kostenloses Essen bei einem anderen Caffreys-Kunden zu vermitteln, und zwar in einem Restaurant gleich um die Ecke, dem Blue Haven.

Was für ein Tag! Seit ich die Fähre in Cape Clear Island betreten hatte, war mir einfach alles gelungen. Es war, als könnte ich wie durch einen Zauber alles haben, was ich wollte. Es war nur schade, dass dieser Zauber sich schon abgenutzt hatte, als ich mich ungeschickt lallend an Brenda, die Kellnerin des Blue Haven, heranmachte. Der sichere Hafen ihres Schoßes, welche Farbe auch immer er haben mochte, blieb mir eindeutig verwehrt.

21

Kühlschrank-Party

Auf Pat Collins kleinem Fischerboot erwies man uns alle Ehren. Ich fragte mich, was für Anweisungen Kieran Pat am vorherigen Abend erteilt hatte, denn er opferte bereitwillig einneinhalb Stunden seines Vormittags, unternahm ohne jede Veranlassung mit einem Mann und dessen Kühlschrank eine Hafenrundfahrt und zeigte ihnen die Sehenswürdigkeiten. Er half mir mit dem Kühlschrank an und von Bord und posierte sogar mit einem Arm um den Kühlschrank für ein Foto. Andererseits sah er aber keinen Grund dafür, Zeit mit der Frage, was zum Teufel ich mit dem verfluchten Ding vorhabe, zu vergeuden.

Als wir am Ufer des Bandon River entlang Richtung Meer fuhren, passierten wir backbord Charles Fort. Diese sternförmige Festung war im 17. Jahrhundert von den Briten gebaut worden, um den Hafen von Kinsale gegen Angriffe von See her zu verteidigen. Wilhelm von Oranien hatte jedoch die brillante Idee, über Land anzugreifen, und nahm das Fort relativ leicht ein, während die Verteidiger aufs Meer hinausschauten. Die Japaner haben den Briten während des Zweiten Weltkriegs in Singapur etwas Ähnliches angetan. Einfach unfair. An der Flussmündung wies Pat auf einen Punkt, wo ein deutsches U-Boot die *Lusitania* mit einem Torpedo versenkt hatte. Auch nicht fair. Die Geschichte scheint zu beweisen, dass die Völker in keiner Weise bereit sind, sich an die Regeln zu halten. Aber egal, solange der Große Schiedsrichter im Himmel es merkt …

Hier draußen war das Meer eindeutig kabbeliger, und unser

kleines Boot begann zu hüpfen und zu springen wie ein Papa auf einer Hochzeit. Pat stand am Steuer und wies hinter sich.

»Du passt besser auf den Kühlschrank auf«, empfahl er mir.

Ich lächelte und freute mich über Pats Fürsorge und die leichte Absurdität seiner Worte. Es klang fast so, als stünde der Kühlschrank im Ruf, lasterhaft und ein Schwerenöter zu sein. Dabei war er noch nicht einmal eingesteckt worden.

Kieran war ein untersetzter Mann von gut dreißig Jahren, der über einen bewundernswerten Ehrgeiz verfügte, wenn es darum ging, mir zu helfen. Als ich von der Hafenrundfahrt zurück war, die er für mich organisiert hatte, verkündete er, dass er mich nach Cork zurückfahren würde. Auf dem Weg dorthin besuchten wir die »Sich bewegende Statue von Ballinspittle«, eine Grotte mit einer großen Statue der Jungfrau Maria, die so hieß, weil Tausende von Menschen behaupten, gesehen zu haben, wie sie sich bewegte. Aber Moment mal, Kieran wusste genau, wo die Statue war, und fuhr ohne zu zögern dorthin. Falls die »Sich bewegende Statue« ihrem Namen hätte gerecht werden wollen, hätte keiner wissen dürfen, wo genau sie sich im Moment befand. Würde man nicht zuerst Erkundigungen einholen müssen? Sollten nicht im Radio die neuesten Meldungen, was den Aufenthaltsort der »Sich bewegenden Statue« anging, zu hören sein?

»Die Statue wurde zuletzt vor einem Supermarkt in Bandon gesehen und bewegt sich angeblich Richtung Clonakilty. Wir werden Sie später weiter auf dem Laufenden halten. Doch jetzt zu den Todesnachrichten: Rory O'Brien ging tragischerweise von uns, als auf der R600 plötzlich eine Statue vor seinem Motorrad auftauchte ...«

Als ich wieder in Cork war, kaufte ich eine Zeitung und stellte fest, dass ich es zusammen mit einem walisischen Bräutigam, der seinen Polterabend im Krankenhaus beendet hatte, nachdem er durch die Scheiben eines Treibhauses gefallen war, auf die Titelseite des *Cork Evening Echo* geschafft hatte. Offensichtlich war gestern nicht viel passiert, über das man hätte berichten können. Egal, ich war der Nutznießer davon. Ein ganzseitiges Foto von mir und Saiorse unter der Überschrift:

EINE COOLE IDEE!

Es folgte ein mit Wortspielen gespickter Artikel auf Seite drei mit zwei weiteren Fotos. In Cork war ich ein Medienereignis. Ich war auf die Titelseite des *Evening Echo* gelangt, ohne dafür in ein Treibhaus stürzen zu müssen.

Ich begab mich in das Hotel, das die Leute vom Westimers mir besorgt hatten. Wenn man davon absah, dass der Lift nicht funktionierte, die Badezimmertür keine Klinke hatte, der Duschvorhang immer wieder herunterfiel, das Fenster sich nicht öffnen ließ und es kein Telefon gab, war es wirklich in Ordnung. Eric hatte die Reservierung in Auftrag gegeben, nachdem er angerufen und erfahren hatte, dass ich in der Stadt war. Er verkürzte sogar seinen Angelausflug, damit die Kühlschrank-Party am nächsten Abend stattfinden konnte. Ich hatte immer noch keine Vorstellung davon, worum es bei dieser Party gehen würde. Immer, wenn ich das Thema anschnitt, zuckten die Leute, die ich fragte, mit den Schultern.

Eric und seine Frau waren, als ich sie am Abend zu einem Glas Bier traf, auch nicht in der Lage, Licht in diese Angelegenheit zu bringen.

»Wir werden einfach sehen, was passiert«, erklärte Eric.

Eric erzählte, dass er an jenem ersten Tag die *Gerry Ryan Show* angerufen hatte, weil er Probleme mit den Kerlen hatte, die sich um den Kühlraum seines Pubs kümmerten, und diese mit dem Vorschlag einer Kühlschrank-Party aufziehen wollte.

»Jetzt, wo ich hier bin, ist der Witz für dich also nach hinten losgegangen«, sagte ich.

»Überhaupt nicht. Das wird ein großartiger Abend.«

Es wurde beschlossen, dass ich den folgenden Tag als Tourist verbringen sollte. Eric versprach, mich und den Kühlschrank zum Blarney Stone zu bringen, damit wir ihn küssen konnten. Dies würde uns, so wollte es die Legende, magische Beredsamkeit verleihen, ein Gebiet, auf dem es zumindest bei einem von uns noch Raum für Verbesserung gab. Die meisten Iren, denen ich bisher begegnet war, brauchten in dieser Hinsicht nur wenig Hilfestellung. Ich selbst freute mich schon darauf, gefragt zu werden, wie mir der Blarney Stone gefallen habe. »Es war so ergreifend, dass mir die Worte fehlen«, würde meine witzige Antwort lauten.

Nicht zum ersten Mal auf dieser Reise begann ich den Tag damit, dass ich mit Gerry Ryan im Radio plauderte. Ihn faszinierte die Idee einer Kühlschrank-Party.

»Was genau wollt ihr bei dieser Party machen?«, fragte er.

»Wir wissen es eigentlich nicht.«

»Wie wäre es, wenn die Leute mit irgendwelchen Teilen aus ihren Kühlschränken kommen müssten, der Schale für die Eiswürfel, dem Eierfach oder irgendwas anderem, das sie als Kühlschrank-Fans ausweist?«

»Klingt gut. Ich habe allerdings keine Ahnung, was dann passieren soll.«

Es spielte keine Rolle. Gemäß der Kühlschrank-Philosophie würden wir einfach abwarten.

Ich stand auf, benutzte die wenigen Installationen des Bads, die funktionieren, und machte mich auf den Weg hinüber ins Westimers, wo ich Eric traf. Vor dem Pub war eine riesige Tafel aufgestellt worden, auf der mit Kreide falsch geschrieben stand:

Heute abent Kühlschrank-Party!

Ich verspürte ein Kribbeln im Bauch.

Der Marinehafen von Cobh wurde zum Ziel meiner touristischen Exkursion an diesem Tag, denn Eric hatte angerufen und erklärt, dass er ein Wohltätigkeitsturnier in seinem Golfclub vergessen habe und mich deshalb nicht zum Blarney Stone fahren könne. Mein Gag mit den Worten, die mir fehlten, würde also warten müssen.

Alan und Noelle, die hinter der Theke standen, beharrten darauf, dass ich den Kühlschrank auf den Tagesausflug mitnahm.

»Er wird dich sicher vermissen, wenn du ihn den ganzen Tag so allein lässt.«

Schwierig. Ich musste für heute Abend Kräfte sparen und wusste, wenn ich den Kühlschrank mitnahm, würden wir in irgendeine Art von Abenteuer geraten und uns ohne Zweifel hoffnungslos verspäten, weil wir irgendwo in irgendeiner Kneipe aufgehalten würden.

Die Reise nach Cobh war meine erste Zugfahrt in Irland. Sie wurde dadurch beeinträchtigt, dass ich den Fehler beging, einem Mann gegenüber Platz zu nehmen, dessen Haar aussah, als wäre es seit 1962 nicht mehr gewaschen worden. Es roch, als wäre es seit 1952 nicht mehr gewaschen worden. Es sah aus, als hätte er drei feuchte Tücher auf dem Kopf. Der beißende Gestank hätte ohne weiteres gerechtfertigt, sich einen anderen Platz zu suchen. Ich war jedoch einerseits zu feige, um Aufsehen zu erregen, andererseits dachte ich, er und sein Haar würden bald an einer der vielen Stationen des Bummelzugs aussteigen.

Cobh ist ein wunderbares Beispiel für eine viktorianische Stadt und verfügt über einen der größten Naturhäfen der Welt. Das einzig Negative, das ich über die Stadt sagen kann, ist, dass der Mann mit dem stinkenden Haar dort wohnt und ich deshalb bei der Ankunft wild nach frischer Luft schnappte. Ich erklomm den Hügel, um mir die herrliche Kathedrale näher anzusehen. Mit seinen nur achttausend Einwohnern schien Cobh solch ein ansehnliches Bauwerk nicht verdient zu haben, und die Last, die die Gemeinde für dessen Renovierung zu tragen hatte, war genauso unangemessen: 3 700 000 Pfund.

Auf der Rückfahrt sah ich jemanden das *Evening Echo* mit meinem Bild auf der Titelseite lesen und beschäftigte mich aus diesem Anlass mit der Frage des Ruhms. Das war ein Gebiet, auf dem ich mich in der einzigartigen Situation befand, völlige Kontrolle über meinen Status zu haben. Wenn ich erkannt werden und im Zentrum der Aufmerksamkeit sein wollte, nahm ich den Kühlschrank mit. Wenn ich ein bisschen allein bleiben und wieder zu so etwas wie Normalität zurückfinden wollte, ließ ich ihn zu Hause. Dieses Arrangement war von schlichter Schönheit. Wie sehr sich doch Michael Jackson und Madonna nach so etwas sehnen mussten! Wie auch immer, sie hätten daran denken sollen, bevor sie Millionen von Platten verkauften und die ganze Welt mit Bildern von sich zupflasterten. Ich war vielleicht nicht so reich wie sie, aber ich hatte mich ohne Zweifel schlauer angestellt, was die Sache mit dem Ruhm anging, und das war befriedigend.

An diesem Abend ging ich in meinem Hotelzimmer ruhelos hin und her und übte die Rede ein, die ich auf der Party halten wollte. Ich verspürte kein Verlangen danach, noch mal wie auf dem Junggesellen-Festival ins Schwimmen zu geraten. Diesmal hielt ich mich an Baden Powells Motto für Pfadfinder: Allzeit bereit.

Ich brach Richtung Pub auf. Die Sache nahm einen guten Anfang. Als ich mit dem Kühlschrank im Schlepptau die Fußgängerbrücke überquerte, stieß ich auf ungefähr ein halbes Dutzend Mädchen von der Kunstakademie in Cork, die auch auf dem Weg zur Party waren. Wenn sie repräsentativ für das Publikum waren, das der Kühlschrank anzog, versprach der Abend gut zu werden.

»Schaut mal, der Fridge Man!«, rief ein hübsches Mädchen

mit einem frechen kleinen Gesicht, das mir von allen sofort am besten gefiel. Es folgte ein nicht abreißender Strom von Fragen, die ich alle beantworten konnte. Alle, bis auf eine: »Was genau ist denn eine Kühlschrank-Party?«

»Ich weiß es eigentlich auch nicht. Wir werden einfach abwarten müssen. Ich glaube, es hängt von uns ab.«

Wir befanden uns auf völligem Neuland, und es gab keine Erfahrungswerte, auf die wir hätten zurückgreifen können, um zu entscheiden, welche Umgebung für eine Kühlschrank-Party die geeignetste ist. Was die definitiv falsche Umgebung für so ein Ereignis war, wurde uns jedoch schon sehr bald klar, denn genau die erwartete uns, als wir das Westimers betraten. Das ganze Ambiente des Lokals hatte sich verändert. Die Beleuchtung war reduziert, und laute Musik dröhnte von der Bühne, wo zwei junge Männer, umgeben von Synthesizern und Drum-Computern, musizierten.

»Was ist denn hier los?«, rief ich Alan zu, der hinter der Theke stand.

»Das ist eine Band, die ›Pisces Squared‹ heißt. Leider wurden sie vor zwei Monaten gebucht, und wir konnten sie nicht erreichen, um ihnen abzusagen.«

Toll. Das bedeutete also, dass Cover-Versionen der Hits von Erasure und Soft Cell, die alle mit dem Erkennungsmerkmal der Band, nämlich unerträglicher Lautstärke, versehen waren, den Hintergrundlärm zur Kühlschrank-Party abgeben würden. Ich rief einigen vertrauten Gesichtern ein Hallo zu: Dave, meinem schottischen PR-Strategen, der seine Frau mitgebracht hatte, und Barry, der Caffreys-Vertreter, der mit seiner Freundin und ein paar Kumpels gekommen war. Die Kommunikation blieb jedoch auf rudimentäre Begrüßungen beschränkt, so laut waren ›Pisces Squared‹. Ich bin zwar kein Experte, was Astrologie angeht, aber hier handelte es sich um zwei Fische, mit denen ich eindeutig nicht harmonierte.

Der Manager der Jungs trieb sich stolz vor der Bühne herum, ermunterte sie und übersah völlig, dass ihre Techno-Pop-Botschaft auf taube Ohren stieß. An der Körpersprache der Jungs und ihres Managers war deutlich zu sehen, dass dieser Auftritt für sie eine Art Durchbruch und ein Meilenstein in ihrer bisherigen Karriere war.

Das Publikum bestand aus Exzentrikern und verschrobenen Querköpfen, die von der Idee einer Kühlschrank-Party angezogen worden waren und zum Teil Sachen aus ihrem heimischen Kühlschrank mit sich herumtrugen. Der Sänger der Band wirkte sichtlich erschüttert.

Und was mich betraf, sah das Ganze so aus: Ein junger Engländer, für den dieser Abend die Feier seiner außerordentlichen Reise entlang der Küste Irlands sein sollte, verstand wegen des erbärmlichen Lärms, den eine Band entfesselte, die klang, als befände sie sich im letzten Stadium ihrer Karriere, nicht das Geringste von dem, was man zu ihm sagte.

»Die sind gut, was?«, schrie Eric, der Urheber dieses Durcheinanders, und deutete auf die Band. Er winkte mir und meinem Harem von Kunststudentinnen zu. »Setzt euch dort drüben hin! Wir bringen euch ein paar Bier. Fosters hat uns als Sponsor dieses Abends einen Träger spendiert, und den könnt ihr haben.«

Die Kühlschrank-Party hatte einen Sponsor? Man konnte sich das Telefongespräch, mit dem das eingefädelt worden war, nur mit Mühe vorstellen.

Die Katastrophe dieses Abends hatte einen unerwarteten Vorteil: Ich konnte meine ungeteilte Aufmerksamkeit Mary, meiner liebsten Kunststudentin, widmen. Ich saß neben ihr, und wir schrien auf kurze Distanz vertraulich miteinander, und gelegentlich gelang es uns sogar, uns über die monotonen Klänge der Hausband hinweg Gehör zu verschaffen. Von Zeit zu Zeit kam ein Fan des Kühlschranks herüber, um ihm die Ehre zu erweisen und auf ihm zu unterschreiben, aber der Lärmpegel der Pisces verhinderte eingehendere Gespräche.

Das machte mir nichts aus, denn es bedeutete, dass ich Mary weiter zärtlich anbrüllen durfte.

»Wie lange brauchst du also noch bis zu deinem Abschluss?«

»Jetzt nicht. Vielleicht später. Ich glaube nicht, dass man dazu tanzen kann, oder?«

Die weitere Entwicklung unserer Beziehung wurde kurz unterbrochen, als man mich bat, nach draußen zu kommen und einem Studenten der Kommunikationswissenschaften, der mit Aufzeichnungsgeräten behängt war, ein Interview zu geben. Als ich zehn Minuten später zurückkehrte, schauten die Kunststudentinnen ein bisschen betreten.

»Was ist los?«, fragte ich, aber wegen der Musik verstand mich keine.

Dann sah ich meine Jacke.

Es gibt sicher nicht viele soziale Gruppierungen, bei denen Textilfarbe zu der Liste von Dingen gehört, die man mitnimmt, wenn man abends ausgeht, aber Kunststudentinnen sind offenbar eine davon. Während meiner Abwesenheit hatten sie die Textilfarbe gut zu nutzen gewusst: Auf dem Rücken meiner Jeansjacke prangte eine Zeichnung des Kühlschranks, und darüber stand in großen roten Buchstaben:

Fridge Man

Die Mädchen beobachteten nervös, wie ich reagieren würde. Schließlich hatten sie ja allgemein anerkannte gesellschaftliche Verhaltensregeln verletzt. Ich war jedoch von ihrer Frechheit begeistert.

»Das ist ja fantastisch!«, erklärte ich, aber sie verstanden mich nicht. Egal, sie konnten an meinem strahlenden Lächeln erkennen, dass ich begeistert war.

Obwohl die Mädchen inzwischen ziemlich betrunken waren (der Träger Bier, den Eric uns gebracht hatte, war schon ziemlich dezimiert worden), hatten ihre künstlerischen Fähigkeiten offenbar in keiner Weise gelitten. Mir gefiel ihre Arbeit ausgesprochen gut. Außerdem wurde mir die tiefere Bedeutung ihrer Tat bewusst. Als ich in die Jacke schlüpfte und stolz vor ihnen stand, spürte ich, dass ich wirklich zum Fridge Man geworden war. Der Titel, den ich im Scherz einer einsamen Gestalt verliehen hatte, die ich vor vielen Jahren am Straßenrand gesehen hatte, gehörte jetzt mir. Ich war die Verkörperung meiner eigenen Obsession geworden.

Verständlicherweise brach die Band ihren Auftritt frühzeitig ab.

»Gute Nacht, Cork!«, schrie der Sänger und winkte triumphierend, was man nur bewundern konnte.

Das Publikum, oder Cork, brachte ein bemitleidenswertes Klatschen zustande, und der Manager schüttelte zu den Jungs gewandt kurz den Kopf, was »Spart euch die Zugabe« bedeutet haben muss.

Ich wurde davon ziemlich überrascht. Als ich über Lautsprecher auf die Bühne gebeten wurde, hatte ich gerade erst herausgefunden, dass Mary gar nicht die Cork School of Art besuchte, sondern die beste Freundin einer der Kunststudentinnen war.

»Meine Damen und Herren, bitte heißen Sie den Fridge Man willkommen!«

Ich kam mir wie eine drittklassige Kirmesattraktion vor, nur dass ich weniger zu bieten hatte. Ich erklomm unter den Pfiffen und Zurufen einiger Betrunkener die Bühne, was mich bedenklich an Ballyduff erinnerte. Ich durchsuchte schnell meine Taschen, um die Notizen für die Rede zu finden, die diesen Auftritt von jenem Fiasko unterscheiden würden.

»Guten Abend«, lautete meine bewährte Eröffnung. »Wie viele von Ihnen haben schon von mir und dem Kühlschrank gehört?«

Jubelschreie von den Kunststudentinnen und sonst kaum

jemandem. Oje. Während ich mich in eine Ecke verkrochen und meine Zeit Mary gewidmet hatte, hatte sich der Pub mit Leuten gefüllt, die darauf warteten, dass in einer halben Stunde der Nachtclub im hinteren Teil des Lokals aufmachte. Die Kühlschrank-Fans hatten sich offenbar verzogen und waren des Lokals sowie meines mangelnden Interesses an ihnen überdrüssig geworden.

Über eine stark hallende Lautsprecheranlage erklärte ich einem Publikum, dessen Konzentrationsfähigkeit bereits gleich null war, das Konzept des Kühlschrank-Reisens. Viele hatten sich schon abgewandt und begonnen, sich zu unterhalten. Die ganzen Vorbereitungen, die ich getroffen hatte, waren völlig sinnlos. Naiverweise war ich davon ausgegangen, dass ich es mit einem Publikum zu tun haben würde, das mir einigermaßen gewogen war. Der Zettel, den ich in der Hand hielt, war für mich genauso nützlich wie ein Taschentuch für einen Sky Diver, dessen Fallschirm sich nicht geöffnet hat. Trotz des guten Ratschlags von Baden Powell drohte ich komplett unterzugehen. Ich verwarf meinen Plan, eine leidenschaftliche Rede zu halten, in der ich dazu aufrufen wollte, die Kühlschränke freizulassen, und entschied mich für die wesentlich einfachere Alternative, einen zweitklassigen Wettbewerb abzuhalten. Mir blieb nur das oder eine unsanfte Landung auf dem Hintern – und Letztere würde mich in Marys Augen wohl weniger attraktiv wirken lassen.

»Okay, wir kommen jetzt zu unserem Wettbewerb, in dem Sie die Chance haben, einen zweiwöchigen Urlaub auf Barbados zu gewinnen!«, verkündete ich.

Jetzt hörten mir schon wesentlich mehr Leute zu.

»Wie Sie vielleicht wissen, haben wir Sie heute Morgen in der *Gerry Ryan Show* gebeten, irgendwas mitzubringen, das mit Ihrem Kühlschrank zu tun hat. Wer die beste Sache mitgebracht hat, gewinnt die Reise. Also, wer hat etwas aus seinem Kühlschrank dabei?«

Sofort tauchte eine Frau vor mir auf und überreichte mir einen Eiswürfel.

»Aha, hier ist die erste Teilnehmerin. Ehrlich gesagt riecht das Ganze nach dreistem Betrug, denn diese Dame hier hat einen Eiswürfel abgegeben. Ob sie ihn von zu Hause mitgebracht oder einfach aus ihrem Drink gefischt hat, ist strittig, aber davon abgesehen, ist sie die erste Teilnehmerin. Was haben Sie noch mitgebracht?«

Keine Reaktion.

»Okay, wir wollen das Netz ein bisschen weiter auswerfen. Ich akzeptiere alles aus der Welt des Haushalts«, rief ich und versuchte verzweifelt, meinen Aufenthalt auf der Bühne zu verlängern und ein wenig Glaubwürdigkeit zu retten. »Kommen Sie schon, Sie können doch nicht eine Dame einen zweiwöchigen Urlaub auf Barbados gewinnen lassen, bloß weil sie einen Eiswürfel aus ihrem Drink gefischt hat!«

Eine der Kunststudentinnen lief nach vorne und überreichte mir eine Schere. Allmählich machten mehr Leute mit. Es folgten ein Löffel und dann ein Maßband.

»Nur weiter so, reichen Sie mehr Sachen ein! Gleich werden wir abstimmen, und Sie, das Publikum, entscheidet, wer gewinnt.«

Als Nächstes kam eine Plastikgabel, dann ein Kamm und dann, was ich wirklich fabelhaft fand, die Zeichnung eines Toasters. Ich hätte nie und nimmer gedacht, dass das Niveau der eingereichten Gegenstände so hoch sein würde. Ich rief ein letztes Mal dazu auf mitzumachen. Es wurde noch einiges nach vorne gebracht, darunter ein ziemlich sperriges Ding: ein Korb aus einem Geschirrspüler, den vermutlich jemand aus der Küche geklaut hatte. Er erwies sich als sehr praktisch, um darin all die anderen eingereichten Gegenstände unterzubringen.

»Also, hier ist die endgültige Liste der Gegenstände, die im Wettbewerb um den Titel ›Haushaltsgerät des Jahres‹ auf der

Kühlschrank-Party 1997‹ eingereicht wurden. Bitte jubeln Sie zum Zeichen Ihrer Zustimmung, und das Ding, das am meisten Applaus erntet, gewinnt.« Ich räusperte mich. Ich hatte jetzt die Aufmerksamkeit des ganzen Lokals für mich.

Junge, Junge, war ich ein toller Showmaster! »Okay, wir fangen mit einer Schere an!«

Jubel von den Mädchen, die die Schere abgegeben hatten.

»Ein Eiswürfel!«

Jubel von der Clique, die den Eiswürfel abgegeben hatte. Ein Muster zeichnete sich ab. Jede Gruppe unterstützte nur das Ding, das sie selbst abgegeben hatte.

»… Ein Kamm! Eine kleine Plastikgabel! Eine Batterie! Ein Pinsel! Ein gezeichneter Toaster! …«

Hier wartete ich auf Jubel, denn das war mein Lieblingsbeitrag, aber leider wurde die Publikumsreaktion ihm nicht gerecht.

»… Ein Maßband! Ein Löffel! Ein Etui mit Nähzeug! Ein Feuerzeug! Und ein leeres Glas!«

Das leere Glas war ohne Zweifel der am wenigsten beeindruckende Beitrag, und trotzdem erhielt es den lautesten Jubel, weil es von der größten Gruppe eingereicht worden war.

»Das kann ich nicht glauben! Sie sind wirklich parteiisch. Wir können doch nicht den Preis an jemanden verleihen, der einfach ein leeres Glas abgegeben hat.«

»Du hast den Spülmaschinenkorb vergessen!«, schrie der Mann, der den Spülmaschinenkorb abgegeben hatte.

»O ja, das stimmt. Okay, wer findet, dass der Spülmaschinenkorb gewinnen soll?«

Lauter Jubel brach aus, und der Sieger stand fest. Ich lud ihn ein, nach oben auf die Bühne zu kommen, und wollte mir von ihm bestätigen lassen, dass er den Korb nicht einfach in der Küche des Pubs geklaut hatte.

»Nein, ich habe ihn von zu Hause mitgebracht«, versicherte er mir und dem Publikum.

»So, so. Sie haben also eine Industriespülmaschine zu Hause.«

»Genau.«

Allein für seine Bereitschaft, zu lügen, hatte er den nichtexistenten Preis verdient.

»Sind Sie sich sicher, dass Sie nicht lügen?«

»Ja, das bin ich.«

»Nun, in dem Fall haben Sie gerade zwei Wochen auf Barbados gewonnen.« Großer Jubel.

»Sie haben aber das Pech, dass *ich* lüge.« Noch größerer Jubel. Und auch ein paar Lacher. Ich hatte schon fast vergessen, was es für ein Gefühl war, für Lacher zu sorgen.

»Möchtest du tanzen?«, rief ich Mary vom Rand der Tanzfläche aus zu.

Wir befanden uns im Nachtclub des Westimers, der gestopft voll war. Alle Spuren einer Kühlschrank-Party waren von der Flut der Nachtschwärmer umfassend getilgt worden.

»Gerne«, antwortete Mary.

Ich glaube, ich habe schlucken müssen. Ich hatte nicht erwartet, dass sie ja sagen würde. Ich musste jetzt damit rechnen, dass ich ihr gefiel. Sie gefiel mir, so viel stand fest. Sie hatte sinnliche Lippen.

Wir tanzten, als ob wir ganz alleine wären, und eine Stunde später saßen wir nicht weit vom Pub entfernt auf einer Mauer beim Kanal und küssten uns genauso unbefangen. Wir waren völlig betrunken und hatten ganz vergessen, dass wir uns in der Öffentlichkeit befanden, und waren uns auch nicht der Gegenwart eines jungen Kerls bewusst, der hinter uns stand. Als ich ihn endlich entdeckte, kommentierte er nicht unsere widerlich leidenschaftlichen Küsse, die vermutlich so aussahen, als würde einer versuchen, etwas aus dem Mund des anderen zu essen. Er fragte nur: »Hast du einen Filzstift?«

»Was?«

»Hast du einen Filzstift? Ich will auf dem Kühlschrank unterschreiben.«

Ich hatte vergessen, dass wir Saiorse dabeihatten. Wie peinlich, sich vor einem Kühlschrank derart gehen zu lassen.

»Klar«, sagte ich und fummelte in meiner Tasche herum, bis ich einen Stift für ihn gefunden hatte.

»Danke«, sagte er, nachdem er unterschrieben hatte, und verschwand in der Nacht.

Mary lachte.

»Wurdest du schon mal für so was beim Küssen gestört?«

»O ja. Das passiert mir dauernd.«

Obwohl wir abstoßend, widerlich und peinlich betrunken waren, küssten wir uns mit großem Einfallsreichtum. Jedes Mal, wenn wir Luft schnappen mussten, fühlten wir uns genötigt, Dinge wie »Das war schön« oder »Das war toll« zu sagen, und wir meinten es wirklich ernst. Marys Küsse waren außerordentlich. Ich hatte gesehen, dass sie den Abend über Kette geraucht hatte, aber ihr Mund und ihr Atem wiesen keine Spur von schalem Zigarettengeschmack auf. Die »Sich bewegende Statue von Ballinspittle« konnte mir gestohlen bleiben. Das hier war in meinen Augen ein echtes Wunder.

»Ich fühle mich dir sehr nahe«, flüsterte ich und küsste sie sanft auf den Nacken.

»Ich mich dir auch«, antwortete sie und umarmte mich mit überraschender Intensität.

Dann fiel ich von der Mauer.

»Willst du mit in mein Hotel kommen?«, fragte ich gut gelaunt, nachdem wir festgestellt hatten, dass die Verletzungen nicht allzu schlimm waren.

»Ich glaube nicht, dass das eine gute Idee wäre, oder?«, lautete die betrübliche Antwort.

Warum tun Mädchen das? Sie sagen Sachen wie »Ich glaube nicht, dass das eine gute Idee wäre«, fügen dann aber noch ein »oder« an. Als würden sie von einem gerne eine Bestätigung hören. Als ob sie die von uns erhalten würden.

»*Ich glaube nicht, dass das eine gute Idee wäre, oder?*«

»*Aber natürlich, du hast völlig Recht. Es ist vermutlich die schlechteste Idee, die ich je gehabt habe, und ich habe schon welche gehabt, die waren wirklich Scheiße. Dich einzuladen, mit in mein Hotel zu kommen, war eine idiotische Idee. Vergiss bitte, was ich gesagt habe!*«

Eigentlich wusste ich ja, dass es keine so gute Idee war. Wir verloren besser jeder in seinem eigenen Zimmer das Bewusstsein.

»Ich rufe dir ein Taxi.«

Wir küssten uns wieder. Sie zu küssen machte wirklich schrecklich viel Spaß.

»Komm mit!«, sagte ich, als wir uns voneinander trennten.

»Was? Ich dachte, du holst mir ein Taxi.«

»Nicht ›Komm jetzt mit‹, sondern ›Komm morgen mit‹. Komm mit mir nach Dublin! Wir könnten meine Reise zusammen beenden.«

Mary sah mich an, als hätte sie den ganzen Abend über nichts getrunken. Ein Schock kann sehr ernüchternd wirken.

»Komm schon!«, fuhr ich tapfer fort. »Nur du und ich … naja, und ein Kühlschrank.«

Romantischer hätte es nicht sein können. Bemerkenswerterweise machte sie allmählich den Eindruck, als gefalle ihr die Vorstellung. Ich setzte nach.

»Mary, tu es! Riskier was in deinem Leben! Komm mit! Ich habe ein gutes Gefühl dabei. Wir sind uns so nahe.«

»Ich kann nicht. Ich muss morgen arbeiten.«

»Oh, was machst du eigentlich?«

Nun, vielleicht waren wir uns doch nicht so nahe, wie ich gedacht hatte.

22

In der Hundehütte

Ich fühlte mich zerschlagen und wie ein Kriegsversehrter, als ich zurück zum Westimers ging, um mich zu verabschieden. Ich verstand nicht, warum einer meiner Ellenbogen schmerzte, aber als ich den Ärmel zurückschob, entdeckte ich, dass er aufgeschürft war, und erinnerte mich daran, auf welch heroische Art und Weise ich mir diese Verletzung zugezogen hatte. Genau wie Sir Ranulph Fiennes, der von seiner Expedition zum Südpol mit so schlimmen Erfrierungen zurückkehrte, dass nur drei seiner Zehen der Amputation entgingen, hatte auch ich den Preis für meine heldenhaften Erkundungen zahlen müssen. Ich untersuchte meine Wunden und entschied, dass sie zwar schlimm waren, eine Amputation aber zumindest vor meiner Rückkehr nach England nicht erforderlich sein würde. Ich rollte den Ärmel wieder runter und beschloss, den Tag anzugehen, ohne weiter an meine Wunden zu denken. Ich durfte mich nicht beschweren. Ich hatte die Gefahren, die sowohl das Sitzen auf Mauern als auch das Küssen mit sich bringen, gekannt und hatte es riskiert, beides zugleich zu tun. Ich hatte Schmerzen, aber sie waren nicht schlimm genug, um mich am Weitermachen zu hindern. Verflucht, man gewöhnt sich an sie, wenn man ein Teufelskerl ist.

Ein Typ in einem Auto, das gerade an mir vorbeigefahren war, lehnte sich aus dem Fenster und rief: »He, Fridge Man, wie geht's?«

Ich nahm an, dass er auf der Party am gestrigen Abend gewesen war, denn ich hatte den Kühlschrank im Hotel zurückgelassen und befand mich daher in meiner anonymen Phase. Aber als nur kurz darauf das Gleiche noch mal passierte, dämmerte es mir. Natürlich. »Fridge Man« stand jetzt in großen Lettern auf meinem Rücken.

Ich hatte den Vorteil aufgegeben, den ich Madonna und Michael Jackson gegenüber gehabt hatte.

»Hallo, Tony, wie geht's?«, fragte ein weiterer Fahrer, der sogar angehalten hatte.

Das kam mir seltsam vor. Woher wusste er meinen Namen? Es stand doch nicht auch noch Tony auf meinem Rücken, oder?

»Wie hat dir Cork gefallen?«, fragte er und stieg aus. Es war der Taxifahrer, der mich und die Hochzeitsgäste von Baltimore nach Cork gefahren hatte. Als er hörte, dass ich mich gleich wieder auf den Weg machen wollte, versprach er, in zehn Minuten zum Westimers zu kommen, um mich zur Landstraße zu bringen.

In Cork entwickelten sich die Dinge schnell.

»Wo willst du als Nächstes hin?«, fragte Alan, als er und der Rest der Mitarbeiter sich draußen vor dem Pub von mir verabschiedeten.

»So weit ich komme. Waterford wäre gut. Wexford wäre noch besser.«

Heute würde ich für einige Zeit zum letzten Mal trampen, denn ich hatte erfahren, dass am kommenden Wochenende in Irland ein großer Feiertag war, und Ferienverkehr nützte mir nichts. Ich würde es nicht wieder »Dunmanway« versuchen. Lieber wollte ich mich irgendwo verkriechen und das Feiertagswochenende so genießen wie der Rest der Bevölkerung auch und erst danach die letzte Etappe nach Dublin in Angriff nehmen.

Vom Taxi aus rief ich Mary in der Arbeit an, um mich zu

verabschieden. Es war seltsam. Innerhalb weniger Stunden hatte sie sich von einer Seelenverwandten in jemanden, der mir ziemlich fremd war, zurückverwandelt. Dieses Gefühl verstärkte sich noch, als das Mädchen in der Telefonzentrale fragte »Mary wie?«, und ich die Antwort nicht wusste.

»Nun, was macht sie?«

»Ich weiß nicht.«

»Wir haben hier drei Marys.«

»Oje. Ich habe nur eine Telefonnummer auf einem Zettel.«

»Wir haben eine Mary in der Buchhaltung, eine in der Verwaltung und ein ziemlich neues Mädchen, ich bin mir nicht sicher, was sie macht ... aber sie ist nach Hause gegangen, weil sie sich nicht gut fühlte.«

»Das ist sie, ganz bestimmt.«

»Warten Sie, ich schaue, ob ich sie erreichen kann.«

Bevor ich sie darauf hinweisen konnte, wie wenig Sinn diese Aktion machte, wurde die Leitung von schrecklich schriller Synthesizer-Musik unterbrochen, von der irgendwer irgendwo annahm, dass sie auf die Leute, die am Telefon warten, entspannend wirkt. Bevor ich mich darüber richtig aufregen konnte, wurden die schrillen Töne von Miss Superschlaus Stimme unterbrochen.

»Ich fürchte, Mary ist heute nicht hier. Sie ist gerade nach Hause gegangen, weil sie sich nicht gut fühlte.«

»Ah, wirklich«, sagte ich und tat so, als wäre ich überrascht. »Macht nichts. Trotzdem vielen Dank. Und hey, das mit der Beförderung kann nicht mehr lange dauern.«

»Was?«

»Ach nichts.«

Ich würde nicht lange auf meine erste Mitfahrgelegenheit warten müssen. Fast jeder in Cork dürfte gewusst haben, dass der Idiot mit dem Kühlschrank in der Stadt war. Ich war im Radio aufgetreten, hatte Werbung für die erste (und vermutlich auch letzte) Kühlschrank-Party der Welt gemacht, und mein Foto prangte auf der Titelseite des *Evening Echos*.

»Oh, ich habe Ihren Kühlschrank sofort erkannt«, sagte dann auch Liam, ein Polizist, der gerade vom Dienst kam, und mein erster Fahrer an diesem Tag.

Er nahm mich nach Middleton mit, das ungefähr zwanzig Minuten entfernt lag, unterschrieb dort auf dem Kühlschrank und posierte für ein Foto, auf dem er so tat, als wolle er mich festnehmen, weil die Reifen meines Kühlschrank-Wägelchens kein Profil mehr hatten. Er hatte Sinn für Humor.

In Middleton bekam ich ein paar Probleme. Der Streckenabschnitt, auf dem ich mich hier befand, war bei Trampern äußerst populär, und ich fand mich am Ende einer Schlange von drei Leuten wieder. Langsam aber sicher arbeitete ich mich in die Pole Position vor, und andere Tramper kamen, um die frei gewordenen Plätze zwei und drei zu belegen. Ich wurde ausgesprochen wütend, als diese beiden Nachrücker eher mitgenommen wurden als ich. Was ging hier vor? Ich wollte rufen: WISST IHR DENN NICHT, WER ICH BIN?

Ich nahm an, dass die Fahrer die Tramper gekannt hatten, denn ich konnte keinen Grund sehen, warum gegen die Regel »Wer zuerst kommst, mahlt zuerst« verstoßen wurde, es sei denn, die Leute wurden des Kühlschranks allmählich überdrüssig. Vielleicht war ich in den Medien zu präsent. Es dauerte über eine Stunde, bis ich eingeladen wurde, im Auto von Tomas, einem Fischer, weiterzufahren. Er war in Cork gewesen, um einen Chiropraktiker zu konsultieren.

»Ich bin jetzt über fünfzig, und da wird allmählich alles steif«, erklärte er. »Du bist ein junger Mann, du kennst das nicht, wenn einem alles wehtut.«

Das hing davon ab, von wie vielen Mauern man fiel.

»Was machst du hier in Irland?«, fragte er.

»Och, ich reise rum und schaue mir das Land an.«

Ich hätte mehr sagen können, aber es faszinierte mich, dass Tomas zugeschaut hatte, wie ich den Kühlschrank auf den Rücksitz stellte, aber nichts dazu gesagt hatte. Insgeheim hoffte ich, dass er nicht danach fragen würde.

Er verfügte über umfassende Kenntnisse, was die europäische Geschichte und Politik anging. Einen großen Teil der Fahrt brachten wir damit zu, die Verdienste Titos um die Einheit Jugoslawiens und die grausamen Ereignisse der jüngsten Vergangenheit zu diskutieren, in der sein Werk zunichte gemacht worden war. Tomas war ein intelligenter Mann mit einem regen Interesse an der Welt. Aber glücklicherweise interessierte es ihn nicht im Geringsten, warum sein Passagier sich dazu entschlossen hatte, Irland in Begleitung eines Kühlschranks zu bereisen. Als er mich gleich hinter Dungarven absetzte und weiterfuhr, war das Thema nicht einmal angeschnitten worden, und ich stieß die Faust in die Luft.

»Jaa!«

Ich hatte gehofft, dass das mal passieren würde.

Fünf Minuten später wendete ein Streifenwagen und hielt neben mir an. Zwei Polizisten stiegen aus. Zum ersten Mal fragte ich mich, ob das, was ich tat, gegen irgendein altes irisches Gesetz verstieß. Vielleicht stand auf Trampen mit einem Haushaltsgerät eine Höchststrafe von fünf Jahren.

»Schau, auf seinem Rücken steht sogar ›Fridge Man‹«, sagte der eine zum anderen, als sie sich mir kichernd näherten.

Es war offensichtlich, dass ich nicht in Schwierigkeiten steckte.

»Wir haben Sie im Radio gehört und auch im Fernsehen gesehen. Tolles Wetter, was? Mein Gott, Sie haben ganz schön Farbe bekommen. Wir sind gerade vorbeigefahren, und da habe ich zu John gesagt: ›Herrgott, da ist der Mann mit dem Kühlschrank.‹«

Er schwatzte noch einige Zeit weiter. Während der nächsten zehn Minuten hatte ich Fragen zu meiner Reise zu beantworten und verpasste so zahllose Mitfahrgelegenheiten, weil die Autofahrer an etwas vorbeifuhren, was für sie ausgesehen haben muss, wie zwei Polizisten, die gerade einem Kühlschrank einen Strafzettel wegen zu schnellen Fahrens ausstellen.

»Haben Sie irgendwelche schlechten Erfahrungen gemacht?«

»Keine einzige.«

»Ach ja, wenn bei uns das Wetter mal gut ist, zeigen sich alle von der besten Seite.«

Und das Wetter war wirklich gut und ganz anders als der strömende Regen, den man normalerweise mit verlängerten Wochenenden assoziiert. Es war heiß. Richtig heiß. Fast so, als hätte jemand dort oben Irland mit Südfrankreich verwechselt. Es war herrlich.

»Können Sie mich vielleicht ein Stück mitnehmen?«, fragte ich die beiden unverfroren.

»Oje, das würden wir wirklich gerne, aber ich glaube nicht, dass wir das dürfen. Sie wären nicht versichert.«

»Nun, wie wäre es, wenn Sie mich festnehmen?«

»Also, das ist eine gute Idee. Wir könnten Sie festnehmen und dann wieder laufen lassen, weil keine Verdunklungsgefahr besteht.«

Es folgte eine Diskussion, in deren Verlauf wir zu entscheiden versuchten, welche Straftat ich verübt haben könnte. Mord wurde als zu schwerwiegend erachtet, Trunkenheit und ordnungswidriges Verhalten als nicht schwerwiegend genug, und Herumgammeln mit einem Kühlschrank war anscheinend kein Vergehen. Ich schlug vor, dass sie mich des Einbruchs beschuldigten. Eine spezielle Art von Einbruch, bei der der Täter einen Kühlschrank durch ein Schaufenster schleudert, ihn nett herrichtet, ein Preisschild befestigt und am nächsten Tag wiederkommt, um nachzuschauen, ob er verkauft worden ist.

Leider entschied einer der Polizisten schließlich, dass er zu kurz vor der Beförderung stehe, um so eine Scheinverhaftung zu riskieren. Außerdem waren sie sich nicht sicher, ob ihre Vorgesetzten das Ganze auch witzig finden würden.

»Ich könnte natürlich auch einfach einem von Ihnen ins Gesicht schlagen. Dann müssten Sie mich festnehmen«, sagte ich und rief damit hysterisches Gelächter hervor.

Ich wünschte, ich würde manchmal gefährlicher wirken.

Die beiden uniformierten Männer stiegen wieder in ihr Auto und riefen: »Na dann, gute Reise und viel Glück!«

Und nach diesen freundlichen Worten war meine Begegnung mit dem Gesetz auch schon beendet. Ich hatte noch nie zuvor solch eine entspannte Unterhaltung mit Polizisten geführt, und ich bezweifle, dass das noch mal passieren wird.

Es geschieht nicht oft, dass man sich als Tramper mit dem, der einen mitnimmt, so gut versteht, dass man mit zu ihm nach Hause fährt, um dort Tee zu trinken, und dann von ihm noch mal vierzig Kilometer weiter gefahren wird, damit man das Ziel erreicht, das man sich vorgenommen hatte, dann mit ihm was trinken geht, mit ihm weiter in einen Nachtclub zieht und schließlich im Haus seiner Eltern übernachtet.

So war es mit Tom. Er war gute dreißig, Single und hatte eindeutig etwas von einem charmanten Gauner an sich. Wir hatten sehr viel gemeinsam (bis auf das Gaunerhafte natürlich), zum Beispiel die Teilnahme an einem Junggesellen-Festival. Tom hatte seins gewonnen und war bei dem internationalen Festival in Ballybunion dabei gewesen.

»Was passiert dort eigentlich?«, fragte ich.

»Man trinkt zehn Tage lang. Wirklich.«

»Was? Nur ein Haufen Junggesellen?«

»Um Gottes willen, nein. Es gibt auch einen Haufen Mädchen.«

»Genau. Und die gehen dorthin, um sich einen Ehemann zu suchen.«

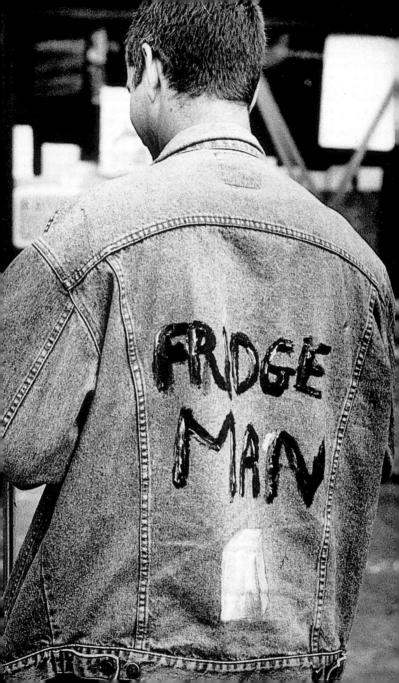

»Ich denke schon.«

»Und sie können bei der Befragung mit den Kandidaten so hart ins Gericht gehen, wie sie wollen?«

»Genau.«

Es war ein seltsames Konzept und irgendwie typisch irisch. Bei einem Festival mit dem ausdrücklichen Ziel, Junggesellen in Ehemänner zu verwandeln, lässt man diese an einem Ort antreten, wo sie zehn Tage lang von Bier und »Bräuten« umgeben sind. – Wohl kaum das geeignete Umfeld, um sie zu einem Sinneswandel und der Aufgabe ihres Junggesellendaseins zu bewegen. ›Mein Gott, ich ertrage dieses höllische Leben nicht mehr, ich muss mit all dem Schluss machen und endlich eine Familie gründen.‹

»Hat hinterher irgendeiner von den Junggesellen jemanden geheiratet, den er dort kennen gelernt hat?«, fragte ich.

»Nicht, dass ich wüsste.«

Wenn das keine Überraschung war …

Tom wohnte in Waterford, und dort tranken wir auch Tee. Seine Eltern lebten in Wexford, wo wir später übernachteten. Wir kamen dort erst um drei Uhr morgens an, nachdem wir die ganze Nacht in einem Pub namens Centenary Stores verbracht hatten, der genau wie das Westimers zufällig über einen Anbau mit einem Nachtclub verfügte. Als seine Eltern aufwachten und den Rucksack, den Kühlschrank sowie den Zettel, auf dem Tom sie über den Übernachtungsgast unterrichtete, fanden, haben sie sicher begonnen, sich wegen der Kreise, in denen sich ihr Sohn jetzt offenbar bewegte, Sorgen zu machen.

Tom steckte am nächsten Morgen in Schwierigkeiten, weil er eineinhalb Stunden verschlafen hatte und wir dadurch die Partie Golf verpassten, die wir mit Baxter und Jeff, zwei Freunden von Tom, ausgemacht hatten. Als wir auf dem Golfplatz ankamen, konnten wir uns glücklich schätzen, dass der streng aussehende Platzwart uns eine spätere Tee-Time zugestand, und spielten 18 Löcher ziemlich mieses Golf. Aber hey, es machte nichts, dass unser Golfspiel schlecht war. Ich hatte Urlaub. Urlaub vom Kühlschrank.

Als ich jedoch meine geliehenen Schläger in den Karren packte, erschien es mir absurd, dass ich fast einen Monat damit verbracht hatte, einen Kühlschrank hinter mir herzuziehen, nur um dann ausgerechnet ein Spiel, bei dem man seine Ausrüstung stundenlang auf einem Wägelchen herumfährt, als meine erste Freizeitbeschäftigung zu wählen.

Als das Spiel vorbei war, hatte Tom schon wieder Schwierigkeiten. Diesmal, weil er weder gestern Abend noch heute Morgen seine Freundin angerufen hatte. Wir diskutierten die verschiedenen Entschuldigungen, die er benützen könnte, um sich herauszuwinden. Die Wahrheit zu sagen, wie ich empfahl, war in Toms Augen einfach keine plausible Option.

»Na klar, ich sag einfach: ›Tut mir Leid, Liebling, ich hab vergessen, dich anzurufen, weil ich mich die ganze Zeit um diesen Tramper gekümmert habe, der mit einem Kühlschrank durchs Land reist.‹ Sie wird sich einfach zu ihrer Freundin umdrehen und sagen: ›Ah, Tom ist jetzt schon bei den richtig komplizierten Ausreden angelangt.‹«

Seine Freundin war in Galway, wo er jetzt hinfahren wollte, um den Rest des Wochenendes mit ihr zu verbringen. Er kam zu dem Schluss, dass Blumen die einzige Lösung waren. Vielleicht hatte er Recht. Lasst Blumen sprechen, denn in neun von zehn Fällen macht der Versuch, es mit Worten zu sagen, den Schlamassel nur noch größer. Es gibt kein »Tut mir Leid«, das groß genug wäre, um sich mit einem schönen, altmodischen Strauß zu messen, und die meisten Männer wissen das.

Bevor er losfuhr, kurvte Tom mit mir noch auf der Suche nach einer Übernachtungsmöglichkeit durch Wexford. Alles war ausgebucht. Offenbar war ein großer Teil der Bevölkerung Dublins für das lange Wochenende in diesen Teil der Welt gereist. Tom wusste allerdings eine Lösung.

»Du kannst bei Butch übernachten«, erklärte er.

»Wirklich?«

»Ja, er hat gerade eine Jugendherberge aufgemacht.«

Aargh. Allein dieses Wort. Jugendherberge.

»Ähh … es ist nur so, dass …«

»Sie ist wirklich cool. Viel netter als die meisten Jugendherbergen. Sie ist erst seit ein paar Monaten offen.«

Ich hatte keine Wahl, aber ich war enttäuscht. Ich hatte mir versprochen, nie mehr in meinem Leben in einer Jugendherberge zu übernachten. Das war erst vor zehn Tagen gewesen. Vor nur zehn Tagen. Ich schuldete mir einen riesigen Blumenstrauß.

Ich wurde von Butch und Karen empfangen, die jung waren und normal wirkten. Irgendwie hatte ich erwartet, dass alle, die mit Jugendherbergen zu tun haben, wie Statisten aus *Hair* aussehen. Sie fingen beide an zu kichern, als ich ihnen erklärte, was es mit dem Kühlschrank und mir auf sich hatte, beruhigten sich dann aber so weit, dass ich ihnen erklären konnte, warum ich dem Nächtigen in Jugendherbergen gegenüber so voreingenommen war.

»Ich kann einfach nicht schlafen, wenn noch ein Haufen anderer Leute im Zimmer ist.«

»Keine Sorge«, beruhigte mich Butch. »Ich steck dich in ein Zimmer, in dem nur noch ein anderer schläft. Er ist aus England, genau wie du.«

Das klang erträglich, obwohl mir vollkommen klar war, dass »aus England, genau wie du« keine Garantie gegen Schnarchen war.

Tom hatte allerdings Recht gehabt: Es war eine coole Jugendherberge. Bei einer Tasse Tee, die beruhigenderweise frei von Kräutern war, erzählte mir Butch, wie er und seine Freundin das heruntergekommene Haus gekauft und in eine Jugendherberge verwandelt hatten. Nichts wies darauf hin, dass es hier ähnlich streng und genügsam zuging wie in Letter-frack. Es schien eher eine Unterkunft für die weniger Abge-härteten zu sein, die Cola trinken, Fleisch essen und Sachen in die Mikrowelle schieben, um Zeit zu sparen.

»Sie ist allerdings nicht mehr da«, fügte Butch leicht weh-mütig hinzu.

»Wer?«

»Meine Freundin. Wir haben uns kurz vor der Eröffnung getrennt.«

»Oh. Aber wer ist dann Karen?«

»Ah, sie ist nicht meine Freundin«, sagte er lachend. »Sie ist aus Neuseeland. Sie hat hier ein paarmal übernachtet und dann gefragt, ob sie für mich arbeiten kann, um ein bisschen Geld zusammenzubekommen. Sie ist ziemlich fleißig.«

Karen kam im selben Augenblick mit Besen und Kehr-schaufel herein, als wollte sie Butchs Behauptung belegen, setzte sich dann aber und trank mit uns Tee und stellte ihren angeblichen Fleiß damit wieder in Frage.

Das Gespräch kam unvermeidlich auf das Reisen mit einem Kühlschrank, und ich stellte fest, dass ich inzwischen beinahe jede Frage auswendig beantworten konnte. Ich schaffte es, das Thema zu wechseln, indem ich Karen mit Fragen über ihre Reisen bombardierte, deren Beantwortung ihr genauso ver-traut sein musste.

»Meinen die Leute, dass du Australierin bist?«, fragte ich.

»Ja, aber der Akzent ist anders, weißt du.«

»Ja. Sagt ihr nicht ›sex‹ statt ›six‹?«

»Scheint so. Die Australier versuchen immer, uns dazu zu bringen, es zu wagen, und stellen uns deshalb Fragen wie ›Wie viel ist acht minus zwei?‹ Aber wir wissen schon, worauf sie hinauswollen, und sagen immer: ›ein halbes Dutzend‹.«

Ich betrachtete sie und fand, dass sie auf ihre Weise ziem-lich attraktiv war. Ich begann mich zu fragen, wie wohl »ein halbes Dutzend« mit ihr wäre.

»Mir gefallen deine roten Shorts«, sagte Karen. »Sie sind cool.«

»Danke.«

Ich konnte das Kompliment leider nicht mit einer schmeichelhaften Bemerkung über das, was ich gerade an ihr bewundert hatte, erwidern. Das wäre unhöflich gewesen.

Ein ungefähr vierzigjähriger Mann, dem bereits die Haare ausgingen, kam herein und sprach ein vertrautes Thema an.

»Sie sind also der Kerl, der mit dem Kühlschrank herumreist?«

Das war Dave, mein Zimmergenosse. All die Fragen, die ich gerade erst beantwortet hatte, wurden mir jetzt noch mal gestellt, allerdings im Akzent von Yorkshire. Das war lästig, aber falls er nicht schnarchte, konnte ich ihm verzeihen.

Das Programm für diesen Abend war ziemlich einfach: mit Butch und Dave auf dem Sofa hocken, im gemütlichen kleinen Aufenthaltsraum der Jugendherberge das Fußballspiel England gegen Polen ansehen und dann zu ein bisschen erfrischendem und dringend nötigem Schlaf kommen, indem ich sehr früh ins Bett ging. Aber es kam anders.

Die Jugendherberge füllte sich.

Wexford, eine pulsierende, aber überschaubare Kleinstadt, war offenbar randvoll mit Ausflüglern aus Dublin. Sogar zwei Ehepaare mit Kindern hatten bei Butch absteigen müssen. Butch freute sich und verkündete, dass die Jugendherberge zum ersten Mal seit ihrer Eröffnung ausgebucht sei. Mir fiel es schwer, in seine Begeisterung mit einzustimmen. Es waren jetzt schon sechs Leute in meinem Zimmer anstatt nur mir und Dave, und einer von ihnen war mit Sicherheit ein Schnarcher.

Anstatt einen ruhigen Abend auf der Couch zu verbringen, ging ich mit Butch zu einem Grillfest und dann zu Fuß in die Stadt, wo ich in Wexfords vielen herrlichen Pubs fleißig trank. Ich landete schließlich im Junction, der Art von Nachtclub, bei der im Hinausgehen jeder schwört, seinen Fuß nie wieder über diese Schwelle zu setzen – bis es dann das nächste Mal so weit ist …

Als ich um halb zehn aufwachte, hatte ich die Mission erfolgreich hinter mich gebracht. Sechs Stunden ungestörter Schlaf. Okay, nicht Schlaf, sondern Bewusstlosigkeit. Das Zimmer stank, als hätten in ihm während der Nacht Experimente in biologischer Kriegsführung stattgefunden. Ich fand bald heraus, wieso.

»Es sind diese vier jungen Burschen aus Dublin. Seit sie hier angekommen sind, furzen sie nonstop«, erklärte Dave, als ich mich zu ihm, Karen und Butch gesellt hatte, die im kleinen Garten der Jugendherberge frühstückten.

»Und wann sind sie angekommen?«

»Um acht.«

»Verflucht, das ist beeindruckend.«

»Sie haben einen Höllenlärm veranstaltet, als sie hereingekommen sind«, fuhr Dave fort. »Ich bin überrascht, dass sie dich nicht geweckt haben.«

»Das hätten sie sicher, wenn ich mich nicht in einen ausreichend komatösen Zustand getrunken hätte. Aber das kann ich heute nicht noch mal machen. Mein Körper würde das einfach nicht aushalten.«

»Ich fürchte, dir wird nichts anderes übrig bleiben«, sagte Karen. »Ganz Wexford ist für die nächsten beiden Nächte ausgebucht, und das wird die Küste bis hoch nach Dublin das Gleiche sein.«

»Nun, ich werde dieses Zimmer nur noch betreten, um mein Zeug rauszuholen«, erklärte ich trotzig. »Dieses Zimmer stinkt schlimmer als jedes andere auf der ganzen Welt. Der Gedanke ist erschreckend, dass vier Ärsche genügen, um einen solchen Verwesungsgeruch zu produzieren.«

»Nur eines der vielen Wunder des menschlichen Körpers«, stellte Butch leichthin fest und zeigte in eine Ecke des Gartens. »Im Notfall kannst du ja in der Hundehütte übernachten.«

Alle lachten. Alle außer mir. Ich schaute zu ihr hinüber. Die Hundehütte. Die Hundehütte, ja? Ich stand auf und ging sie mir näher ansehen: Ein kleines Holzgebäude, das ungefähr eins achtzig lang und am First des Giebeldachs eins dreißig hoch war. Ich schaute hinein und entdeckte, dass sie voller Gerümpel war.

»Wo ist der Hund?«, fragte ich.

»Der ist mit der Freundin verschwunden, aber die Hundehütte ist geblieben. Sie ist so eine Art Andenken an unsere gescheiterte Beziehung.«

Andenken oder nicht, es war jedenfalls eine Oase. Unter den gegebenen Umständen eine sehr einladende Immobilie. Ich kniete mich hin und kroch auf allen vieren ein wenig hinein. Die Hütte war dunkel und roch muffig, aber verglichen mit meinem Zimmer, das im Augenblick von einem Quartett Furzer mit Beschlag belegt wurde, war sie ein Blumengarten.

»Tony, komm da raus, sie ist voller Ziegel und Bauscheiß«, rief Butch.

»Ja, aber das könnte ich alles rausräumen.«

»Red keinen Blödsinn. Es ist eine Hundehütte. Du willst doch nicht im Ernst da drinnen schlafen?«

»Doch. Sie hat alles. Ruhige Lage, Abgeschiedenheit und direkten Zugang zur Toilette.« Ich deutete auf den Garten.

Meine Ernsthaftigkeit stieß auf Unglauben. Butch, Karen und Dave begriffen nicht, was für mich ganz offensichtlich war: Diese Hundehütte war zum Schlafen wesentlich besser geeignet als mein gegenwärtiges Zimmer. Vor allem hatte sie den Vorteil, dass ich früh ins Bett gehen und dem Schlaf, der alle Wunden heilt, die Chance geben könnte, einige der physischen und psychischen Schäden der letzten drei Wochen zu beseitigen. Sonst würde ich vielleicht kollabieren.

»Ich wette, du schläfst nicht da drinnen«, erklärte Karen.

»Vorsicht«, warnte Dave sie. »Es ist gefährlich, mit ihm zu wetten. Ich meine, schau dir doch an, was er mit diesem Kühlschrank macht!«

»Er ist zu groß, um hineinzupassen. Er wird es nicht tun«, wiederholte Karen.

»Ich wette, dass ich es tue. Ich wette hundert Pfund.«

»Ich habe keine hundert Pfund.«

»Morgen wirst du sie haben«, warf ein äußerst amüsierter Butch ein.

»Also gut, 16 Pence. Ich wette mit dir um 16 Pence, dass ich heute in der Hundehütte schlafe«, erklärte ich und hielt ihr die Hand hin, um alles zu besiegeln.

»Okay. 16 Pence also.«

Karen nahm meine Hand und schüttelte sie. Es war ein langer Händedruck, der gar nicht mehr aufzuhören schien. Karen unternahm keinen Versuch, meine Hand loszulassen, aus irgendeinem Grund aber war ich der Meinung, dass es an ihr läge, diese formale Geste zu beenden. Während des Händeschüttelns sahen wir einander in die Augen – ein Moment, der in seiner Intimität beinahe peinlich war. Aus den Augenwinkeln heraus bemerkte ich, dass Butch und Dave unruhig auf ihren Stühlen hin und her rutschten. Ich schluckte. Ich muss lernen, so was in Zukunft zu unterlassen. Ich glaube nicht, dass es besonders cool ist.

Schließlich beendete ich das Händeschütteln. Die Sache mit den Augen hatte mich verunsichert. Irgendeine Form von unterschwelliger Kommunikation hatte stattgefunden. Die Bedeutung der Botschaft schien zwar ziemlich eindeutig zu sein, aber es hatte sich in der Vergangenheit erwiesen, dass ich diese Sprache nicht fehlerfrei beherrsche. Karen, so vermutete ich, sprach sie fließend. Die meisten Mädchen tun das. Wir Jungs sprechen sie nicht, sondern verstehen bloß eine Hand voll Schlüsselworte. Unsere Aufgabe ist es, die Übersetzung einigermaßen hinzukriegen. Häufig versagen wir darin aber auf ziemlich eindrucksvolle Weise.

Es dauerte eineinhalb Stunden, um den »Bauscheiß«, wie Butch es so gewandt formuliert hatte, auszuräumen. Als ich fertig war, sah ich mich in meinem neuen Schlafquartier um. Spartanisch, ja, vielleicht ein bisschen karg, aber immerhin trocken, und es sah nicht so aus, als würde sich das herrliche Wetter ändern, weshalb es keine Rolle spielte, dass das Dach wenig Vertrauen erweckend wirkte. Alles in allem war es eine Unterkunft, wie sie einem König von Tory gebührte.

Den größten Teil des Sonntags verbrachten wir so, wie es sich gehört: Wir saßen herum und faulenzten.

»Dave, Karen und Butch, wollt ihr noch eine Tasse Tee?«, fragte ich. Es klang, als hätte ich es mit einer Folkband aus den Sechzigerjahren zu tun.

Sie sagten natürlich ja. Die drei, Dave, Karen und Butch, tranken gerne Tee. Dave wohnte wie Karen in der Jugendherberge, bis das Boot, mit dem er Touristen zum Fischen mitzunehmen plante, repariert war. Er war ein netter Kerl, hatte aber den Nachteil, dass er ein wenig zu gern über Boote plauderte.

Am ödesten aber war er, wenn er sich eine Zigarette drehte, eine Tätigkeit, der auch Karen nachging. Aus irgendeinem Grund werden Leute, die anfangen, sich eine Zigarette zu drehen, immer erschütternd langweilig. Es ist beinahe so, als würde sich beim komplizierten Akt des Zigarettendrehens das Hirn irgendwie in diesen einklinken, was zu langsamen und gewundenen Sätzen führt. Weil sie sich ganz auf ihre Aufgabe konzentrieren, haben die »Dreher« keinen Blickkontakt mit den Opfern ihres Gewäschs und bemerken deshalb gar nicht, wie wenig ihre Zuhörer gefesselt sind. Es gab einen Moment, als Dave und Karen sich gleichzeitig Zigaretten drehten, was schauderhafte Folgen hatte.

»Weißt du, der moderne Schiffsdiesel«, erzählte Dave mit monotoner Stimme, »ist eine erstaunlich haltbare Maschine. Sein größtes Problem ist, dass er verglichen mit den Maschinen, die im Grunde nur Abwandlungen desselben Typs sind und an Land oft Tausende von Stunden in Taxis, Bussen und so was Dienst tun, zu wenig benutzt wird.«

»Das stimmt, Dave. Mein Vater hatte ein Boot mit einem Diesel-Hilfsmotor, das nur an Wochenenden benutzt wurde«, antwortete Karen, die sich über die heiligen Rizlas beugte. »Und er hat immer gesagt, dass Dieselmotoren an Vernachlässigung und nicht an Überbeanspruchung eingehen.«

Das simultane Drehen der zehnten Zigarette, das bald darauf erfolgte, war für mich der Anlass, etwas mit meinem Tag anzufangen. Ich lieh mir Butchs Fahrrad und fuhr nach Curracloe, an einen zehn Kilometer langen Sandstrand gleich im Norden der Stadt, wo ich zum ersten Mal eines irischen Verkehrsstaus ansichtig wurde, da Horden von Urlaubern Straßen verstopften, die für ein oder zwei Traktoren ausgelegt waren und nicht für so eine Invasion.

Ich bin mir sicher, dass der Strand von Curracloe an jedem anderen Wochenende des Jahres umwerfend ist, aber an diesem hatten ihn die Touristen mit Beschlag belegt, und sie taten ihr Bestes, um seine Schönheit vergessen zu machen. Ghettoblaster, Müll, Eisverkäufer, schreiende Kinder und knutschende Paare waren über Strand und Dünen verstreut. Die meisten Leute hatten einen Sonnenbrand. Die Iren sind gut im Singen, Reden und Trinken, aber was das Sonnen angeht, sind sie entsetzliche Versager. Ich zuckte vor Schmerz zusammen, als ich sah, wie sie mit abstoßend nackten Leibern in der heißen Sonne herummarschierten. Schultern, Schenkel und Glatzen waren schon hellrot und veranlassten ähnlich verfärbte Verwandte zu der Bemerkung: »Ich glaube, du hast ein bisschen übertrieben.« Und das war eine vornehme Untertreibung.

Am Abend ging ich mit Karen in den Pub. Es war wie ein Rendezvous. Ich hatte speziell sie eingeladen und nicht auch noch Dave, der neben uns gesessen und eine enttäuschende Fernsehsendung angesehen hatte. Es gab zwei Gründe dafür, dass ich ihn ausschloss: Der eine war, dass ich einen Abend verbringen wollte, ohne mir Ausführungen über die Haltbarkeit von Aluminium anhören zu müssen, und der andere war, na ja – der andere hatte vermutlich mit dieser »anderen Sache« zu tun. Das war idiotisch, und ich wusste es, schließlich hatte ich während der letzten drei Tage nur ein paar Stunden geschlafen, aber daraus folgte eben zwangsläufig auch, dass ich zu müde war, um eine vernünftige Entscheidung zu treffen.

Als wir zur Jugendherberge zurückkehrten, hatte ich einen sagenhaft guten Einfall. »Möchtest du auf einen Kaffee mit zu mir kommen?«

Karen lachte.

»Willst du wirklich da drinnen schlafen?«

»16 Pence sind 16 Pence. Ich wäre dumm, wenn ich es nicht täte. Warum kommst du nicht auf einen Gutenachttrunk mit?«

»Na gut«, sagte sie und kicherte.

Das war für mich etwas völlig Neues. Ich hatte noch nie ein Mädchen mit in eine Hundehütte genommen.

Wir machten uns in der Küche zwei Kaffees, trugen sie in den Garten und kletterten in meine Unterkunft.

»Hey, es ist erstaunlich gemütlich«, rief Karen.

Und das war es. Bevor wir zum Pub aufgebrochen waren, hatte ich die Hütte mit Kissen aus dem Wohnzimmer gefüllt und meinen teuren Schlafsack geöffnet und wie eine Bettdecke ausgebreitet. Ich war froh, dass ich ihn endlich mal benutzen konnte, auch wenn er nicht ganz die lebensrettende Rolle spielte, für die ich ihn vorgesehen hatte.

»Jetzt brauchst du nur noch ein paar Kerzen«, stellte Karen fest.

»Ja, die Beleuchtung lässt noch zu wünschen übrig.«

Es herrschte beinahe völlige Dunkelheit.

»Ich hole welche«, sagte sie eifrig.

Für jemanden, der 16 Pence auf dem Spiel stehen hatte, verhielt sie sich geradezu unverantwortlich.

Die Kerzen trugen erheblich zur Verwandlung der Hundehütte in ein Liebesnest bei. Der Rest lag an mir. Karen ließ deutlich erkennen, dass sie mir nicht ins Gesicht schlagen würde, sollte ich mich zu ihr beugen, um sie zu küssen. Ich beschloss, es zu probieren. Ich holte tief Luft und versuchte, mich herumzudrehen, damit ich ihr gegenübersaß, schlug dabei aber mit dem Kopf gegen den niedrigen Teil des Giebeldachs. Wie nicht anders zu erwarten, tat es ganz schön weh, aber ich entschied kurz entschlossen, es trotzdem mit dem Kuss zu versuchen. Dies wurde dadurch erschwert, dass Karen unkontrolliert zu lachen begonnen hatte. Ich hielt kurz vor ihrem Mund inne, erkannte plötzlich, wie komisch das alles war, und musste kichern. Der Moment der Leidenschaft war Gelächter gewichen. Ich hoffte, dass dies nicht bei all meinen weiteren intimen Begegnungen so sein würde.

Das Gelächter legte sich. Da waren wir, nur Zentimeter voneinander getrennt, direkt unter dem First des Dachs, wo wir genug Kopffreiheit hatten. Ein Kuss war jetzt unvermeidlich. Ich bewegte langsam meinen Mund auf den ihren zu. Sie schloss die Augen, ich schloss die meinen, und wir warteten darauf, dass meine leichte Vorwärtsbewegung uns irgendwann zusammenbringen würde. Bis eine Stimme von draußen uns innehalten ließ.

»Ich dachte, ich höre Stimmen hier draußen. Er tut es also wirklich, ja?«

Dave war da.

Er ließ sich auf den Fersen nieder und lugte herein, während ich hastig eine unverfängliche Position einnahm und dabei mit dem Kopf noch mal gegen den Balken schlug.

»Ich habe den Kessel aufgesetzt. Wollt ihr eine Tasse Tee?«
»Ja, okay«, sagte Karen.

›Ja, okay‹? Was meinte sie mit ›Ja, okay‹? Die Antwort konnte doch eindeutig nur ›Nein, Dave, lass uns allein, wir wollen keinen Tee, wir wollen uns küssen. Geh weg!‹ lauten.

»Und was ist mit dir, Tone?«, fügte er hinzu.

»Ja, okay.«

Man konnte bei ihm nur schwer nein sagen.

Dave war wenig sensibel für das, was um ihn herum vorging. Nach nur vierzig Minuten, während derer er sich in eine ohnehin schon überfüllte Hundehütte gequetscht und die Vorteile von Stahlrümpfen gegenüber Holzrümpfen gepriesen hatte, erkannte er, dass zwischen mir und Karen möglicherweise etwas geringfügig Interessanteres vorging, und fühlte sich zu einer Bemerkung veranlasst, die ich gerne ein wenig früher gehört hätte.

»Ich bin gleich weg, dann könnt ihr euch entspannen.«

Weder Karen noch ich protestierten. Es gab keine flehentlichen Bitten wie ›O nein, Dave, bleib doch noch eine Stunde oder so, wir würden gerne mehr darüber hören, wie stark verrottetes Holz zu einem gesprungenen Bilgenstringer führen kann.‹ Wir waren ohne jeden Zweifel dafür, dass er wegging.

Unser Schweigen hätte für Dave ein Hinweis darauf sein müssen, besser sofort zu verschwinden, aber er blieb und blieb. Er tat immer wieder so, als würde er gleich Leine ziehen, und neckte uns sogar gelegentlich mit der Ankündigung »So, jetzt geh ich«, aber das Problem war, dass er nicht genau wusste, was »jetzt« heißt. Eine halbe Stunde später war ich kurz davor zu sagen ›Dave, würdest du dich jetzt bitte verpissen‹, als er sich aus irgendeinem unerfindlichen Grund von selbst verpisste. Vielleicht wurde er müde, vielleicht hatte er endlich aufschlussreiche Zeichen dafür entdeckt, dass er nicht willkommen war – kleine Details wie die Tatsache, dass Karen und ich auf nichts von dem, was er sagte, antworteten.

Ich rückte näher an Karen heran und achtete diesmal darauf, mir nicht den Kopf anzustoßen.

»Ich dachte schon, er würde überhaupt nicht mehr gehen.«

»Ich auch.«

Dann küssten wir uns. Fast wie zur Feier der Tatsache, dass er endlich weg war.

Aber es mangelte an Leidenschaft. Die vergangene Stunde forderte ihren Tribut. Wir küssten uns aber weiter – zuerst nur, weil wir nichts anderes zu tun hatten –, und im Lauf der Zeit kehrte die Leidenschaft zurück. Unsere Hände begannen mit ersten Erkundungen. Vorsichtige Vorstöße unter die Kleidung wurden unternommen, und bald war klar, dass man die Vorsicht wie auch die Kleidung bald würde ablegen können.

Wir wurden hitziger.

Bis uns eine Stimme von draußen wieder abkühlte.

»Seid ihr Typen wirklich da drinnen?«

Butch war eingetroffen.

»Dave hat gesagt, ihr wärt da drinnen.«

Danke, Dave.

»Macht Platz, ich komme rein!«, rief er.

Ich hoffte, die Nachbarn bekamen das alles nicht mit.

Butch war beeindruckend betrunken. Er hielt vor seinem zurückhaltenden Publikum eine verbitterte Tirade, deren Hauptthema der gegenwärtige unbefriedigende Zustand seines Liebeslebens war. Sie war sehr lustig, und sogar unter den gegebenen Umständen brachte er uns beide zum Lachen. Aber egal, ob witzig oder nicht, wir wollten immer noch, dass er ging. Er schien sich überhaupt nicht bewusst zu sein, dass seine Klagen über unbefriedigende sexuelle Beziehungen den Beginn einer neuen, hoffentlich befriedigenden verhinderte.

»Oscar Wilde hat das gut formuliert«, schimpfte er. »›Was ist Liebe? Zwei Narren, die einander missverstehen.‹«

Ich dachte: ›Genau, und würdest du jetzt bitte Leine ziehen

und uns beiden die Chance geben, einander misszuverstehen? Seit eineinhalb Stunden wünschen wir uns nichts sehnlicher. Es ist eigentlich so, dass das Einzige, was wir bisher überhaupt in Bezug auf den anderen verstehen, dieses verzweifelte Verlangen nach ein bisschen Missverständnis ist. *Verstanden?*‹

Endlich ging er, aber erst rollte er noch den Kühlschrank heran und sagte: »Ich hab den Kühlschrank hergebracht, damit er ein Auge auf euch hat.«

Jaja. Sehr witzig. Jetzt GEH!

Es gibt einen Grund, warum die Leute nicht öfter in Hundehütten miteinander schlafen. Nicht einmal Hunde tun es. Lieber nehmen sie die Schmach auf sich, es draußen im Freien zu machen, wo ihnen die Leute zusehen können. Man muss es Karen und mir daher hoch anrechnen, dass wir es trotzdem versucht haben, und ich glaube, dass wir uns unter den gegebenen Umständen ganz wacker geschlagen haben. Eines der Hauptprobleme war, dass die Hundehütte für meine Größe zu kurz war und die Füße deshalb zur Tür herausschauten. Da diese Nacht sternklar und kühl war, bedeutete das, dass ich während der ganzen Aktion kalte Füße hatte, und das auch im übertragenen Sinn. Weil die Füße nach draußen ragten, musste die Hundehütte offen bleiben, und dadurch konnte kalte Luft über Gegenden meines Körpers streichen, die ich normalerweise sorgfältig vor Zug schütze. Die fehlende Kopffreiheit erwies sich gelegentlich auch als problematisch, und wenn einer von uns die Konzentration verlor und für einen Augenblick vergaß, wo wir waren (schwierig, aber hey, es kommt durchaus mal vor), dann wurden wir nur allzu schnell durch einen Schlag auf den Kopf an unsere unmittelbare Umgebung erinnert.

Alles in allem ließen die künstlichen Hindernisse, die wir zu überwinden hatten, den ganzen Akt wie eine Disziplin aus *Spiel ohne Grenzen* wirken. Wir waren die Vertreter von Banbury und hatten unser Bestes gegeben, aber es würde vermutlich nicht reichen, um Kettering zu schlagen und sich für das Turnier auf Europa-Ebene zu qualifizieren.

Ich erwachte am nächsten Morgen und schaute hinaus. Dort stand der Kühlschrank und erwiderte meinen Blick. Er war eifersüchtig, kein Zweifel, aber das war nur verständlich. Schließlich war er noch nie eingesteckt worden, ich dagegen schon.

Und ich hatte mir einen Splitter eingezogen, der das bewies.

23

Triumph

Heute war Montag und ein Feiertag. An einem Sonntag wäre ich vielleicht zur Beichte gegangen. Schließlich hatte ich jetzt etwas zu beichten, gepriesen sei der Herr!

»Vater, vergib mir, aber letzte Nacht habe ich in einer Hundehütte mit einem Mädchen geschlafen, und zwar direkt vor den Augen eines Kühlschranks.«

Ich frage mich, wie viele Ave Marias man für so was aufgebrummt kriegt. Es stand vermutlich nicht auf der Sünde-Buße-Tabelle, an der Pfarrer sich orientieren.

Eigentlich müsste jede Beichte, die ich ablege, mit den Worten beginnen: »Vergib mir Vater, aber ich bin nicht einmal Katholik.«

Und das stand ganz bestimmt nicht auf der Sünden-Buß-Tabelle.

Nach dem Stimmungshoch, in das mich eine kleine Zeremonie versetzte, der Butch und Dave beiwohnten und in deren Verlauf Karen ihre 16 Pence rausrückte, die wir dann mit Klebeband am Kühlschrank befestigten, begann ich, mich außergewöhnlich müde zu fühlen. Meine zur Neige gehenden Energiereserven mussten durch Kalorien aufgefüllt werden, die mir nur ein handfestes Frühstück zuführen konnte, und daher ging ich hinunter zu einem Café am Pier, das mir Butch empfohlen hatte. Als ich das Rührei verschlang, dämmerte es mir, dass meine Reise beinahe vorbei war und Dublin nur ein paar Stunden Fahrt entfernt lag. Ich empfand sowohl Trauer als auch Erleichterung, aber beides wurde schließlich von Sorge überschattet. Vielleicht würde ich am nächsten Tag eine riesige Enttäuschung erleben.

Bisher hatte mir meine Taktik »mal sehen, was passiert« gute Dienste erweisen, aber jetzt war eindeutig vorausschauende Planung vonnöten. Ich war der festen Überzeugung, dass das Finale einer Reise von solch epischem Ausmaß irgendeine Art von zeremonieller Gedenkfeier brauchte, und als ich mit dem Frühstück fertig war, wusste ich, was getan werden musste.

Ich bestellte eine zweite Kanne Tee, rief das Büro der *Gerry Ryan Show* an und legte ihnen meine Idee dar. Sie waren begeistert.

»Wir rufen dich in zehn Minuten zurück, Tony«, sagte Willy, einer der Produzenten der Sendung. »Das ist es wert, dass wir unsere Feiertags-Sondersendung unterbrechen. Wir überlegen uns, wie du es am besten anstellst, und dann kannst du dich mit Gerry über alles unterhalten, während ihr auf Sendung seid. Wir werden dich morgen früh gleich als Ersten dran nehmen, um die Sache richtig ins Rollen zu bringen.«

Das war genau die Reaktion, die ich erhofft hatte.

Gerry geriet wie immer ins Schwärmen.

»Ich habe Tony Hawks, den Fridge Man, am Apparat, der auf seiner Reise rund um unsere grüne Insel den Weg in die Herzen des irischen Volks gefunden hat und dem die Art von Gastfreundschaft zuteil geworden ist, die normalerweise Volkshelden vorbehalten bleibt. Und er hat auf seinem Weg auch das eine oder andere Herz gebrochen. Wie geht es dir heute Morgen, Tony?«

»Oh, mir geht's gut, Gerry.«

»Ich glaube, du stehst kurz davor, deine fantastische Reise zu beenden. Bravo. Herzlichen Glückwunsch. Wie planst du, diese Reise zum Abschluss zu bringen?«

»Nun, ich möchte mit meinem Kühlschrank in Dublin einziehen, und ich möchte, dass die Leute sich mir anschließen.«

»Gute Idee. Eine Art von Triumphzug.«

»Genau.«

»Nun, du weißt, dass Caesar seine Legionen nie nach Rom gebracht hat, aber ich glaube, wir können an dieser Stelle eine Ausnahme machen: Du darfst den Kühlschrank mit nach Dublin bringen.«

»Und ich dachte mir, dass es eine gute Idee wäre, wenn mich die Leute auf diesem Marsch mit einem Haushaltsgerät ihrer Wahl begleiten würden.«

»Eine noch bessere Idee. Ein paar Freunde für den Kühlschrank.«

»Genau, denn bei der ganzen Sache geht es nicht nur um Kühlschränke. Also, bringen Sie einen Teekessel, einen Toaster oder irgendwas anderes, denn alle Haushaltsgeräte müssen aus der Enge der Küchen befreit werden.«

»Ihr habt ihn gehört, Leute. Der Mann hat Recht: Stöpselt eure Küchen- oder Haushaltsgeräte aus und schließt euch morgen Tonys Marsch an, egal, ob mit einem Teekessel, einem Toaster, einem Bügeleisen – oder vielleicht sogar einem Herd, einer Kühl-Gefrierkombination oder einer Mikrowelle!«

Eine Mikrowelle! Ich hätte mit einer Mikrowelle reisen sollen. Da wäre ich dreimal so schnell gewesen.

»Also Tony, jetzt hör mal gut zu«, fuhr Gerry fort, »denn ich werde jetzt die genaue Route für diesen Marsch festlegen. Wir möchten, dass die Leute dich mit einem Küchengerät ihrer Wahl um elf an der Conolly Station empfangen. Nachdem sie sich dort mit Mixern, Rührlöffeln und Sonstigem versammelt haben, werden alle zusammen in einer triumphalen Prozession die Talbot Street und die Henry Street entlangziehen und schließlich das ILAC Centre in der May Street erreichen, wo dich eine fantastische Überraschung, die jede Vorstellung übersteigt, erwarten und den Abschluss deiner Reise bilden wird. Also kommt alle! Wir wollen Tonys Einzug in die Hauptstadt in einen spektakulären Disney-ähnlichen Triumphzug im römischen Stil verwandeln. Wir wollen, dass er in einem Streitwagen fährt, und wenn auch vielleicht nicht in einem echten, so doch wenigstens in einem imaginären. Tony, du ruhst dich jetzt besser aus. Wir sprechen uns dann morgen.«

Gut. Das war ein ganz schönes Ergebnis. Ein Anruf während des Frühstücks, und das ganze Land war zu meiner Unterstützung mobilisiert. Es würde mir schwer fallen, mich wieder an das Leben in London zu gewöhnen.

Der Plan gefiel mir ziemlich gut, und ich gönnte mir eine weitere Kanne Tee. Ich begann gerade, davon zu träumen, wie man mir entlang der vollgestopften Straßen Dublins zujubelte, als mich eine Stimme, die mir vage bekannt vorkam, in die Wirklichkeit zurückholte.

»Hey Tony, wie steht's?«

Es war Jim, einer von Toms Freunden, die ich am Freitagabend in der Stadt getroffen hatte. Ich erzählte ihm, wie es um mich stand und wie erschöpft ich inzwischen war.

»Warum übernachtest du nicht bei uns? Jennifer hat sicher nichts dagegen«, bot er großzügig an.

Es war ein Angebot, das ich nicht ausschlagen konnte, obwohl ich fürchtete, dass ich damit nicht überall auf Zustimmung stoßen würde.

Ich hätte mir keine Sorgen zu machen brauchen. Ich hatte mir selbst geschmeichelt, als ich dachte, es würde Karen auch nur im Geringsten kümmern, was ich anstellte.

»Mein Gott, ich würde nicht noch eine Nacht dort drin verbringen wollen«, sagte sie, nachdem ich ihr meine Absichten erläutert hatte. »Außerdem muss ich heute Nacht auch unbedingt schlafen.«

Ich kam zu dem Schluss, dass Karen ein cooles Mädchen war. Was nicht heißt, dass mein Stolz nicht ein wenig Schaden genommen hatte.

Es war Zeit, ihr das Geschenk zu überreichen.

»Hier, die sind für dich«, sagte ich mit einem Lächeln.

»Wow, fantastisch. Bist du dir sicher?«

Ich nickte.

»Vielen Dank, Tony, die gefallen mir wirklich.«

Sie waren zu groß für sie, aber die roten Shorts würden sie an mich erinnern.

An nächsten Morgen stand Jim, was sehr entgegenkommend von ihm war, früh auf und brachte mich schon um sieben zur Straße nach Dublin. Damit hatte ich vier Stunden für eine Strecke, für die man, wie mir versichert wurde, nur etwas mehr als zwei Stunden braucht.

»Du wirst überhaupt keine Probleme haben«, hatte Niall bei dem ruhigen Abendessen gesagt, das Jim und seine Frau Jennifer liebenswürdigerweise mir zu Ehren veranstaltet hatten. »Nach dem langen Wochenende werden haufenweise Autos nach Dublin zurückfahren.«

Es hatte alles ziemlich plausibel geklungen, aber die Erfahrung vor Ort lehrte mich etwas ganz anderes: nur wenige Autos und nicht das geringste Interesse an einem Tramper mit einem Kühlschrank.

Um acht war ich dank Cyril, einem weißhaarigen, aber fit aussehenden Mann von gut sechzig Jahren, ungefähr 15 Kilometer weit gekommen. Er sagte, er habe gedacht, der Kühlschrank sei eine »große, weiße Schachtel«, was eigentlich stimmte, denn im Grunde hatte ich ihn während des letzten Monats als nichts anderes benutzt. Ich hatte mich in keiner Weise bemüht, von seiner Fähigkeit, Dinge kühl zu halten, Gebrauch zu machen. Zu diesem Zeitpunkt war mir noch nicht klar, dass sich im Verlauf dieses Vormittags alles, was *mich* abkühlen könnte, als ausgesprochen nützlich erweisen sollte.

Ich hätte nicht mit Cyril mitfahren sollen. Offenbar hatte ich, was das Trampen betraf, während der letzten Wochen nichts gelernt, denn ich machte genau denselben Fehler, den ich auch am ersten Tag meiner Reise begangen hatte: Weil ich diese letzte Tagesetappe so schnell wie möglich angehen wollte, war ich bei jemandem eingestiegen, der nur ein paar Meilen weit fuhr, und hatte damit einen guten Platz zum Trampen aufgegeben, nur um mich ein paar Minuten später an einem extrem schlechten wiederzufinden.

Und ich versuchte eine weitere Premiere. Soweit ich weiß, ist noch nie jemand zu einer landesweit live ausgestrahlten Radiosendung per Anhalter gereist. Limousinen mit Chauffeur sind in solchen Fällen eher die Norm. In meiner Arroganz hatte ich angenommen, dass ich aufgrund des Rufs, der mir vorauseilte, keinerlei Schwierigkeiten haben würde, aber ich hatte nicht damit gerechnet, dass Cyril mich ausgerechnet hier absetzen würde, in einer Gegend, die für Tramper das Äquivalent einer kahlen Wüste war, über der die Geier kreisen.

Ich stand am Rand der R741 an der Abzweigung nach Castleellis. Die Abzweigung lag in der Mitte eines langen Stücks gerader Straße, auf dem die Autos viel zu schnell unterwegs waren, um für einen Tramper zu stoppen. Die, die langsam genug fuhren, um anzuhalten, ohne einen größeren Unfall zu verursachen, bogen ab und waren daher für mich nutzlos. Es war eine hoffnungslose Situation. Um neun Uhr war ich verzweifelt. Ich versuchte es mit Winken, aber dadurch wirkte ich wie ein verrückter Sträfling auf der Flucht, was meine Erfolgsaussichten weiter schmälerte. Meine wachsende Sorge wuchs zu leichter Panik an, als ich über mein Mobiltelefon einen Anruf von der *Gerry Ryan Show* erhielt und gebeten wurde, nach der nächsten Platte mit Gerry zu reden. Ich bereitete mich gerade auf das Interview vor, da verschwand das Signal und die Leitung wurde unterbrochen. Dieser Straßenabschnitt war nicht nur zum Trampen entsetzlich, der lag auch in einer Gegend, in der das Telefonsignal im Takt meines Atems kam und wieder verschwand.

Zum ersten Mal seit dreieinhalb Wochen war ich eindeutig beunruhigt. Ich musste um elf in Dublin sein, bewegte mich jedoch nirgendwohin, und die Aussicht, dass sich daran in nächster Zeit etwas ändern würde, war gering. Ich musste was Neues probieren.

Ich ließ Kühlschrank und Rucksack am Straßenrand stehen und begann, die schmale Straße nach Castleellis entlangzugehen. Ich hatte keine Vorstellung, was ich tun sollte. Das Einzige, was ich wusste, war, dass ich es mir nicht leisten konnte, einfach dort zu bleiben, wo ich war. Nach hundert Metern kam ich an einer Einfahrt vorbei und sah drei Männer, die damit kämpften, eine Stute und ein Fohlen in einen Anhänger zu verladen. Ich wartete, bis sie damit fertig waren.

»Entschuldigung bitte«, rief ich ihnen dann zu, »aber Sie wissen nicht zufällig, ob es hier in der Gegend eine Telefonzelle gibt, oder?«

»Nun, es gibt eine«, antwortete einer von ihnen, »aber die ist im Dorf, und bis dahin muss man ein ganzes Stück laufen.«

»Wissen Sie, ich soll ein Radiointerview geben und empfange auf meinem Mobiltelefon kein Signal.«

»Na ja, wir würden Sie ja mitnehmen, aber der Range Rover ist voller Werkzeug und hat kaum Platz für uns drei.«

Sie wirkten freundlich, aber die Umstände verlangten etwas Aufdringlichkeit. Also drängte ich mich auf.

»Ich könnte mich nicht zu den Pferden setzen, oder?«, fragte ich und versuchte verzweifelt, meine Verzweiflung zu verbergen. »Es ist ziemlich wichtig.«

Ich war ein verzweifelter Mensch.

»Na ja ... es ist so, dass das Fohlen nicht daran gewöhnt ist, in einem Anhänger zu fahren.«

»Vielleicht könnte ich es beruhigen. Sie wissen schon, seine Nerven mit ein paar freundlichen Worten besänftigen.«

Ich war ein sehr verzweifelter Mensch.

»Na ja ...«

»Ich verspreche Ihnen, dass ich Sie nicht verklagen werde, falls ich getreten werde oder so was.«

Ich war schon über die Verzweiflungsskala hinaus geschossen.

Die Zeit wurde knapp. Wenn ich jetzt nicht mitgenommen wurde und stattdessen in das Dorf laufen musste, würde ich Damon Hill als nächsten Fahrer brauchen. Das war zwar möglich, denn er hatte ein Haus in Irland, aber es schien mir trotzdem nicht sehr wahrscheinlich.

Der Größte der drei sah mich an, zuckte mit den Schultern und deutete auf den Anhänger.

»Na gut, dann steigen Sie ein.«

Jaaa! Junge, Junge, war ich dankbar.

»Oh, vielen, vielen Dank, Sie wissen gar nicht, wie sehr Sie mir helfen«, sagte ich und übertrieb es vielleicht mit der Dankbarkeit. »Ich fürchte, ich habe auch noch etwas Gepäck.«

»Das ist kein Problem.«

Sie hatten es noch nicht gesehen.

Ich ging zurück und wartete an der Abzweigung auf sie, und als der Range Rover vor mir anhielt, fiel der Blick des Fahrers auf den Kühlschrank. Es war gut zu sehen, wie seine Kinnlade nach unten klappte.

»Ich glaube es nicht, verflucht noch mal!«, rief er. »Ich habe diesem Typen die letzten zwei Wochen über zugehört.«

»Wie meinst du das?«, fragte der auf der Rückbank.

»Ich habe ihn erzählen gehört. Er ist mit seinem Kühlschrank um die ganze Insel gereist.«

»Mit seinem *was*?«, stieß der Beifahrer hervor.

»Mit seinem Kühlschrank. Seinem Kühlschrank – das ist der Typ mit dem Kühlschrank.«

Der Beifahrer lehnte sich aus dem Fenster.

»Herrje, du hast Recht. Er hat einen Scheißkühlschrank dabei!«

»Nie und nimmer!«, behauptete der auf der Rückbank, dessen Ausblick durch einen Haufen Sättel versperrt war.

»Hat er doch! Steig aus und schau selbst!«

Er stieg aus und schaute selbst.

»Scheiße, es ist ein Kühlschrank.«

»Sag ich doch.«

»Das ist der Typ aus dem Radio! Der Typ mit dem Kühlschrank!«

»Was meinst du mit diesem Scheiß, ›der Typ aus dem Radio‹?«

»Ich hab's dir doch gesagt, er ist rund um die Insel gereist. Ich glaube, es war wegen einer Wette.«

»Eine *Wette*? Ein *Kühlschrank*?«

Zum Glück hatte ich es nicht eilig.

Es dauerte weitere zehn Minuten, bis man ausreichend diskutiert hatte, wer ich war und was ich tat, und sich daran machen konnte weiterzufahren. Einer der Kerle wollte einfach nicht glauben, was ich getan hatte.

»Aber ein Scheißkühlschrank! Warum ein Scheißkühlschrank?«, wiederholte er immer wieder.

Es spielte keine Rolle, wie oft ich ihm erklärte, warum, er schüttelte trotzdem ungläubig den Kopf.

Ich kletterte hinten zu den Pferden und tat mein Bestes, um das Fohlen zu beruhigen. In Wirklichkeit war es um vieles ruhiger als ich.

Die Zeit verging.

Dies war eine der bizarrsten Reisen, die ich in meinem Leben unternommen habe. In weniger als zwei Stunden sollte im letzten Teil der *Gerry Ryan Show* meine Reise rund um Irland gefeiert werden. Doch ich, der Hauptdarsteller bei diesem Ereignis, saß hier zusammen mit einer Stute, einem Fohlen und einem Kühlschrank eingepfercht in einem Pferdeanhänger und wurde von drei hysterischen Pferdetrainern über die Nebenstraße des County Wexford geschleppt.

Ich ließ mich auf den mit Heu bestreuten Boden des Anhängers sinken und überdachte meine Situation. Genau betrachtet befand ich mich irgendwo in Südirland unterhalb eines Pferdehinterns. Aber meine gegenwärtige Lage hatte eine tiefere Bedeutung, und zumindest für jemanden, der so verwirrt war wie ich, taten sich Parallelen zu einem anderen Ereignis von historischer Bedeutung auf. Drei weise Männer. Ein Stall voll Heu. Der triumphale Einzug in die Hauptstadt eines Landes. War es nicht offensichtlich? Ich war der neue Messias!

Vielleicht war meine Reise gar nicht vorbei, sondern fing gerade erst an? Vielleicht läuteten die Erfahrungen, die ich gemacht hatte, und die Weisheit, die mir zuteil geworden war, die Ära der Kühlschrank-Philosophie ein. Meine Zukunft war vorherbestimmt. Ich musste die Nachricht vom Kühlschrank unter das Volk bringen. Ich musste die frohe Botschaft verkünden.

»Ich bin der Herr!«, rief ich aus. »Begreift ihr nicht, ihr Pferde? Ich bin der Herr!«

Bei diesen Worten hob die Stute den Schwanz und ließ feierlich drei große Klumpen hochwertigen Mists in meinen Schoß fallen. Der Zeitpunkt war so gut abgepasst, dass es sich bei dieser Tat um eine Reaktion auf meine lächerliche Behauptung handeln musste. Hätte ich sie einem Menschen gegenüber aufgestellt, hätte er mir vermutlich gesagt, ich sollte keinen Scheiß reden. Die Stute hatte nur der gleichen Ansicht einen konkreteren Ausdruck verliehen.

Abgesehen von dieser vulgären Reaktion des Pferds gab es noch einen Grund, an meiner Eignung zum Messias zu zweifeln. Dem neuen Testament zufolge hatte Jesus es tatsächlich geschafft, an seinem triumphalen Einzug teilzunehmen. Bei mir wirkte es immer wahrscheinlicher, dass ich mich auf Erzählungen aus zweiter und dritter Hand würde verlassen müssen, um zu erfahren, wie es bei meinem zugegangen war.

Die drei Weisen aus dem Morgenland setzten mich neben einer Telefonzelle in Ballycanew am Stadtrand von Jericho ab.

»Viel Glück«, sagte Des. »Wir haben gerade darüber geredet, dass wir das Fohlen noch nicht getauft haben, und wir haben beschlossen, es ›Fridgy‹ zu nennen.«

Fridgy – Kleiner Kühlschrank. Neues Leben in Gestalt eines Pferdes war nach dem Kühlschrank benannt worden. Ich war ziemlich gerührt. Der Kühlschrank war Teil der Familie geworden, als man ihn Saiorse Molloy getauft hatte, aber jetzt hatte er auf seine ganz eigene Art selbst eine Familie gegründet und ein Pferd adoptiert. Ich dankte meinen drei Freunden und versicherte ihnen, dass es für mich der glücklichste Moment meines Lebens sein würde, wenn ich in ein paar Jahren Zeuge sein dürfte, wie ein Pferd namens Fridgy das Grand National gewann.

»Wie läuft's, Tony?«, fragte Gerry gleich zu Beginn des Interviews.

»Bisher nicht so gut. Das Trampen heute Morgen war ein bisschen schwierig, und ich habe es erst bis nach Ballycanew geschafft.«

»Du meine Güte, wenn du dich nicht beeilst, wirst du zu spät kommen. Nun, falls irgendwer in einem Auto, Bus oder Lieferwagen in der Nähe von Ballycanew unterwegs ist, dann haltet bitte nach Tony und seinem Kühlschrank Ausschau und helft ihm auf seinem Weg nach Dublin, denn es handelt sich schließlich um eine Sache von nationaler Wichtigkeit. Wir müssen ihn bis um elf zur Conolly Station schaffen, damit ihr euch mit einem Haushaltsgerät euer Wahl seiner triumphalen Prozession zum ILAC Centre anschließen könnt. Tony, es werden selbstverständlich massenweise Leute mitmachen, aber hast du noch irgendwelche letzten Worte, um die, die noch unentschlossen sind, zu ermuntern, auch zu kommen und ihre Verbundenheit mit dir zu demonstrieren?«

»Nun, ich kann nur sagen, Gerry, manche Märsche sind *für* etwas und manche sind *gegen* etwas, aber es hat noch nie einen Marsch für *absolut nichts* gegeben. Das ist jetzt unsere Chance, das zu ändern. Schnappt euch euren Toaster oder euren Teekessel und entdeckt wie ich, was für ein großartiges Gefühl es ist, sich für etwas völlig Sinnloses einzusetzen. Indem wir etwas tun, das nicht den geringsten Zweck hat, entgehen wir der Gefahr des Scheiterns, denn je schlimmer die Sache ausgeht, desto größer ist in gewisser Weise unser Erfolg.«

»Ganz genau. Das hast du sehr schön gesagt, und es war auch überhaupt nicht verwirrend. Nun, liebes Volk von Irland, da hast du es, hier ist die Gelegenheit, sich einem Marsch anzuschließen, der die Sinnlosigkeit und Nichtigkeit von uns allen befreien wird.«

»Das stimmt. Natürlich benutzen wir das Wort ›Nichtigkeit‹ im positivsten Sinne.«

»Selbstverständlich. Also, Tony, viel Glück beim Rest deiner Reise! Wir freuen uns darauf, später wieder mit dir zu sprechen. Unsere beiden Starreporter Brenda Conohue und John Farrell werden uns detailliert davon Bericht erstatten, was während dieses Triumphmarschs und der anschließenden Feier im ILAC Centre passiert. Es wird ein ziemlich aufregendes Ereignis werden, vergesst deshalb nicht, mitzumachen, denn dies ist die Gelegenheit, dem eigenen Haushaltsgerät Bedeutung zu verleihen. Tony, ich wünsche dir noch einen schönen Vormittag!«

»Bis bald, Gerry.«

Als ich aus der Telefonzelle herauskam, hielt sofort ein Lastwagen neben mir an, und der Fahrer kurbelte das Fenster herunter.

»Ich habe Sie gerade im Radio gehört. Wenn Sie zwanzig Minuten warten, komme ich und bringe Sie nach Arklow.«

Und schon war er weg.

Ich hatte keinen Grund daran zu zweifeln, dass er nicht zurückkommen würde, aber ich konnte es mir nicht leisten, zwanzig Minuten zu warten. Sollte mich jemand vorher mitnehmen wollen, würde ich einsteigen.

Während ich am Straßenrand stand, versuchte ich mir Parolen auszudenken, die ich und meine Mitstreiter auf unserem stolzen Marsch durch Dublin rufen würden. Mir fielen einige ein, aber die liebste war mir die, die ich der Menge gleich nach meiner Ankunft in Dublin beibringen würde:

Tony: ›WAS WOLLEN WIR?‹

Mitstreiter: ›WISSEN WIR NICHT!‹

Tony: ›WANN WOLLEN WIR ES?‹

Mitstreiter: ›JETZT!‹

Das schien den richtigen Ton zu treffen.

Kevin und Elaine waren schneller als der Lastwagenfahrer. Sie hatten das Interview gehört und extra einen kleinen Umweg gemacht, und da sie auch nach Arklow wollten, sprang ich schnell in ihren kleinen Lieferwagen und machte mich mit ihnen auf den Weg nach Norden. Sie waren ein junges Paar, beide um die Zwanzig, und unter denen, die mich mitgenommen haben, vermutlich die jüngsten.

»Wenn ich anrufe und Bescheid sage, macht Elaines Mutter in Courtown Harbour für uns alle Frühstück«, sagte Kevin.

»Das wäre schön, aber ich bin wirklich spät dran.«

»Schade, sie macht echt gutes Frühstück.«

Gleich hinter Arklow stand ich wieder am Straßenrand. Ich schaute auf die Uhr und sah, dass es Viertel vor zehn war. Es war immer noch möglich, es bis zum verabredeten Zeitpunkt zu schaffen, aber wenn ich hier lange warten musste, würde die *Gerry Ryan Show* sich schnell was anderes für die letzte Stunde einfallen lassen müssen.

Ein rotes Auto hielt an, und ich rannte hin und beugte mich zum Fahrer.

»Wo fahren Sie hin?«, fragte ich.

»Dublin«, lautete die magische Antwort.

Peter war im Moment arbeitslos und auf dem Weg zu Freunden in Dublin. Er war bis vor kurzem Student gewesen und hatte sich an einen Lebensstil gewöhnt, der ausgesprochen entspannt und geruhsam war. Leider zeigte sich das auch an seinem Fahrstil. Was eigentlich eine wilde Jagd voll Hupen, Reifenquietschen und riskanten Manövern hätte sein sollen, war ein gemütlicher Sonntagnachmittagsausflug in die Stadt. Um diesen Eindruck zu verstärken, hätte es nur noch einer karierten Decke auf der Rückbank und einer Dose Bonbons bedurft.

Weil ich die meiste Zeit auf die Uhr schaute und rechnete, wie viele Kilometer es noch bis Dublin waren, wurde ich mir nicht des traurigen Aspekts dieser Fahrt bewusst. Peter war meine letzte Mitfahrgelegenheit. Das war's, das Trampen hatte ein Ende. Ich musste mich nicht mehr am Straßenrand aufbauen und mich der Gnade der Autofahrer dieses Landes ausliefern. Ich würde es vermissen.

Oder zumindest Teile davon.

»Ich könnte dich bei der Sydney Parade Dart Station absetzen. Meine Freunde wohnen dort in der Nähe. Das geht schneller, als wenn man sich durch den Innenstadtverkehr quält«, sagte Peter.

»Und du meinst, ich schaffe es bis um elf zur Connolly Street?«

»Oh, ich bin mir sicher, du wirst keine Probleme haben.«

Warum tun die Leute das? Sagen ›Ich bin mir sicher‹, wenn sie sich überhaupt nicht sicher sind. Immer wieder sagen die Leute ›Ich bin mir sicher, du wirst keine Probleme haben‹, um sich zum entsprechenden Thema nicht mehr äußern zu müssen.

Kurz nach halb elf kamen wir bei der Sydney Parade Station an. Die Bahnschranke war unten.

›Oh, ich bin mir sicher, du wirst keine Probleme haben.‹

»Das bedeutet, dass ein Zug kommt. Wenn du dich beeilst, kriegst du ihn vielleicht noch«, sagte Peter.

»Wann kommt der nächste, wenn ich ihn verpasse?«

»Sie kommen alle 15 Minuten.«

»Scheiße, dann verpasse ich ihn besser nicht. Bye.«

Ich stürzte los und fand kaum Zeit, Peter die Hand zu schütteln. Mein letzter Fahrer, und ich verabschiedete mich von ihm mit einer Nachlässigkeit, als wäre ich mit ihm verheiratet und auf dem täglichen Weg zum Bahnhof. Der arme Kerl wurde nicht einmal aufgefordert, auf dem Kühlschrank zu unterschreiben.

Ich beeilte mich, so gut ich konnte, aber Eile mit dieser Last war nicht einfach. Ich stürmte in den Bahnhof, ein Zug fuhr auf dem ›Richtung Dublin‹-Gleis ein, und ich wusste, das war der Zug, den ich unbedingt kriegen musste. Der in 15 Minuten war zu spät. Ich hatte keine Zeit, eine Fahrkarte zu kaufen, ich musste das Risiko eines Bußgelds in Kauf nehmen. Ich musste diesen Zug einfach kriegen! Ich rannte an dem Kartenschalter vorbei, der Kühlschrank klapperte und wackelte hinter mir her, da tauchten plötzlich – Schreck lass nach! – Drehkreuze vor mir auf. Ich hatte keine Chance, durch diese hindurchzukommen, über sie hinweg oder unter ihnen hindurch, und die Tür, die für die schwer Beladenen angebracht worden war, musste von dem Mann am Kartenschalter entriegelt werden.

»Hallo, könnten Sie bitte die Tür öffnen?«, rief ich ihm zu. »Bitte! Ich muss diesen Zug erwischen.«

Er blickte gelangweilt auf.

»Haben Sie eine Fahrkarte?«

»Nein, aber ich kauf eine, wenn ich aussteige, oder wann immer Sie wollen, nur öffnen Sie bitte die Tür!«

»Sie dürfen eigentlich nicht …«

»Ich bin der Fridge Man, und ich muss zur Conolly Station, weil ich in der Gerry Ryan Show auftreten soll.«

Ich bin mir nicht sicher, ob das alles für ihn irgendwelchen Sinn ergab oder ob ihn die Dringlichkeit, mit der ich diese Bitte vortrug, einfach erschreckte, jedenfalls drückte er auf den Knopf, und die Tür öffnete sich.

Ich schob mich hindurch und erreichte den Zug gerade, als die automatischen Türen zugingen. Ich quetschte eine Hand dazwischen, damit sie sich wieder öffneten – ein Trick, der bei der Londoner U-Bahn funktioniert. Aber hier war die Kraft, mit der sich die Türen schlossen, zu groß, und ich musste die Hand wieder herausziehen, sonst wäre sie vermutlich abgetrennt worden. Der Zug verließ den Bahnhof, und mit ihm verließ mich meine letzte Chance, rechtzeitig zu meinem triumphalen Einzug einzutreffen. Ich zog mein Telefon hervor und rief die *Gerry Ryan Show* an. Alle Leitungen waren belegt. Ohne Zweifel waren sie mit letzten Vorbereitungen für die äußerst aufregende Direktübertragung ihrer Reporter vor Ort beschäftigt.

Während sie dies taten, tigerte die Hauptperson dieser ganzen Veranstaltung unruhig auf dem Bahnsteig eines Vorortbahnhofs hin und her und hoffte, dadurch die Ankunft des nächsten Zugs irgendwie beschleunigen zu können. Entweder hatte Peter sich getäuscht, was das Intervall zwischen den Zügen anging, oder das Herumlaufen hatte tatsächlich gewirkt, denn schon sieben Minuten später rollte der nächste Zug in den Bahnhof.

Der Zug hielt an enttäuschend vielen Bahnhöfen. Sandymount. Los, Zug, es geht doch schneller, oder? Lansdowne Road. Wir bummelten dahin. An der Pearse Station bemerkte ich, dass die Passagiere mich anzustarren begannen. Ich konnte nicht begreifen, warum. Na gut, ich schwitzte, und ich hatte einen Kühlschrank auf einem Wägelchen bei mir, aber davon abgesehen war ich völlig normal. Tara Street. Tara Street klang wie der Star eines billigen Pornofilms. Eine Frau mit einem zweisitzigen Kinderwagen und Zwillingen stieg zu. Sie waren zu jung, um zu wissen, dass an mir etwas komisch war, aber sie sahen mich in einer Weise an, die vermuten ließ, dass sie es instinktiv ahnten. Kleine Miststücke.

Als wir den Liffey überquerten, wusste ich, dass wir fast da waren. An der Connolly Station half mir ein Wachmann mit dem Kühlschrank die Treppe runter, als wäre ich eine Mutter mit einem Kinderwagen.

In der Tradition eines Thrillers aus Hollywood erschien ich um 10 Uhr 59 am Treffpunkt vor dem Bahnhof. Jeden Augenblick würde mir die Menge zujubeln, die außer sich war, weil ich sie nicht im Stich gelassen hatte.

Ich ging durch den Hauptausgang hinaus und trat vor die große Treppe. Dort erblickte ich – Moment mal, das konnte doch nicht stimmen?! – eine normale Straße an einem Dienstagvormittag um elf. Wo waren die begeisterten Fans? Die Horden von Gratulanten? Die Mitstreiter mit ihren Haushaltsgeräten? Nichts. Niemand. Nur Autos.

Mir wurde klar, dass ich an der falschen Stelle sein musste. »Vor den großen Türen am vorderen Eingang« war mir gesagt worden. Das hier musste eine Art Seiteneingang sein. Das hieß, das ich die Elf-Uhr-Begrüßungszeremonie, die live von der *Gerry Ryan Show* übertragen werden sollte, nur deshalb verpasst hatte, weil ich blöder Trottel zum falschen Eingang gelaufen war.

Ich drehte mich um und wollte in den Bahnhof zurückgehen. Von links näherte sich mir ein alter Mann in einem Kilt, der einen Dudelsack trug.

»Ist das ein Kühlschrank?«, fragte er.

Ich würde mich daran gewöhnen müssen, diese Frage in den kommenden Monaten nicht mehr so oft gestellt zu bekommen, und es würde nicht leicht sein.

»Ja.«

Zumindest war die Antwort auf diese Frage einfach.

»Wie heißen Sie? John?«, fragte der Mann und streichelte sanft seinen Dudelsack.

»Nein, ich heiße Tony.«

»Oh. Ja, das ist seltsam, denn man hat mir gesagt, dass ich mich hier um elf mit John Farell treffen soll.«

»Nun, ich bin eindeutig nicht John Farell.«

»Aber sie haben etwas von einem Kühlschrank gesagt.«

»Wer?«

»RTE.«

»RTE Radio?«

»Ich weiß nicht. Meine Frau hat den Anruf entgegengenommen.«

»Hat RTE Sie gebucht, damit Sie hierher kommen?«

»Ja, genau.«

»Ah, jetzt verstehe ich. Sie haben Sie engagiert, damit Sie mich auf meinem Triumphzug durch die Straßen begleiten. John Farell ist der Reporter vor Ort. Ich soll ihn auch treffen. Das Problem ist, dass wir beide am falschen Ort sind. Wir müssen zum Haupteingang.«

»Das hier ist der Haupteingang.«

Meine Stimmung trübte sich.

»Was?«

»Das hier ist der Haupteingang der Connolly Station.«

»Oh.«

Nun, vielleicht hatte sich die Menge aus irgendeinem Grund woanders versammelt. In diesem Moment kam ein Mann auf uns zu, der einen Mop in der Hand hielt und heftig gestikulierte. Er sah wie ein angegriffenes, erregtes und leicht verrücktes Individuum aus, aber man kann auch nicht erwarten, dass psychisch stabile Mitglieder der Gesellschaft an einem Marsch mit Haushaltsgeräten durch Dublin teilnehmen. Wenigstens hatten wir einen weiteren Teilnehmer.

»Hallo, Tony, ich bin John«, rief er.

Halt, kein weiterer Teilnehmer! Das hier war John Farrell, der Starreporter.

»Freut mich, dich kennen zu lernen«, fuhr er fort. »Mein Gott, du siehst großartig aus. All die Farbe im Gesicht – du siehst aus, als wärst du in der Karibik gewesen statt in Irland.«

Plötzlich wirkte er überhaupt nicht mehr verrückt. Es ist erstaunlich, welchen Einfluss ein unbedeutendes Detail wie die Tatsache, dass die betreffende Person einen Mop in der Hand hält, darauf hat, wie man sie einschätzt.

»Komm schon, wir machen uns besser auf den Weg!«, rief er voll Eifer.

»Aber warte, John, es ist niemand hier. Bist du dir sicher, dass wir am richtigen Ort sind?«

»Natürlich sind wir am richtigen Ort. Solche Aktionen brauchen immer Zeit, um in Schwung zu kommen.«

Hatte er so was schon mal gemacht? Er fuhr fort: »Hat man erst mal begonnen, stoßen immer mehr dazu und machen mit. Hast du einen Radio-Walkman mit Kopfhörer?«

»Ja.«

»Dann setz ihn auf und hör zu! Gerry leitet die ganze Sache gerade ein, und wenn wir zu der Telefonzelle dort drüben kommen, werde ich ihm meinen ersten Bericht durchgeben. Du musst zuhören, denn es kann jederzeit sein, dass ich an dich übergebe.«

Als wir die enttäuschend leere Straße überquerten, setzte ich den Kopfhörer auf und wollte nicht glauben, was ich da hörte. Dramatische Musik – tatsächlich, es war der Soundtrack aus Ben Hur – näherte sich ihrem Höhepunkt. Dann wurde sie von Gerry Ryans Stimme übertönt, der theatralisch und aufgeregt rief: »Er stammt von der anderen Seite des Teichs, dieser junge Mann, der mit seinem Kühlschrank übers Land und übers Meer reist auf der Suche nach einem Sinn und einem Zweck in ihrer beider Leben. Wir sprechen von Tony Hawks, dem Fridge Man. Tony Hawks, der gekommen ist, um für kurze Zeit unter uns zu leben, eine Art Messias. Wir hielten uns nicht für würdig, auch nur den Saum seines Kühlschranks zu berühren, aber dann erkannten wir, dass er ein ganz gewöhnlicher Mensch ist und sein Kühlschrank nur ein kleiner Kühlschrank, der Sohn eines größeren Kühlschranks, des Großen Kühlschranks, des riesigen, gigantischen Kühlschranks im Himmel.«

Du meine Güte, er gab sich ohne Zweifel Mühe.

»Er hat unser Land in seiner ganzen Länge und Breite bereist, er ist Teil unserer Leben geworden. Wir haben Tony Hawks und seinen Kühlschrank in unsere Herzen geschlossen. Der heutige Tag ist das Ende seiner fruchtbaren Odyssee.«

Sein Tonfall änderte sich jetzt, und die Musik wurde leiser, da er zur ersten Direktübertragung überleitete.

»Brenda Donohue ist im ILAC Centre in Dublin und fragt sich, wo Tony und sein Kühlschrank bleiben. Wie sieht es bei dir aus, Brenda?«

»Guten Morgen, Gerry. Hier beim Brunnen vor dem ILAC Centre hat sich eine große Menge versammelt, und wir warten darauf, dass Tony Hawks eintrifft. Das hier ist sein endgültiges Ziel, der letzte Hafen, den er anläuft. Die Leute sind aus dem ganzen Land gekommen, und ich muss sagen, die Stimmung hier heute Morgen ist ausgesprochen erwartungsvoll. Du kennst dieses Gefühl der Ruhe vor dem Sturm: diese Spannung in der Luft, diese Sehnsucht, diese Hoffnung. Wir können es gar nicht mehr erwarten, ihn zu sehen, wir sind neugierig darauf, wie er und sein Kühlschrank aussehen. Wir haben hier Mrs. Burn, die den ganzen Weg von Drogheda bis hierher zurückgelegt hat, und ich bin von den Frauen der Porobella School of Childcare umringt, die alle mit irgendeinem Haushaltsgerät erschienen sind – und nicht nur das: Sie haben ein Lied für Tony! Also, falls er zuhört, falls er auf dem Weg zum ILAC Centre hier in Dublin ist: Tony, wir haben ein Lied für dich. Ich zähle bis drei, und ihr singt euer Lied für Tony, also 1 ... 2 ... 3 GO TONY GO TONY GO TONY GO! GO TONY GO TONY GO TONY GO!«

Das war alles unglaublich. Was am Zielpunkt der Prozession passierte, stand in deutlichem Gegensatz zum Geschehen an ihrem Anfang. Da, wo ich war, herrschte eigentlich kein Gefühl von »Ruhe vor dem Sturm«, sondern eher die Sorge, dass es nicht einmal ein laues Lüftchen geben würde.

Währenddessen reagierte im Radio Gerry Ryan auf den leidenschaftlichen Sprechgesang der Mädchen.

»Ist das nicht wunderbar? Wenn ich Tony Hawks wäre und neben meinem kleinen Kühlschrank vor der Connolly Station stünde, um triumphal in Dublin Einzug zu halten, dann würde mich das zutiefst rühren.«

Nun, ich war es, und es rührte mich.

John begann, mir von der Telefonzelle aus zuzuwinken, wo er mit dem Hörer am Ohr wartete. Mit meinem Kopfhörer hörte ich über Radio von Gerry selbst den Grund dafür.

»Wir begeben uns jetzt zur Connolly Station in Dublin, wo John Farrell, unser Reporter vor Ort, bei Tony Hawks ist. John?«

In der Telefonzelle reckte mir John den Daumen entgegen. Wie würde er mit dieser Situation fertig werden? Verglichen mit dem, was im ILAC Centre los war, und eigentlich auch verglichen mit allem überall sonst, war unser Marsch ein völliger Reinfall. Wie würde John damit umgehen? Ich sollte es bald erfahren.

»Oh, Gerry, ich bin ja so aufgeregt. Dieser Mann hier hat während der letzten drei Wochen und zwei Tage ganz Irland bereist, und er hat überall, wo er aufgetaucht ist, einen tiefen Eindruck hinterlassen. Ich bin heute mit einem einfachen Mop und einem Eiswürfelbehälter hierher gekommen, ich bin also gut vorbereitet. Obwohl mich, um das sofort zu korrigieren, eigentlich nichts auf die Begegnung mit dem Fridge Man hätte vorbereiten können. Als Erstes möchte ich unseren Zuhörern sagen, dass er so braungebrannt ist, als hätte er während der letzten drei Wochen im australischen Busch kampiert. Es ist fantastisch. Sein Kühlschrank trägt die Unterschriften von Hunderten von Leuten, die ihm alles Gute wünschen und ihm sagen, wie sehr sie ihn und seinen Kühlschrank mögen. Und dieser Kühlschrank kehrt jetzt nach Hause zurück. Wir haben einen Dudelsackpfeifer hier, Christy Riley ist hier, um ihn willkommen zu heißen, und ich glaube, ihr könnt im Hintergrund hören, wie er wieder zu spielen anfängt ...«

John hatte dem Blarney Stone eindeutig einen Zungenkuss verpasst. Er hatte sich dafür entschieden, bei der Beschreibung der Ankunftsszene nicht ganz offen zu sein, um einen Ausdruck aus der Politik zu gebrauchen. Der Rest von uns würde sagen, dass er Blödsinn erzählte. Ich schaute zur Telefonzelle und sah, wie John verzweifelt Christy zuwinkte, damit dieser zu spielen anfing. »... Christy unterhält die Menge hier seit ungefähr einer Stunde mit seinem Dudelsack. Ah, jetzt spielt er wieder! Er spielt sehr laut und schön, Gerry, und er zieht sehr viel Aufmerksamkeit auf sich. Wir werden gleich mit der Prozession beginnen, aber ich dachte mir, du willst vielleicht erst noch mal kurz mit Tony sprechen.«

Jetzt winkte er mir verzweifelt zu. Ich ging zu ihm und nahm den Hörer entgegen, den John mir hinhielt.

»Tony, wie geht's dir?«, fragte Gerry. »Wächst die Begeisterung allmählich?«

»Gerry, sie hat hier schon das Fieberstadium erreicht. Ich kann dir gar nicht sagen, was für eine Begeisterung hier herrscht.«

Ach, zum Teufel, ich beschloss, einfach mitzuspielen. Ein bisschen Mythologisierung hat noch niemandem geschadet. Na ja, außer vielleicht den vielen Millionen Opfern grausamer und fundamentalistischer Religionen. Denen hat sie vielleicht ein bisschen geschadet.

»Ich glaube nicht, dass ich schon ein Volk wie dieses kennen gelernt habe«, fuhr ich fort. »Ich habe das Herz der Iren erobert, das ist gar keine Frage. Ich bin überwältigt von der Reaktion.«

»Ich glaube, jetzt ist der Augenblick gekommen, wo wir dich deinen Triumphzug fortsetzen lassen müssen«, verkündete Gerry und leitete geschickt zu einer Werbeunterbrechung über. »Caesar zieht in Rom ein, meine Damen und Herren!«

Und so begann der Triumphmarsch. Es war zwar nicht genau die Szene, die mir am Tag zuvor beim Frühstück in Wexford vor Augen gestanden hatte, aber inzwischen hatte sich meine anfängliche Enttäuschung gelegt, und ich begann, angesichts dieser erbärmlichen Reaktion auf die Aufrufe und Parolen, die ich über Radio verkündet hatte, allmählich eine perverse Befriedigung zu empfinden. Ich kam zu dem Schluss, dass es für einen Marsch, der wirklich zwecklos sein sollte, völlig angemessen war, auf solch beherzte Teilnahmslosigkeit zu stoßen.

Ich nahm mir einen Augenblick Zeit, um John genau zu beobachten, und entdeckte, dass er nicht im Geringsten davon überrascht schien, wie wenig Leute gekommen waren. Er hatte es erwartet. Ich war naiv gewesen. Es war natürlich auch einer Form von Naivität zu verdanken, dass ich es erfolgreich bis hierher geschafft hatte, aber hier war ich in Dublin, und Dublin war die Realität, ein kräftiger Schlag ins Gesicht. Es war eine pulsierende Geschäftsstadt am Dienstagmorgen kurz nach elf. Die Leute mussten arbeiten, ihre Leben leben, hungrige Mäuler stopfen und, Gott sei Dank, Radio hören.

Die Radiozuhörer hatten an einem ziemlich spektakulären und auf seltsame Weise bewegenden Tag in der Geschichte ihrer Hauptstadt Anteil. Zwischen dem Bild, das sich die Zuhörer von den Vorgängen machten, und dem tatsächlichen Geschehen gab es allerdings einen ziemlichen Unterschied. Für diejenigen, die RTE 2 auf Mittelwelle empfingen, ganz egal, wo sie in Donegal, Galway oder sogar oben auf Tory Island wohnten, war es der emotionale Höhepunkt einer rührenden Geschichte, als jubelnde Menschen dicht gedrängt am Wegesrand standen, mit Girlanden warfen und ihrem Helden zuwinkten. Für den Marschierenden, der gerade bei der Connolly Station losging, war es schwierig, es auch so zu sehen. Wir waren zu dritt. Ich, ein rasender Reporter mit einem Mop und ein pensionsberechtigter Dudelsackspieler, der keinen Schimmer hatte, was da vor sich ging.

Wir zogen die Talbot Street entlang und gelangten in eine Fußgängerzone. Die Leute beim Einkaufsbummel, die leider nicht Radio hörten, betrachteten uns mit belustigtem Staunen. Waren wir auf dem Weg zu einem Kostümball? Warum marschierten ein Mann mit einem Kühlschrank, ein Kerl mit einem Mop und ein Dudelsackspieler so stolz durch das Einkaufsviertel?

Wir waren kein bisschen verlegen. Warum hätten wir es auch sein sollen? Christy zog vermutlich mehrmals die Woche seinen Kilt an und ging irgendwohin, um Dudelsack zu spielen, ich hatte einen ganzen Monat in der Gesellschaft eines Kühlschranks verbracht, und es war Johns Beruf, mit einem Mikrofon herumzuwedeln. Und was den Mop anging, nun ja, ich glaube, an den dachten wir gar nicht mehr, und John benutzte ihn als Spazierstock und stützte sich bei seinen langen Schritten auf ihn. Ein paar Minuten lang schwatzten wir fröhlich und hatten unsere Umgebung und die angebliche Bedeutung dieses Ereignisses völlig vergessen.

Als wir die O'Connell Street überquerten und die Henry Street hochgingen, erzählte Christy mir, wie ihn einmal eine wütende Ehefrau, die der Faulheit ihres Mannes überdrüssig geworden war, engagiert hatte, damit er morgens bei Tagesanbruch vor ihrem Schlafzimmerfenster Dudelsack spiele, um den Faulpelz aus dem Bett zu jagen. Der Mann hatte das gar nicht witzig gefunden und ihn mit Schuhen, Parfümflaschen und allem, was ihm gerade in die Hände fiel, beworfen. Christy erklärte, dass dies das schlimmste Engagement gewesen sei, das er je gehabt hatte. Ich hoffte, dass es am Ende dieses Tages immer noch an Nummer eins stehen würde.

Eine Zeit lang schon hatte der Kühlschrank, den ich auf seinem Wägelchen hinter mir herzog, schwerer als sonst gewirkt. Vielleicht setzte Müdigkeit ein, denn beinahe zum ersten Mal fühlte er sich wie die Last an, für die ich ihn anfangs gehalten hatte, zu der er dann aber doch nie geworden war. Ich drehte mich um und entdeckte den Grund: Ein kleiner, ziemlich frecher Junge auf Rollerblades nutzte den Kühlschrank als Mitfahrgelegenheit, indem er sich am Griff der Tür festhielt. Obwohl er immer schwerer zu werden schien, verbot ich es ihm nicht.

Das war nur angemessen. Es war eine Geste, die mich sehr freute, denn es war ein symbolischer Dank an alle, die mich während des letzten Monats mitgenommen und so meine Reise möglich gemacht hatten.

Kurz vor der Kreuzung Henry Street und Upper Liffey Street bemerkte ich, dass wir ein Drittel unserer Teilnehmer eingebüßt hatten. John war nirgendwo zu sehen. Das war Grund zu leichter Beunruhigung, denn er war der Einzige, der eine Ahnung hatte, wo wir hinsollten. Die Zahl derer, die an dem triumphalen Einzug teilnahmen, war jetzt auf zwei geschrumpft. Als wenn ein triumphaler Einzug mit zwei Teilnehmern nicht schon peinlich genug wäre, würden Christy und ich uns bald noch weiter erniedrigen müssen, indem wir nach dem Weg fragten. Biblische Vergleiche waren nicht mehr angemessen.

Als ich auf eine Bank stieg und nach John Ausschau hielt, konnte ich mit einem Ohr über den Kopfhörer Brenda Donohue hören, die für die *Gerry Ryan Show* berichtete:

»Hier im ILAC Centre hat sich eine gewaltige Menschenmenge versammelt, und wir sind alle ganz wild darauf, endlich Tony zu Gesicht zu bekommen. Wir hatten gehofft, dass er es in der Zwischenzeit hierher schaffen würde, und wir haben den Kontakt zu John verloren, so dass wir einfach nicht wissen, wo sie stecken ...«

Ein paar hundert Meter entfernt konnte ich gerade noch sehen, wie John auf uns zurannte, wobei sein Mop wie eine überdimensionale Staffel wirkte. Als er uns einholte, fragte ich ihn, wo er gewesen sei, und stellte ihm mein freies Ohr für die Antwort zur Verfügung.

»Tut mir Leid, Tony, dieser Kerl hat mich über das Handy angerufen, und es wäre schwierig gewesen, ihn abzuwimmeln«, erklärte John.

»Hättest du ihm nicht sagen können, dass du mit einer landesweit übertragenen Live-Sendung beschäftigt bist?«, wollte ich wissen.

»Na ja, so einfach ist es nicht. Weißt du, er ist im Gefängnis, und er hat gesagt, dass er nur jetzt ans Telefon darf.«

Ich machte mir nicht die Mühe, mehr herauszufinden, denn vermutlich war es besser, nichts Genaueres zu wissen.

Nachdem wir diese Unterbrechung hinter uns hatten, waren wir bereit, diesen Marsch aller Märsche zu vollenden. Jetzt, da die Teilnehmerzahl wieder auf drei gestiegen war, fühlten wir uns ziemlich gut. Ich überlegte gerade, den »Was wollen wir? Wissen wir nicht!«-Sprechgesang anzustimmen, als Christy etwas Aufmunterndes auf dem Dudelsack zu spielen begann. Dadurch zogen wir ganz ohne Zweifel Aufmerksamkeit auf uns.

John brachte Gerry wieder auf den neuesten Stand, was ich wegen Christys inzwischen ein wenig misstönenden Instruments kaum verstehen konnte. Brenda O'Donohue interviewte Leute, die Haushaltsgeräte zum ILAC Centre gebracht hatten. Unter den Mitbringseln waren ein Fön, Waschpulver

mit etwas schmutziger Wäsche, ein Dosenöffner, ein Schnee-
besen sowie eine Brennschere. Eine Frau versicherte, dass ihre
Freundin eine Putzfrau sei, die sie extra für diese Veranstaltung mitgebracht habe.

»Das ist großartig, Brenda«, rief Gerry. »Bleibt dran, Fans
des Fridge Man! Ich glaube, seit dem eucharistischen Kon-
gress in den Fünfzigerjahren haben wir es nicht mehr erlebt,
dass einem Mann bei seiner Rückkehr nach Hause so viel Liebe entgegenschlägt.«

Vor jeder Werbepause legte er noch eins drauf. Es würde
nicht einfach sein, dem gerecht zu werden.

»Ich glaube, wir müssen uns jetzt beeilen«, sagte John, als
er von der Telefonzelle zurückkehrte, von der aus er Gerry Bericht erstattet hatte. »Wenn wir nicht ein bisschen schneller
machen, schaffen wir es vor zwölf nicht mehr bis zum ILAC
Centre, und dann ist die Show zu Ende.«

Die Show ist zu Ende. Mich überkam plötzlich Trauer.
Auch für mich würde die Show zu Ende sein. Ich war mir
nicht sicher, ob ich das wollte.

»Los!«, rief John mit überraschender Dringlichkeit. »Ich
glaube, wir werden rennen müssen.«

Den Leuten auf Dublins Straßen wurde ein neues Spektakel zuteil: drei Erwachsene, die mit verschiedenen exzentrischen Requisiten durch das Stadtzentrum rannten. Christy
war kein geübter Läufer. Er war über sechzig Jahre alt, und er
hatte vermutlich seit ungefähr zwanzig Jahren keinen Grund
mehr gehabt, irgendwohin zu rennen.

Während ich mit dem laut hinter mir her ratternden Kühlschrank rannte, schaute ich zu ihm hinüber, dessen Gesicht
rot angelaufen und schweißüberströmt war, und war mir
ziemlich sicher, dass er gerade eine Erfahrung machte, die das
Engagement zum Wecken des faulen Ehemanns auf Platz zwei
verdrängen würde.

Wir bogen um eine Ecke, und vor uns lag das überraschende und schäbige Endziel der Reise: ein Einkaufszentrum, das den poetischen Namen ILAC Centre trug. Jetzt, da das Ende in Sicht war, verlangsamten wir unseren Sprint, verfielen in einen würdevolleren Trab und betraten das Einkaufszentrum, ohne zu wissen, was uns erwartete. Der laute Jubel einer Menge, die viel größer war, als ich vermutet hatte, schlug uns entgegen. Okay, sie war nicht so groß, wie Brenda uns hatte weismachen wollen, aber es hatten sich ungefähr hundert Leute im Zentralbereich des Einkaufszentrums versammelt. Eine Frau mit einem Mikrofon winkte mich zu sich. Es musste sich um Brenda handeln, denn die Bewegungen ihres Munds waren genau synchron mit den Worten, die ich über Kopfhörer vernahm.

»Gerry, Tony hat es geschafft! Der Kühlschrank ist hier! John Farrell ist hier, der Dudelsackspieler ist hier – du meine Güte, er wirkt ein bisschen müde, und dann ist da noch diese riesige Menschenmenge, die, da bin ich mir sicher, ihrer Begeisterung für Tony und seinen Kühlschrank Ausdruck verleihen wird, denn die beiden sind innerhalb eines Monats um die ganze Insel gereist und haben es jetzt zum ILAC Centre in Dublin geschafft. Also, wie wär's mit einer Runde Applaus für Tony?«

Ein weiterer Jubelsturm brach los, als ich mich verbeugte. John gab dem armen Christy das Zeichen, zu spielen, aber dem fehlte leider das für einen Dudelsackspieler Wichtigste: der Atem. Er sank erschöpft auf einer Bank neben zwei alten Damen nieder, tat sein Bestes und versuchte verzweifelt, Luft in den Blasebalg seines Instruments zu pusten. Es sah aus, als wäre er am Sterben. Er brachte nur ein Geräusch zustande, das einer Polizeisirene glich, deren Batterie zu Ende geht. Im Studio war jemand so schlau, noch mehr von der mitreißenden Ben-Hur-Musik einzuspielen, damit Christy übertönt wurde.

»Bevor wir mit Tony reden: John Farrell, wie war der Marsch für dich?«

»Brenda, es war für mich eine geradezu religiöse Erfahrung.

Ich hatte ja keine Ahnung, wie groß der Einfluss einfacher Haushaltsgeräte auf die Menschen ist. Aber der Fridge Man hat mich zum Licht geführt und mir die Wahrheit offenbart, und ich erkenne sie jetzt in den Gesichtern all der Menschen hier. Es war ein wunderbarer, wunderbarer Tag.«

»Brenda«, sagte Gerry im Studio, »hol Tony ans Mikrofon, ich möchte ihn fragen, wie er sich fühlt.«

Genau in dem Augenblick gesellte ich mich zu Brenda ans Mikrofon.

»Tony, du hast es vollbracht, du hast etwas Großartiges vollbracht«, erklärte Gerry. »Du bist jetzt sicher sehr stolz. Wie geht es dir, und wie geht es deinem Kühlschrank?«

»Wir sind beide völlig aus dem Häuschen. Wie du weißt, ist der Kühlschrank auf den Namen Saiorse getauft worden, was auf Gälisch Freiheit heißt, und alle Leute haben begriffen, dass er ein freier Kühlschrank ist, dass es ihm freisteht, zu tun, was er will, dass es ihm freisteht, zu gehen, wohin er will, und dass es ihm freisteht, der zu werden, der er sein will, und wenn schon ein Kühlschrank das erreicht, wo sind dann die Grenzen für uns?«

»Ein wirklich tiefschürfender Gedanke, Tony. Sag mal, könnte man behaupten, dass der Kühlschrank das Ding ist, das dir auf der Welt am nächsten steht?«

»Ja«, antwortete ich lachend, »das ist meine ganz persönliche Tragödie, danke, dass du darauf hingewiesen hast.«

»Also, in wenigen Momenten werden wir eine kleine Zeremonie abhalten, aber bevor wir das tun: Möchtest du vielleicht noch ein paar Worte an die Menge richten? Tony Hawks, ein paar abschließende Gedanken!«

Es war Zeit für eine weitere improvisierte Rede. Ich wollte diesem Augenblick gerecht werden.

»Gerry, ich kann dir nicht sagen, wie sehr mich die Anteilnahme hier rührt. Es haben sich wirklich Tausende von Leuten versammelt, so ungefähr zumindest. Die Menge erstreckt sich – also wenn nicht meilenweit, so doch meterweit nach hinten, also ein ganzes Stück weit zumindest. Ich möchte einfach dem irischen Volk und all den Leuten, die mich auf dieser Reise mitgenommen haben, Tribut zollen. Dieser Kühlschrank hier ist der erste Kühlschrank, der rund um eure schöne Insel getrampt ist. Vermutlich wird er nicht der letzte sein, denn ich erwarte, dass sich viele Leute an meiner Reise ein Beispiel nehmen und mit verschiedenen Haushaltsgeräten losziehen werden, und ich bin stolz darauf, den Weg für sie geebnet zu haben. Es hat auf meiner Reise Höhepunkte gegeben wie das Wellenreiten mit dem Kühlschrank in Strandhill, und es hat Tiefpunkte gegeben wie den langen Marsch durch das Stadtzentrum von Galway, auf dem mir der Kühlschrank ständig von seinem Wägelchen gefallen ist, aber immer war jemand mit einem freundlichen Wort und meist auch einem Glas Bier zur Stelle, und dafür möchte ich mich von ganzem Herzen bedanken.«

Meine Worte wurden mit freundlichem Applaus bedacht. Gerry ergriff noch einmal das Wort: »Nun bleibt uns nur noch, diese Odyssee mit einer speziellen Zeremonie zu beschließen. Brenda hat die Kühlschrankmagnet-Amtskette der *Gerry Ryan Show* dabei, für die eine Kollektion verschiedener Kühlschrankmagnete zusammengenäht wurde, und sie wird jetzt Tony damit auszeichnen. Brenda, du bist dran!«

»Tony« verkündete Brenda feierlich, »Irland erklärt dich hiermit zu seinem Fridge Man!«

Die Menge jubelte, die Musik aus Ben Hur erreichte ihren Höhepunkt, und ich verbeugte mich vor Brenda wie ein siegreicher Olympionike, als sie mir die Amtskette über den Kopf streifte. Ich betrachtete die unwirkliche Szene vor mir und winkte den lächelnden und lachenden Zuschauern mit echter Dankbarkeit und Rührung zu.

Zu meiner eigenen Überraschung rollte mir eine Träne über die Wange.

24

Zu verkaufen: Kühlschrank, von Erstbesitzer, scheckheftgepflegt

Es war ein Fall von des Kaisers neue Kleider. Kaum war die Radioübertragung zu Ende, verflog auch das Traumgebilde, das dadurch entstanden war. Auf einmal kam sich der Fridge Man wie ein ganz gewöhnlicher Mensch vor. Das Gefühl des Triumphs hatte sich genauso schnell verloren wie die Radiowellen im Äther. Es war alles ein großer Spaß gewesen, ein bisschen was zum Lachen, aber auch ein wenig albern, und jetzt hatte es ein Ende. Die Menge lief fast sofort auseinander. Die Leute mussten zu Verabredungen, zurück zur Arbeit oder die Kinder von der Schule abholen. Keiner konnte so viel Zeit erübrigen, wie die Leute, denen ich auf dem Rest meiner Reise begegnet war. Das Stadtleben ließ es nicht zu, einem Spleen derart ausgiebig zu frönen.

Das Finale mag Humbug gewesen sein, nicht aber das, was ihm vorausgegangen war. Das war für mich real. Die Reise hatte vielleicht nicht das Leben der Leute in Irland verändert, dafür aber meins. Ich war jetzt ein anderer, besserer Mensch. Ich hatte Entdeckungen gemacht und wichtige Dinge gelernt. Von diesem Tag an würde ich für Tramper anhalten, in Pubs zusammen mit den fröhlichen Betrunkenen lachen und das Recht des schlechten Gitarristen, mit den anderen mitzuspielen, respektieren. Ich hatte Toleranz gelernt, ich hatte gelernt, dass man sich auf die Hilfe seiner Mitmenschen verlassen kann, und ich hatte eine neue und angenehme Art kennen gelernt, sich Splitter einzuziehen.

In einer idealen Welt wäre die *Gerry Ryan Show* natürlich eine Sendung im Abendprogramm gewesen, und wir hätten die ganze Nacht vor uns gehabt, um zu feiern. Sie war es aber nicht. Sie endete um zwölf. Mittags.

»Hast du Lust, schnell was trinken zu gehen?«, fragte Brenda.

Ob ich Lust hatte, schnell was trinken zu gehen? Ich hatte Lust, 24 Stunden lang ohne Unterbrechung zu feiern.

»Ja, das wäre nett.«

»John und ich brauchen nur zehn Minuten, um ein paar Sachen zu klären.«

»In Ordnung.«

Ich stand da und kam mir verloren vor. Ich war einen Monat lang allein herumgereist und hatte mich nicht ein einziges Mal einsam gefühlt. Ich wünschte mir, meine neuen Freunde wären bei mir. Ich wollte Andy und seine Familie aus Bunbeg treffen. Ich wollte Geraldine begegnen, Niamh, Brendan und der ganzen Bande aus dem Matt Molloy. Ich wollte Bingo mit seinem Surfbrett treffen, Tony aus Ennistymon mit seinem Akkordeon, die Mutter Oberin, Brian und Joe, die Parkettleger, und meine Freunde aus Cork und Wexford. Ich wollte sie alle umarmen. Ich wollte jemanden treffen, der von dieser unglaublichen, unvergleichlichen Erfahrung genauso berührt worden war wie ich. Jemanden, der *verstand*.

Und so jemand war da.

»Tony? Wie zum Teufel geht's dir?«, fragte eine Frau.

Es war Antoinette, der ich in der ersten Woche das Interview für *Live At Three* gegeben hatte.

»Antoinette! Mir geht's großartig. Und dir?«

Ich umarmte sie einfach, so fest es ging. Es war meine Umarmung für alle, aber die arme Antoinette wurde ihr Opfer. Ziemlich mitgenommen befreite sie sich und stellte mir Kara vor, die so freundlich gewesen war, das Mobiltelefon für mich zu organisieren.

»Wir haben dich im Radio gehört«, erklärte Antoinette, »und es klang so erstaunlich, dass wir einfach die Arbeit Arbeit sein lassen und hierher kommen mussten.«

»Ihr hättet mitmarschieren sollen. Warum seid ihr nicht zum Marsch gekommen?«

»Um uns zu Narren zu machen? Nein, nein – das überlassen wir lieber dir.«

Diese Aussage fasste den Unterschied zwischen ihrer und meiner Tätigkeit ziemlich gut zusammen.

»Ich gehe jetzt mit Brenda und John was trinken«, sagte ich. »Wollt ihr mitkommen?«

»Sehr gerne. Geht's dir gut? Du siehst ein bisschen verwirrt aus.«

»Das bin ich auch. Es ist so ein seltsames Gefühl – dass das alles jetzt zu Ende ist. Irgendwie eine Enttäuschung. Ich fürchte, ich breche gleich zusammen.«

Die Reise mochte zu Ende sein, aber ihr durchgehendes Motiv war noch vorhanden: Jemand war immer da, um mir zur Seite zu stehen. Diesmal waren es Antoinette und Kara. Als der kleine Umtrunk sich dem Ende näherte, wandte sich Antoinette mir zu: »Was wirst du jetzt tun?«

»Ich habe, ehrlich gesagt, keinen blassen Schimmer.«

»Warum kommst du nicht mit uns mit?«, fragte Kara. »Mary aus unserem Büro verlässt uns, und wir gehen jetzt zu ihrem Abschiedsessen.«

»Das würde ich gerne, aber ich kann doch dort nicht einfach uneingeladen auftauchen.«

»Das kannst du und wirst du.«

Es war seltsam, meine Reise zu feiern, indem ich einfach auf die Feier von jemand anderem ging, aber es erfüllte seinen Zweck und lenkte mich von der Tatsache ab, dass jetzt alles vorbei war. Nach dem Essen nahm ich mir ein Taxi, um zu Rory und der Pension, in der ich bei meiner Ankunft übernachtet hatte, zu fahren und so meiner Reise eine gewisse Symmetrie zu verleihen.

Überall war viel Verkehr. Alles schien sehr schnell vonstatten zu gehen, und die Leute wirkten sehr beschäftigt. Es war ein Schock nach der Ruhe des ländlichen Irlands. Dort, in jenem stillen Hinterland, hatte ich eine direkte Verbindung zwischen dem Tempo des Alltagslebens und der Zeit, die es dauert, bis der Barmann einem ein Stout serviert, entdeckt. Die Prozedur war ausgesprochen liebenswert, denn obwohl der Barmann unter Umständen eine Ewigkeit brauchte, bis er einen entdeckt, nach dem Wunsch gefragt, das Glas zu zwei Dritteln gefüllt und dann eine weitere Ewigkeit gewartet hatte, bis der Schaum sich setzte, führte er einen, kaum war das Glas endlich serviert, in die Gespräche und Lebensläufe der anderen Gäste ein. Dieser Brauch existierte vermutlich hier in Dublin auch, man musste sich nur auskennen, aber ich war noch nicht bereit, mich einzufügen. Die schiere Menschenmasse machte mich nervös. Wenn schon Dublin ein Schock war, wie würde ich mich dann erst fühlen, wenn ich in London ankam?

Im Taxi änderte ich meine Meinung, was meine Abreise anging. Bisher hatte ich geplant, noch ein paar Tage in Dublin zu bleiben, mich ein bisschen umzusehen und mich ganz allgemein in meinem Ruhm zu sonnen. Jetzt wirkte das aber nicht mehr so verlockend, denn zum einen hatte ich das Gefühl, als hätte ich den Job, wegen dem ich gekommen war, erledigt, zum anderen war der Ruhm nicht so groß, als dass ich mich darin anständig hätte sonnen können. Wäre es nicht besser, nach Hause zu fliegen, die Batterien wieder aufzuladen und irgendwann zurückzukommen und die alten Freunde zu besuchen, wenn ich wieder frisch und bei Kräften war? Ich entschied mich also dafür, am nächsten Morgen einen Flug zu buchen und am späten Nachmittag zu fliegen.

Eine Frage blieb allerdings noch. Was sollte ich mit dem

Kühlschrank tun? Und auch hier hatte ich eine neue Idee. Ursprünglich hatte ich versuchen wollen, ihn zu verkaufen. Mich amüsierte die Vorstellung, folgende Anzeige in einer Lokalzeitung aufzugeben:

Zu verkaufen:
KÜHLSCHRANK,
VON ERSTBESITZER,
SCHECKHEFTGEPFLEGT,
NIEDRIGER KILOMETERSTAND,
MÖGLICHERWEISE SALZWASSERSCHADEN,
NOCH NIE IN BETRIEB GENOMMEN

Meine zweite Idee war, Gerry Ryan den Kühlschrank während seiner Sendung versteigern zu lassen, und das Geld dann einem wohltätigen Zweck zu stiften. Das wäre die selbstloseste Vorgehensweise gewesen und vermutlich die, für die ich mich hätte entscheiden sollen. Das Problem war nur, dass ich inzwischen zu sehr an dem verdammten Ding hing. Wenn ich zu ihm hinuntersah, empfand ich echte Zuneigung. Ich wusste, dass dies keine Gefühle waren, die man normalerweise für einen Kühlschrank hegt, aber ich konnte mich einfach nicht von ihm trennen. Es war nicht irgendein Kühlschrank, es war Saiorse Molloy, und er war von oben bis unten mit den Unterschriften von Freunden und Leuten bedeckt, die mir Glück wünschten. Dies waren meine Erinnerungen. Ich würde ihn zu Hause in meinem Büro aufstellen, denn sicher würde sich eine Flasche Mineralwasser, die man in einen von Mutter Oberin gesegneten Kühlschrank stellt, in Weihwasser verwandeln. Und spät abends könnte ich ab und zu einen Drink zu mir nehmen und das Wasser mit ein paar Tropfen eines geistigen, wenn auch eindeutig nicht heiligen Getränks mixen.

Rory freute sich, mich wiederzusehen.

»Ah, du hast es also geschafft. Darf ich auf dem Kühlschrank unterschreiben?«

»Wenn du Platz findest.«

Er suchte die Oberflächen ab und fand keinen freien Fleck.

»Ich werde unten unterschreiben müssen«, stellte er fest und tat es, nachdem er den Kühlschrank umgekippt hatte.

»Ich schätze, du wirst heute Abend ausgehen und groß feiern.«

»Nicht wirklich.«

»Wieso nicht?«

»Es hat sich irgendwie nichts ergeben, und ich glaube auch nicht, dass ich heute wirklich feiern möchte.«

Rory sah mich ziemlich genauso an wie vor ein paar Wochen, als ich mit dem Kühlschrank im Schlepptau bei ihm eingetroffen war. Als wenn ich verrückt wäre.

Ich hätte ausgehen und mich amüsieren können, denn Antoinette und Kara waren so freundlich gewesen, mich einzuladen, mit ihnen und ein paar Freunden was trinken zu gehen, aber mir war ganz einfach nicht danach. Stattdessen machte ich einen Spaziergang, nahm allein ein ruhiges Abendessen zu mir und ging in die Pension zurück, um in meinem Zimmer fernzusehen.

Die Reise fand ein ziemlich banales Ende.

Ich sah mir eine Debatte zwischen Bertie Aherne und John Bruton an, zwei Männern, die um den höchsten Job in der irischen Politik rangen. Jetzt, da es nur noch ein paar Tage bis zur Wahl waren, lieferten sich die beiden mit derselben vollendeten Vorsichtigkeit, die ich erst einen Monat zuvor anlässlich der britischen Wahlen hatte beobachten können, ein Duell. Es gab nur geringe Unterschiede zwischen den beiden. Beide waren schwer zu fassen, und beide verstanden es großartig, Fragen zu entgehen und den Fragesteller zu manipulieren. Waren die immer so?

»Wie geht es Ihnen, Bertie?«

»Ich würde diese Frage gerne in zwei Schritten beantworten, wenn ich darf, aber lassen Sie mich zuerst auf die Frage zurückkommen, die Sie letzten Donnerstag gestellt haben ...«

Es war alles andere als mein Traum, die letzte Nacht in Irland damit zu verbringen, in meinem Pensionszimmer fernzusehen, aber es hatte sich nichts anderes ergeben, und ich hatte einfach nicht die Energie oder den Willen, dafür zu sorgen, dass etwas passierte. Vielleicht war das auch ganz gut so. Es war meine Wiedereingewöhnungsphase. Ich hatte eine Fantasie ausgelebt, und jetzt war es an der Zeit, wieder die wirkliche Welt zu betreten, in der selbstgefällige Politiker sich im Fernsehen duellierten, um die Stimmen zu gewinnen, die es ihnen erlauben würden, unsere Zukunft zu bestimmen. Die wirkliche Welt, die Zukunft. In der Kühlschränke in der Küche blieben.

Ich versuchte, mit einem Anruf etwas für meine Stimmung zu tun, bevor ich mich endgültig hinlegte. Ich rief bei Kevin an, um ihm zu sagen, dass er mir hundert Pfund schulde. Er war nicht da. Ich hatte an diesem Abend eben kein Glück. Dann rief ich bei Saiorses Familie im Matt Molloys an, um ihnen vom Erfolg ihres Verwandten zu erzählen. Ich sprach mit Niamh. Sie war begeistert.

»Ich kann es gar nicht erwarten, es den anderen zu sagen. Wir werden unsere eigene kleine Feier veranstalten. Tausend Dank, dass du angerufen hast«, sagte sie.

Jetzt konnte ich mich hinlegen, denn ich wusste, irgendwo war jemand genauso begeistert wie ich darüber, dass ich etwas so Blödsinniges vollbracht hatte.

Auf seine Familie kann man sich eben verlassen. Ich ging mit einem zärtlichen Gefühl im Herzen schlafen.

Rorys Etablissement musste in der Zwischenzeit ziemlichen Erfolg gehabt haben, denn das Frühstück wurde von einem Angestellten zubereitet, und die Verbesserung war beträchtlich. Verbessert hatte sich auch meine allgemeine Stimmung. Dann erhielt ich einen Anruf von Deirdre, einer der Mitarbeiterinnen der *Gerry Ryan Show*.

»Tony, ich glaube, wegen der ganzen Aufregung gestern haben wir vergessen, dir zu sagen, dass wir dich zum Mittagessen einladen möchten. Wir dachten uns, du würdest vielleicht gerne Gerry und die Mannschaft kennen lernen. Wir würden dich jedenfalls gerne treffen.«

»Das wäre wunderbar, danke.«

Vielleicht würde die ganze Sache doch nicht so beiläufig enden, wie ich befürchtet hatte.

Im Taxi auf dem Weg zum Restaurant versuchte ich mir vorzustellen, wie Gerry wohl aussah. Es war seltsam, mit jemandem im Verlauf eines Monats so oft gesprochen zu haben, ohne eine Ahnung davon zu haben, wie er aussah. Er und sein Team waren vermutlich ebenso gespannt, was mein Erscheinungsbild anging, aber ich würde leicht zu erkennen sein. Falls niemand sonst mit einem Kühlschrank im Schlepptau das Restaurant betrat, war es unwahrscheinlich, dass es zu einer Verwechslung kommen würde.

Der Kellner teilte mir mit, dass Gerry Ryan mit einer Gruppe von acht Personen im hinteren Teil des Restaurants sitze. Ich bahnte mir einen Weg dorthin, und ein kleiner Jubelschrei stieg am betreffenden Tisch auf, kaum war der Kühlschrank entdeckt worden. Der Mann am Kopfende der Tafel stand sofort auf und kam auf mich zu, um mich zu begrüßen.

»Tony«, rief er, »es ist toll, dich endlich zu sehen.«

Es war eigenartig, denn Gerry sah genauso aus, wie ich ihn mir vorgestellt hatte: rotes, allmählich lichter werdendes Haar, eine modische Brille und Bartstoppel.

»Gerry, es ist auch toll, dich zu sehen«, antwortete ich.

»Ich bin nicht Gerry. Ich bin Willy. Das da drüben ist Gerry.«

Ich schaute hinüber. Gerry erhob sich. Wie seltsam. So sollte er eigentlich gar nicht aussehen. Er war groß, gut gebaut, hatte volles schwarzes Haar und einen Bauchansatz.

»Tony«, sagte er und trat zu mir, um mir die Hand zu geben. »Du siehst großartig aus. Du hast kein Recht, so großartig auszusehen. Nicht nach all dem, was du durchgemacht hast.«

Ich wurde den anderen vorgestellt, die alle irgendwann mal mit mir am Telefon gesprochen hatten: Willy, Paul, Jenny, Siobhan, Deirdre, Joan und Sharon. Ich wurde eingeladen, den Sekt zu öffnen. Ich kämpfte mit der Flasche – wie immer –, aber schließlich knallte der Korken, und die Feier, nach der ich mich gestern so gesehnt hatte, begann.

Irgendwann im Verlauf des Essens beugte sich Gerry zu mir, schenkte mir aus einer weiteren, gerade geöffneten Weißweinflasche ein und sagte: »Tony, es gibt da eine Frage, die ich dir nur allzu gerne gestellt hätte, aber das ging während der Sendung nicht. Hast du während deiner Reise eigentlich auch mal Sex gehabt?«

Diese Frage rief Gekicher, neckische Rufe und Jauchzer hervor.

»Nun, als ich Cork erreicht hatte, habe ich es endlich geschafft, dass mir ein bisschen mehr Aufmerksamkeit als dem Kühlschrank zuteil wurde, aber du wirst das Buch lesen müssen, um die Antwort auf deine Frage herauszufinden.«

»Du wirst ein Buch über diese Reise schreiben?«

»Ja, das habe ich gestern Abend beschlossen.«

»Gute Idee«, stellte Gerry fest. »Ich schätze, das bedeutet, dass ich darin vorkommen werde. Ich hoffe, du benimmst dich und erwähnst das hier nicht.«

Er lächelte und klopfte auf sein Bäuchlein.

»Das werde ich nicht«, versprach ich ihm mit all der Ernsthaftigkeit, die ich aufbringen konnte.

»Hollywood wird es vermutlich eines Tages verfilmen«, sagte Paul.

»Ja, und falls sie es tun, wen meinst du, werden sie für Tonys Rolle nehmen?«

Deirdres Frage rief eine hitzige Diskussion hervor. Johnny Depp war ein Favorit, Mel Gibson ein anderer, aber Bruce Willis erhielt die meisten Stimmen. Ja, den konnte ich mir auch ganz gut vorstellen.

Nach dem Nachtisch lud ich den ganzen Tisch ein, mit mir neben dem Kühlschrank für Fotos zu posieren. Dann riss ich das ›Mo Chuisneoir‹-Schild ab, das den Kühlschrank seit Donegal geschmückt hatte, und verschaffte so den Unterschriften und Botschaften von Gerry und seinem Team den ihnen gebührenden Ehrenplatz vorne auf der Tür. Schließlich wäre es ohne ihre Hilfe vermutlich eine ganz andere Geschichte geworden.

Gerry schaute zu Saiorse hinunter.

»Ich kann mir einfachere Möglichkeiten vorstellen, sich hundert Pfund zu verdienen«, sagte er.

»Ich weiß, aber fällt dir eine bessere ein?«, antwortete ich.

Er dachte einen Augenblick lang nach.

»Nein, ich glaube nicht. Nicht wirklich.«

Wir kehrten für den Dessertwein zum Tisch zurück. Diese Leute wussten, wie man richtig zu Mittag isst. Es war fast fünf, und was noch erstaunlicher war: Das Restaurant war immer noch voll. Mein Taxi kam, und ich stand auf, um zu gehen. Gerry stand ebenfalls auf und erhob sein Glas, und die anderen am Tisch folgten seinem Beispiel.

»Auf den Fridge Man!«, rief er so laut, dass jeder im Restaurant ihn hören konnte.

»Auf den Fridge Man!«, antworteten die anderen.

Als ich das Restaurant verließ und meinen Kühlschrank zum letzten Mal hinter mir herzog, begannen alle an Gerrys Tisch höflich zu klatschen. Erstaunlicherweise schlossen sich einige Leute an den anderen Tischen an. Wieder andere standen auf, um zu sehen, was vor sich ging, und als sie mich und den Kühlschrank entdeckten, stimmten sie in den Beifall mit ein, weil sie vielleicht meinten, dass dies von ihnen erwartet wurde. Bald klatschten alle in dem Restaurant, und obendrein gab es noch Anfeuerungsrufe, Pfiffe und Gelächter.

Ich fühlte mich großartig. Die Enttäuschung von gestern war vergessen. Jetzt verstand ich. Das gestern war Humbug gewesen, das hier war wirklich. Gestern hatte ich »Schaut mich an« zu sagen versucht. Das war nicht richtig gewesen, und es hatte nicht wirklich funktioniert. Das hätte ich wissen müssen nach der Erfahrung, die ich gemacht hatte, als Elsie mich im Clubhaus des Golfplatzes von Ballina präsentierte. Jetzt funktionierte es, und es funktionierte, weil ich das Restaurant bescheiden, ohne Getue, ohne Affektiertheit und Effekthascherei verließ. Die Gäste in dem Restaurant merkten das und spendeten jemandem, für den sie seltsamerweise Respekt empfanden, spontan und ehrlich Beifall. Dieser Moment war etwas Besonderes, und ich genoss ihn.

Ich sah mich um und bemerkte, dass an Gerry Ryans Tisch immer noch alle standen und sich jetzt auch andere Leute erhoben. Einfach unglaublich. Wenn das Hollywood-Drehbuch fertig war, würde man dieses Ende vermutlich für zu kitschig halten. Aber Hollywood würde sich hierfür sowieso nicht interessieren: Das alles war ja wirklich passiert.

So kam es, dass sich ein triumphaler Auszug und nicht ein triumphaler Einzug als der passende Schlusspunkt für dieses seltsam ergreifende Abenteuer erweisen sollte. Ich war froh, dass mein letzter Eindruck von Irland genau der gleiche war, den ich während der vergangenen vier Wochen gehabt hatte: Man war hier herzlich, zuvorkommend und trank gerne.

Als ich schließlich das Taxi erreichte, standen mir Tränen in den Augen.

»Geht es Ihnen gut?«, fragte der Taxifahrer, als er für mich die Tür öffnete.

»Ja, ich bin nur glücklich.«

»Oh, gut. Wo soll's denn hingehen?«

»Zum Flughafen.«

Ich verließ Irland. Die Affäre war zu Ende, aber die Freundschaft hatte gerade erst begonnen.

Epilog

Roisin hat nicht angerufen.

Anmerkung des Autors

Alle Ereignisse in diesem Buch haben tatsächlich stattgefunden, und die darin beschriebenen Personen existieren wirklich. Bis auf ein- oder zweimal, wo ich die Leute aus Respekt vor ihrer Privatsphäre neu benannt habe, habe ich die echten Namen beibehalten. Ich möchte allen herzlich danken, die mir bei der Veröffentlichung dieses Buches geholfen haben, und natürlich auch den Leuten, über die ich geschrieben habe. Ich hoffe, ich bin euch gerecht geworden.

Bill Bryson bei Goldmann